新
ビジョン
2050

地球温暖化、少子高齢化は克服できる

小宮山宏
山田興一
著

日経BP社

◆ contents ◆

第6章 プラチナ産業と新しい社会

序章

「ビジョン2050」から「新ビジョン2050」へ

◆ ◆ ◆

20世紀はエネルギーで物質文明を発展させた100年だった。その結果として起きた資源枯渇、地球温暖化、気候変動。地球持続のために物質とエネルギーはどうあるべきか。半世紀先に目指すべき姿として「ビジョン2050」を描いた。

それから20年。幸いにも世界はビジョン2050に向かっている。

21世紀はビジョン2050を物質的基底に、質的豊かさを求める100年になるだろう。その具体的な姿とは資源自給、自然共生、生涯現役、多様な選択肢、自由な参加を備えたプラチナ社会だ。本書ではビジョン2050にプラチナ社会の視点を加えた「新ビジョン2050」を提起する。

序章◆1　人類史の転換期

21世紀は特別な時代

図序―1は西暦1000年から現在までの、1人当たりGDPの世界平均、平均寿命、および大気中のCO$_2$濃度を示したものである。3本の線は、20世紀に入って急激に上昇する同じ軌跡を描いている。20世紀は、人類の活動の膨張という意味で、きわめて特殊な時代だったのである。

人類はその長い歴史のほとんどの期間、きわめて緩慢に発展してきた。平均寿命でいえば、ギリシャやローマの時代には24、5歳と言ったところであったが、2000年以上経過した1900年になっても31歳、わずか数歳延びたに過ぎなかった。それが2011年には70歳を超えるに至ったのである。最大の原因は衣食住、特に食を得るに事欠かない人が多くなったことである。人々は物質的豊かさを得、長寿を実現した。しかし、その結果として、高齢社会をはじめさまざまな課題を抱え、地球温暖化など生存の基盤である地球そのものを変質させ始める

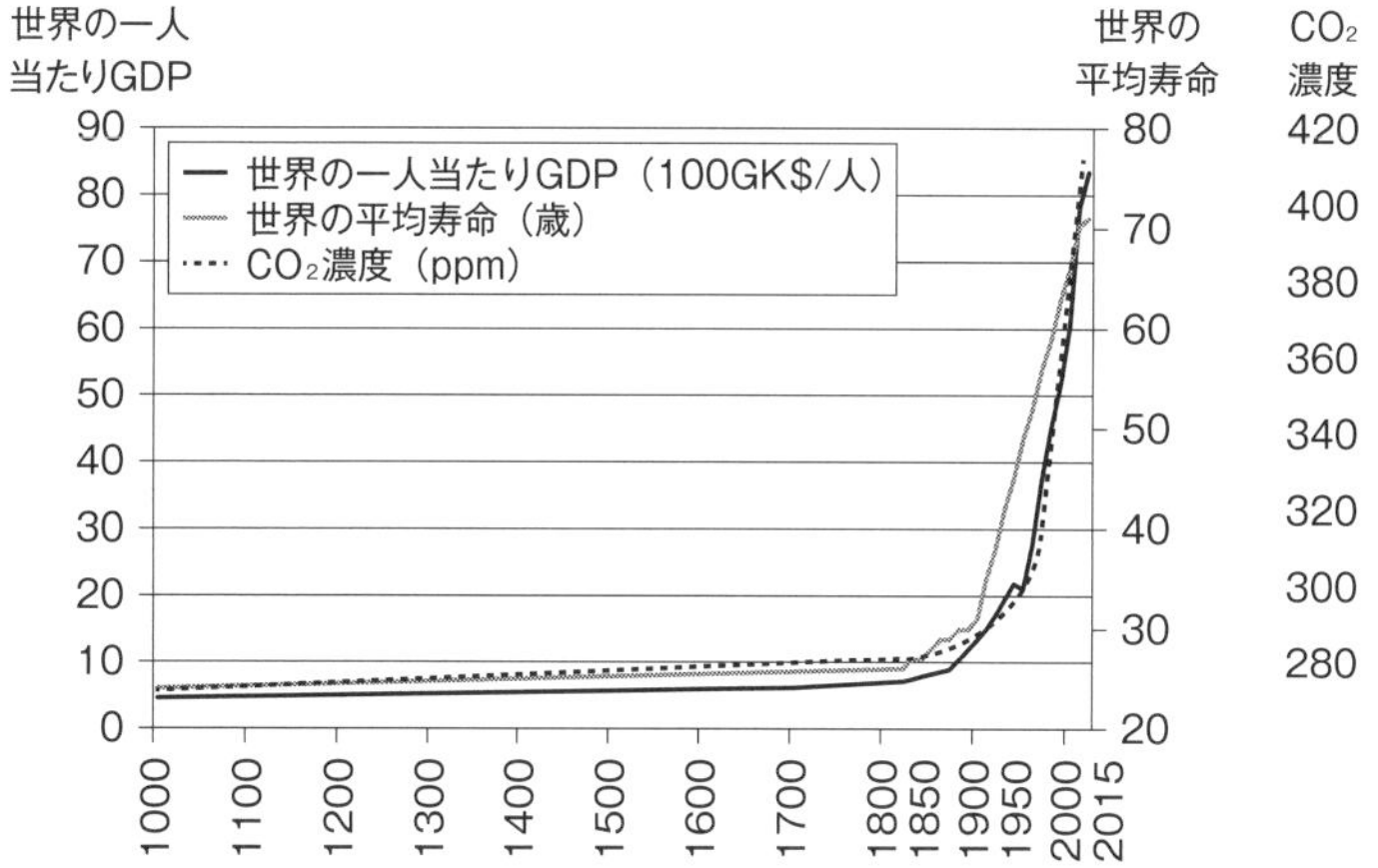

図序-1　20世紀に急拡大した人類発展の軌跡
出所：1人当たりGDP・平均寿命はAngu Maddison、CO_2濃度はNOAAを基に作成

に至ったのである。

私たちは人類史の特別な時代を生きているのである。

さまざまな課題

高齢社会や環境問題をはじめ、低成長経済、エネルギー、資源、格差、失業、テロ、クーデター、財政、年金、感染症、肥満、生活習慣病等々、現代社会が抱える課題は多岐にわたる。これら多くの問題は、図序―1が明示する人類活動の爆発的な拡大という時代背景に根本的な原因があるように思われる。すなわち、文明の発展そのものが課題の原因であるように思われるのだ。

世界のある地域では飢餓や低栄養で苦しむ

写真序-1　スーパー台風による被害（ロイター/アフロ）

人々がいる一方で、食料が無駄になり廃棄物が増大している。それどころか、先進国では飽食や肥満が社会問題化している。21世紀は、図序―1でいえば、いまだ上昇初期に位置する人々から突き抜けた人々までが生存し、奴隷労働から飽食肥満から地球的変化までさまざまな課題が併存するという意味で極めて特殊な時代なのである。

地球温暖化と異常気象

気候変動は最大の脅威の一つだ。世界の平均気温は科学者の予測通り上昇を続けている。東京でゲリラ豪雨が頻発し、東北地方に台風が上陸し、ハワイで雪が降り、「100年に1度の」という形容詞が珍しくなくなってきた。生態系は壊れてしまわないのだろうか。農業や漁業は、観光業は対応できるのだろうか。答えは出ていない。

日常生活にまぎれながらも、多くの人々は人類の生存基盤地球の変化に不安を感じているのである。

資本主義は持続可能なのだろうか

資本主義、民主主義に基づく文明に不安が生じている。20世紀、世界は資本主義と共産主義という2つのイデオロギーが覇を競った。１９９１年にソビエト連邦が崩壊し、冷戦の終焉に沸き立ったのも束の間、途上国を中心に地域紛争が頻発し、テロリズムの恐怖が世界を覆うという現状に至っている。追い打ちをかけるように英国が欧州連合（ＥＵ）を離脱するブレグジットが歴史の行方に冷や水を浴びせ、世界中に国粋主義や民族主義が跋扈するという危険な兆候が感じられる。

重要な原因の一つに、格差の拡大があるとされる。確かに先進国は低成長経済のもと、経済成長率を上回る利益を稼ぐ資本と、賃金の低下する資本を持たない層との間の格差が拡大している。また途上国と先進国間の格差はいまだ大きく、先進国内における格差の拡大とあいまっ

写真序-2　密航船で祖国を逃れる難民（AP/アフロ）

て世界の不安定性を増大させている。はたして、人類社会は持続できるのだろうか。
民主主義に基づく資本主義という文明そのものの持続性が問われているのである。

序章◆2　最新レポート

人類は正しい舵を切った1：SDGs

希望はある。２０１５年9月、ニューヨーク国連本部で開催された国連持続可能な開発サミットにおいて、17の目標からなる「持続可能な開発目標（ＳＤＧｓ：Sustainable Development Goals)」アジェンダが全会一致で採択された。

図序-2 国連がつくったSDGsのロゴ（出所：国連広報センター）

人類は有史以来の極めて重要な転換期において正しい舵を切ったのだ。

ＳＤＧｓは２０００年策定の「ミレニアム開発目標（ＭＤＧｓ）」を前身とする。ＭＤＧｓは「極度の貧困と飢餓の撲滅」「乳幼児死亡率の削減」「妊産婦の健康の改善」など、８つの目標からなり、約束年度の２０１５年までに極度の貧困比率の割合が半減するなど一定の成果を挙げた。しかし、依然として世界には貧困に苦しむ人々がいる。満足に予防接種を受けられない乳幼児がいる。医師や助産師が不在の出産も珍しくない。

ＳＤＧｓはＭＤＧｓで取り組んだ途上国的な課題を引き継ぎつつ、ターゲットを人類すべてに拡大して「人間、地球及び繁栄のための行動計画」として策定された。目標数は８から17に増え包括化した。

世界は課題に満ちてはいるが、「一人として置き去りにせず」に課題を克服する、そう宣言したのである。

人類は正しい舵を切った2：COP21

2015年12月13日、フランスのパリで開催された、国連気候変動枠組条約第21回締約国会議（COP21）で、パリ協定が参加196カ国・地域すべての賛成を得て採択された。歴史の瀬戸際では人類は正しい選択をする。そのように信じて良いような、COP21の成功は希望を与えてくれた。

パリ協定では2度上昇に留めることを世界共通の長期目標とし、それより高い目標である1・5度にも言及した。その先は排出ゼロ、CO_2を出さないという考えだ。

実際のところ「2度」の上昇でも、影響は甚大だろう。異常気象が頻発し、極地の氷の融解は速まり、一次産業が大きな被害を受け、凄まじい事態になるだろう。地球温暖化が注目され始めた当初はツバルなど一部地域に限られた話だと思われていたが、いたるところですでに影

写真序-3 COP21でパリ協定の合意に沸き立つ会場（提供：WWFジャパン）

響が出始めている。フィリピンを襲った巨大台風にしても、日本各地を襲い始めた竜巻やゲリラ豪雨も、地球規模の気候変動によるものだと考えられている。

学者たちは長年、長期的に見た気候変動と、突発的に発生する異常気象は別物という慎重な見方をしてきたが、多くの気象現象が明らかに異常であることを確認し始めている。一般の人たちが肌身で感じてきたことに加え、こうした学者の見解がパリ協定につながったのだろう。

人類は、気候変動は真実であり脅威だということを認め、それを克服することに同意したのである。

IEAレポート

パリ協定は単なる希望ではない。国際エネルギー機関（IEA）によると、2013年から2015年までの3年間、世界のCO_2発生量は321億トンで一定となった。増え続けてきたCO_2発生はついに頭を打った可能性がある。この3年間世界のGDPは3%を超える成長をしている。経済が成長するとエネルギーの消費は増え、CO_2の発生も増大すると、多くの人が考えている。

しかし、2013年から3年間の事実は、経済成長してもCO_2発生量が増えるとは限らないということを示した。これを経済とエネルギーのデカップリングと呼び、世界は経済成長とCO_2の抑制を同時に目指す時代に入っている。

CO_2が頭打ちになった原因は主に、世界1位、2位の大排出国である中国とアメリカで、減少に転じたことである。中国では省エネルギーによって石炭の消費が減少すると同時に、水力・風力などCO_2を発生しない再生可能エネルギーが増大した。再生可能エネルギーによる電力供給は2011年の19%から2015年は28%に増えている。アメリカでは再生可能エネルギーが増え、石炭からガスへの転換が進み始めたことが大きい。

経済成長をしながらCO_2を減らすことは可能なのである。

課題解決先進国日本の経験

全ての人が物質的に満たされた尊厳ある生活を送ることができるならば、困難の多くは克服されるだろう。文明持続のためには、地球環境を維持しつつ人の物質的基盤を確保しなければならない。結局、エネルギー消費の削減と経済成長の両立という困難な課題に対峙することになる。実は課題先進国である日本は、こうした人類の課題をすでに経験し、解決が可能であることを事実によって示しているのだ。

図序―3は、過去半世紀の日本のGDP、エネルギー消費、電力消費を示したものである。日本は経済を成長させつつエネルギーを増やさない、あるいは減らすことを、すでに歴史上2度経験している。初めは1973年から1985年までの12年間、GDPは200兆円から330兆円に増えたが、エネルギー消費はまったく増えていない。次が最近10年で、小さいながらも経済成長を続けながらエネルギー消費は減っている。電力消費も減っている。

日本は世界に先駆けて、経済とエネルギーのデカップリングを実践した国なのだ。デカップリングの要因は、最初の1973年以降の12年間は工業中心の省エネルギー、現在は人工物の飽和と省エネルギーである。

このように現在世界が追求すべき方向を、課題解決先進国日本の経験が実行可能だと証明している。そして、世界で実践することもおそらく可能だということを2013年からの世界のCO_2頭打ちの事実が示唆しているのである。

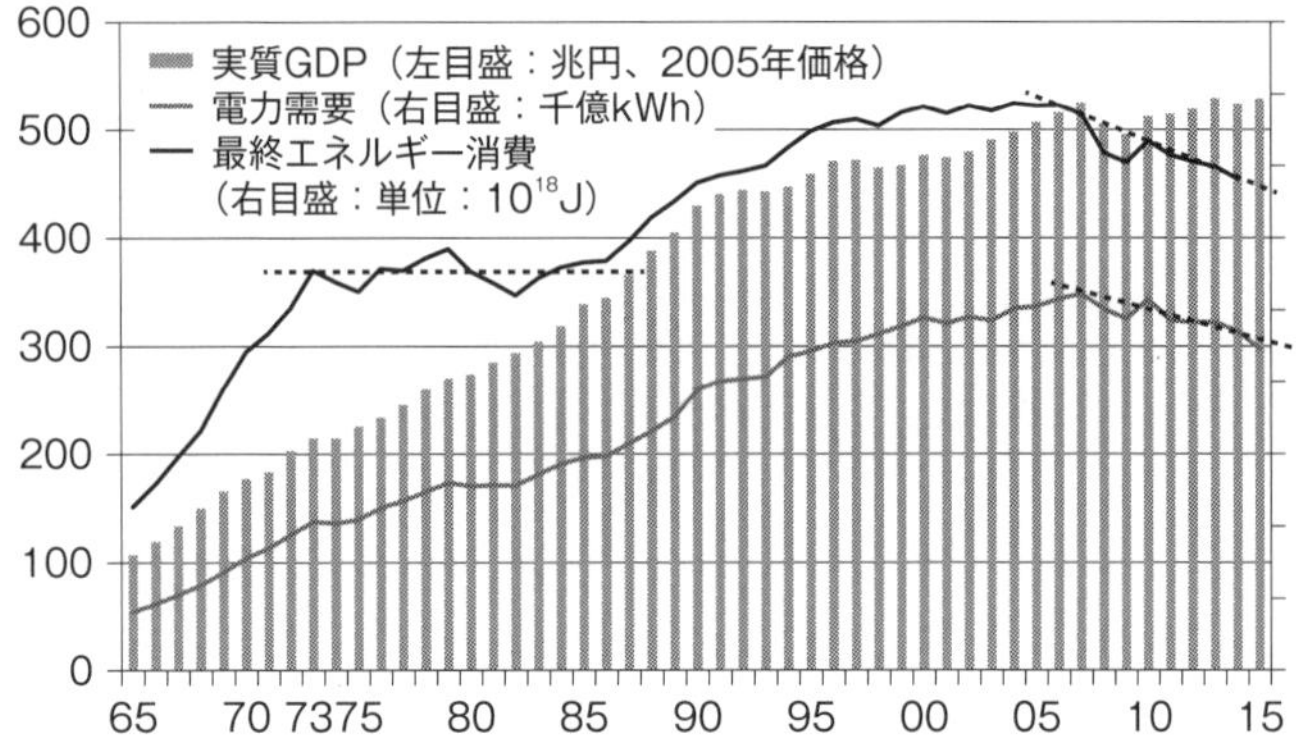

出所：実質GDP：内閣府「国民経済計算」。電力需要：資源エネルギー庁「総合エネルギー統計」。2015年度の電力需要は電気事業連合会発表の2015年度の発受電電力量をもとに、事業用発電、自家消費・送配損失を推定し、自家発電（過去10年間の自家発による電力量のトレンドをから推定）を加えたもの。最終エネルギー消費：「総合エネルギー統計」。

図序-3　日本の軌跡：GDP・エネルギー消費・電力消費

飽和という時代の本質

人工衛星から届く写真は、宇宙の中にポッカリと浮かぶ地球のかけがえのない姿を私達に実感させてくれる。そして温度という、生存の基本的条件を私たち自身が変え始めたという事実が、地球の有限性を明らかにしたのだ。有限の地球の中で、人類の活動は無限に膨張するわけではない。21世紀の本質の一つを飽和という言葉で表現するのが適切だろう。

人口の飽和

人類は人口爆発によって破綻するのではないか。これは半世紀前まで盛んに喧伝されたし、現在でも危惧を述べる識者が多い。しかし、それはおそらく杞憂に過ぎない。

図序―4は、世界の出生数を示したものである。子供の生まれる数が飽和すればやがて人口は飽和するし、減りだせばいずれ人口は減り始める。将来の人口は出生数と平均寿命で決まるが、平均寿命が頭打ちに向かう現状では、人口予測で最も重要なのは出生数である。図を見ると、1988年にいったんピークアウトした出生数は1998年を境に再び増大を始めている。増大の原因はアフリカの出生数の増加である。つまり、アフリカを除く地域において人口はいずれ減少を始めるのだ。

GDPの増大とともに女性が生む子供の数は減少するというのが通例である。特に、女性の教育が出生数を減少させるのは歴史の教えるところである。このことは、多くの先進国において出生数が減少し、むしろ人口を維持するために苦労している現状をみれば明らかであろう。今後アフリカの教育振興によって人口増を抑制することが重要である。それが適切になされるとすれば、人口爆発は杞憂に終わる。

人口爆発よりむしろ、今後は人口の維持に努力しなくてはならない時代に移っていく。先進国はもちろん、多くの途上国がそれをすでに経験している。

21世紀は、人口が飽和する世紀である。

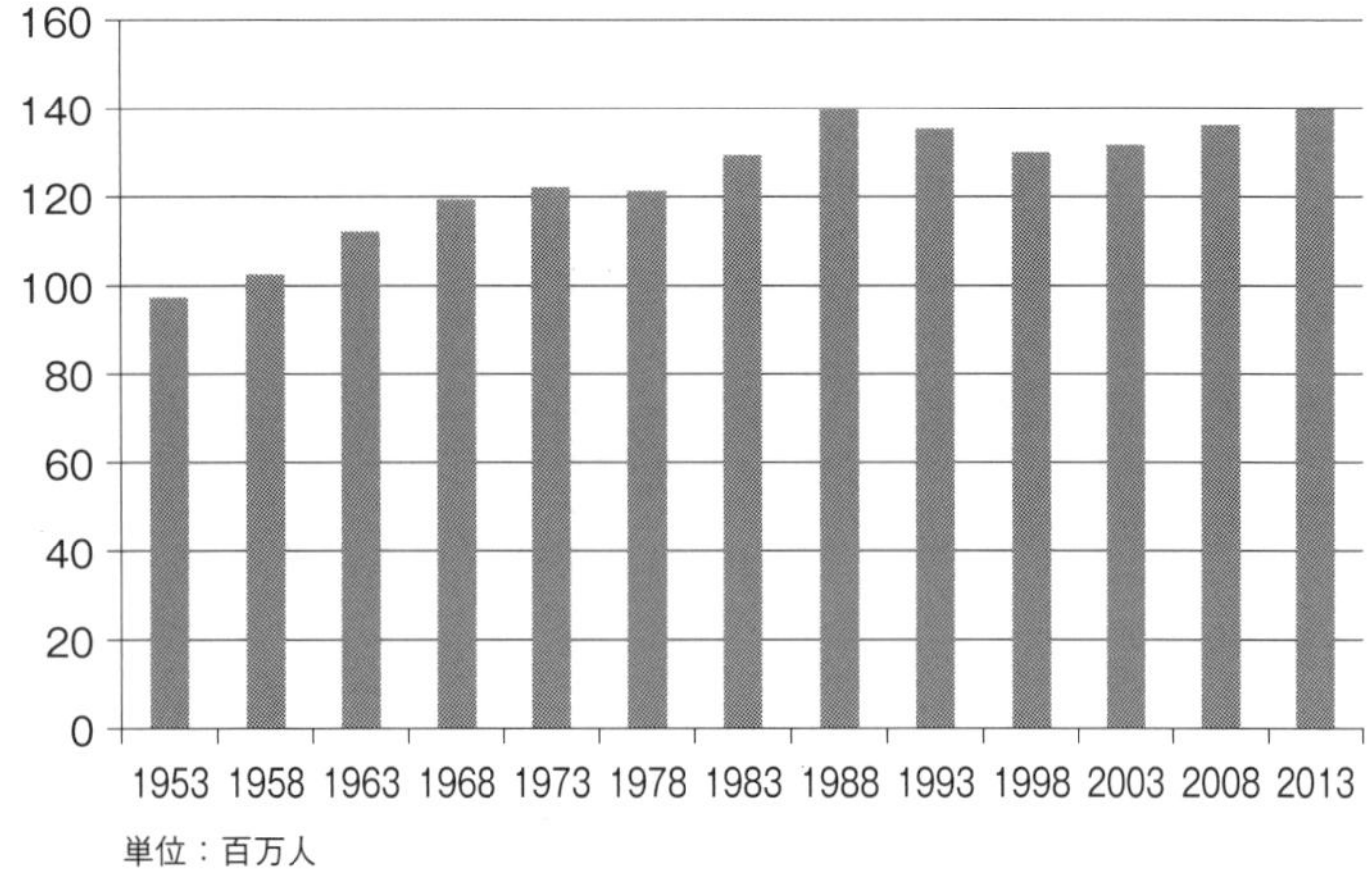

図序-4　世界の年間出生数の推移

出所：世界人口推計2015改訂版を基に作成

人工物の飽和

図序―5は、各国の自動車の保有台数とその人口に対する比を示したものである。保有台数の人口に対する比が0・5というのは、2人に1台の割合で自動車を保有しているという状態に対応し、国を問わずそのくらいの比率で自動車が飽和するようだ。飽和すると、新規に売れる台数は、廃棄される台数に等しいという定常状態に落ち着く。この台数は、日本であれば6000万台を、新車が廃棄されるまでの平均年数12年で除した500万台である。つまり、自動車の内需は飽和するのだ。

自動車が飽和している先進国においては、電化製品やビルやプラスチックの消費量や、多くのモノが飽和している。国の経済が発展する過

図序-5 各国の自動車保有台数

	2007年		2010年		2014年	
	保有台数（百万台）	1人当たり保有台数	保有台数（百万台）	1人当たり保有台数	保有台数（百万台）	1人当たり保有台数
日本	58	0.45	58	0.46	61	0.48
アメリカ	138	0.46	129	0.42	121	0.38
イギリス	31	0.51	31	0.50	33	0.51
フランス	31	0.50	31	0.50	32	0.50
ドイツ	41	0.51	42	0.53	44	0.55
中国	32	0.02	61	0.05	123	0.09
インド	10	0.01	15	0.01	27	0.02

出所：Japan Automobile Manufacturers Association, UN WPP 2015を基に作成

程をみると、最初に道路や鉄道などインフラストラクチャが作られ、肥料や繊維などの基礎物資が生産され、人々が豊かになりはじめると電化製品などを手にし、いよいよ豊かになって獲得するのが自動車である。したがって、自動車が飽和しているような国では、他の人工物も飽和している。先進国では人工物の販売数量は飽和する。これが、先進国経済が低成長化する本質的背景である。

有限の地球の中で「モノは飽和する」というのは当たり前であるのに、もしかすると当たり前であるが故に、案外認識されていない重要な事実なのである。

鉱物の飽和

鉄は質量ともに最も重要な素材であり、鉄鉱石から作られる。いったん作られた鉄は決して廃棄されな

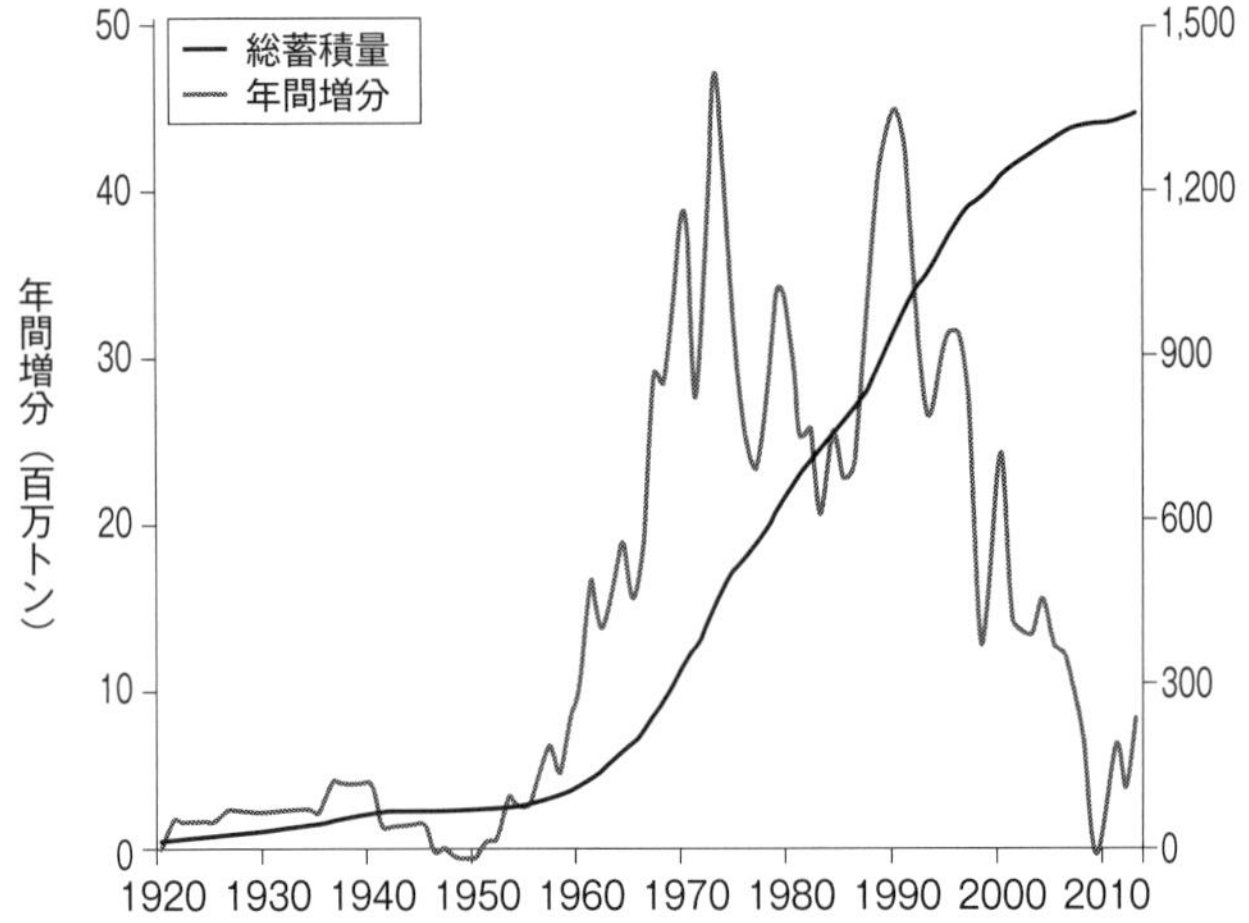

図序-6　日本における鉄の総蓄積量と年間蓄増分

出所：日本鉄源協会のデータを基に作成

い。ビルが解体されると鉄骨などの鉄材はスクラップとして回収され溶解されて再び社会に供給される。したがって、人工物が飽和し製造数と廃棄数が等しい状態では、廃棄された人工物から供給される鉄は、新規の人工物を作るために必要かつ十分な量に達するのである。

図序—6は、日本に現在あるビルや自動車など人工物に含まれる鉄の総量と、その年間増減量である。鉄の総量は約14億トンに漸近し、毎年の蓄積量はゼロに近づきつつある。実際、毎年国内に新たに投入される人工物に含まれる鉄の量と、鉄スクラップの量が、それぞれ約3000万トンで等しくなっている。国内だけで考えれば、すでに鉄鉱石から鉄を作る必要はなく、スクラップからできる鉄で十分な状況になっていることを意味している。日本ばかりではなく、多くの先進国はすでに鉄鉱石を必要としない。２０５０年頃には、世界のほぼ全域がこうした状況に近づくだろう。

自動車と鉄で見た飽和の状況を、一般に「人工物の飽和」と呼ぶことにしよう。現在の資源採掘型経済の視点から考えると、「人工物の飽和」は資源価格の下落や経済成長の鈍化など負の効果をもたらす可能性が高いのであるが、一方でそのことは人類が循環型経済社会にむかうことの合理性を示している。21世紀は、人工物の飽和によって循環型社会へ転換する時代である。

２０５０年の世界

現在すでに先進国では、人口や人工物や鉱物が飽和しつつある。残りの世界も急速に追随している。２０１６年現在の高校生が50歳を迎えるころに、世界は飽和の時代を迎えているだろう。遠い未来の話ではないのである。

目指す社会

課題解決による新しい社会と価値の創造

20世紀、人々は様々な制約から解放された。多くの人が、衣食住を確保するための労働や、移動できない、情報が手に入らないといった制約から自由になった。長生きという夢も実現された。

それらを現に手にしている私たちが、「自由になった」ということを実感するのは容易でないかもしれない。江戸時代の農民を想像してみよう。衣食住に事欠き、外部情報を持たず、徒歩と人力に頼り、不作に襲われれば飢えたのだ。こうした状況と比較すれば今は夢のようだ。江戸時代まで遡らなくても、つい最近まで私たちは、太平洋のベルト地帯で働くか、田舎に残るかの選択を迫られた。現在、状況は一変した。今はまだ実感することが容易でないかもしれないが、居住や仕事の場所を自由に選ぶことさえできるのだ。こうした意味で私たちは自由になったのだ。

文明は、その負の側面を否定できないとしてもやはり、豊かさや長生きという人類の積年の夢を叶えたのだ。それによって得た自由を、より良い社会づくりに生かすことができるか否か、その知恵と能力を人類は問われていると言ってよいのではないだろうか。

しかし、難しく考える必要はないだろう。解決しなければならない課題を、今ある制約の下ではなく、手にした自由と掛け算して解決する、それによって自ずとより良い社会が生まれるだろう、それは新しい価値観を生むことになるだろうと、そんな風に考えればよいのではないだろうか。そう考えて前に進もう。趣味と仕事、自然と刺激、友人と家族など、多様な選択肢の中から自由に選んで参加する、そんな社会が努力すれば手の届くというところまで来ているのであるから。

21世紀のビジョン「プラチナ社会」

たとえば江戸時代、食に事欠く状況ではビジョンは不要だった。食べられるようになりたいのだから、農耕に勤しむ他はあるまい。工業化時代には、テレビが欲しい車を買いたい、そのためにより良い給与を得たい、つまり豊かになることが暗黙のビジョンだったろう。

21世紀のビジョンは質の高い社会だろう。正確に言えば、量的豊かさを維持、必要とあればさらに充実させつつ、もっと質の高い人生や生活、つまりより良いクオリティ・オブ・ライフ(Quality Of Life, QOL)を楽しめるような社会だろう。そうした社会を、プラチナ社会と定義しよう。エコ(グリーン)や健康(シルバー)、IT(スカーレット)などさまざまな輝きをもった社会だ。実現のためには、文明のなした現在を否定的に捉えるのではなく、今ある社会と産業構造のプラチナ社会への適合化を図ることによって、QOLの飛躍的な充実を実現すると考えるべきである。先進国の人々だけでなく、地球上すべての人々がプラチナ社会を生きる、そのことが目指すべき地球社会の姿だろう。SDGsで高らかに宣言したように「一人も置き去りにしない」のである。

プラチナ社会の必要条件

さて、QOLを希求するとしてQOLの実態はなんだろう。量は画一的であるが、質は多様である。そもそも質が何かを決めるのは個人の自由である。したがってプラチナ社会は、個人や地域や組織が自由に選択する多様な社会である。しかし、多くの人が合意する共通的な質というものはあるのではないだろうか。

①資源やエネルギーなどの不安のないこと

②公害はなく地球環境の持続性が保たれていること
③多様で美しい自然との共生
④健康と自立が長く実現できること
⑤生涯社会参加の機会があること
⑥生涯成長し続けられること
⑦雇用があること
⑧文化的にも物質的にも豊かであること

これらは、多くの人が合意する必要条件であろう。
言い換えると、資源自給、低炭素化、公害克服と自然共生、健康と自立、生涯成長、多様な選択肢、自由な参加などが目標になると考えている。

プラチナ社会への移行にともなって、働き方や学び方や生活の仕方も変わることになる。その変化は人々により多くの自由とビジネスチャンスとをもたらす。そして、モノも心も豊かな持続社会を手にするのだ。それは安心な社会であるから、未来に夢を持つことができ、その結果、多くの人が家庭を持ち子供を育てたいと考えるようになるだろう。すでに多くの国で最大の課題となっている少子化問題の答えは、プラチナ社会の実現なのである。

エコロジー

・地球環境
・生物多様性
・公害克服

資源の心配がない

・循環型社会
・省エネ・再エネ
・一次産業

参加できる

・健康で自立
・生涯成長
・医療・介護

自由な選択

・多様な選択肢
・文化・芸術・スポーツ
・GDP

雇用がある

・知の構造化
・災害安全
・ディープな旅

図序-7　プラチナ社会の必要条件

写真序-4　プラチナ大賞

実現できるビジョン

プラチナ社会ははるかに遠い理想であって、現実とは程遠いものだろうか。決してそうではない。それは実現することができる理想像である。事実、すでに部分的にであっても実現している例が少なくない。プラチナ構想ネットワークでは毎年プラチナ大賞を実施して、プラチナ社会を目指す活動を表彰している。これらは、まさにプラチナ社会の部分像である。

こうした成功例にみる人の力の見事さと、地球はすべての人に物質的豊かさを提供することができるというビジョン２０５０を共に考えるとき、プラチナ社会は実現できると確信するのである。

序章◆4　見え始めたプラチナ社会の姿

創造型需要

人工物が飽和し、飽和型の需要は一定値に収斂する。新たな需要は人が新たに欲しいと思う

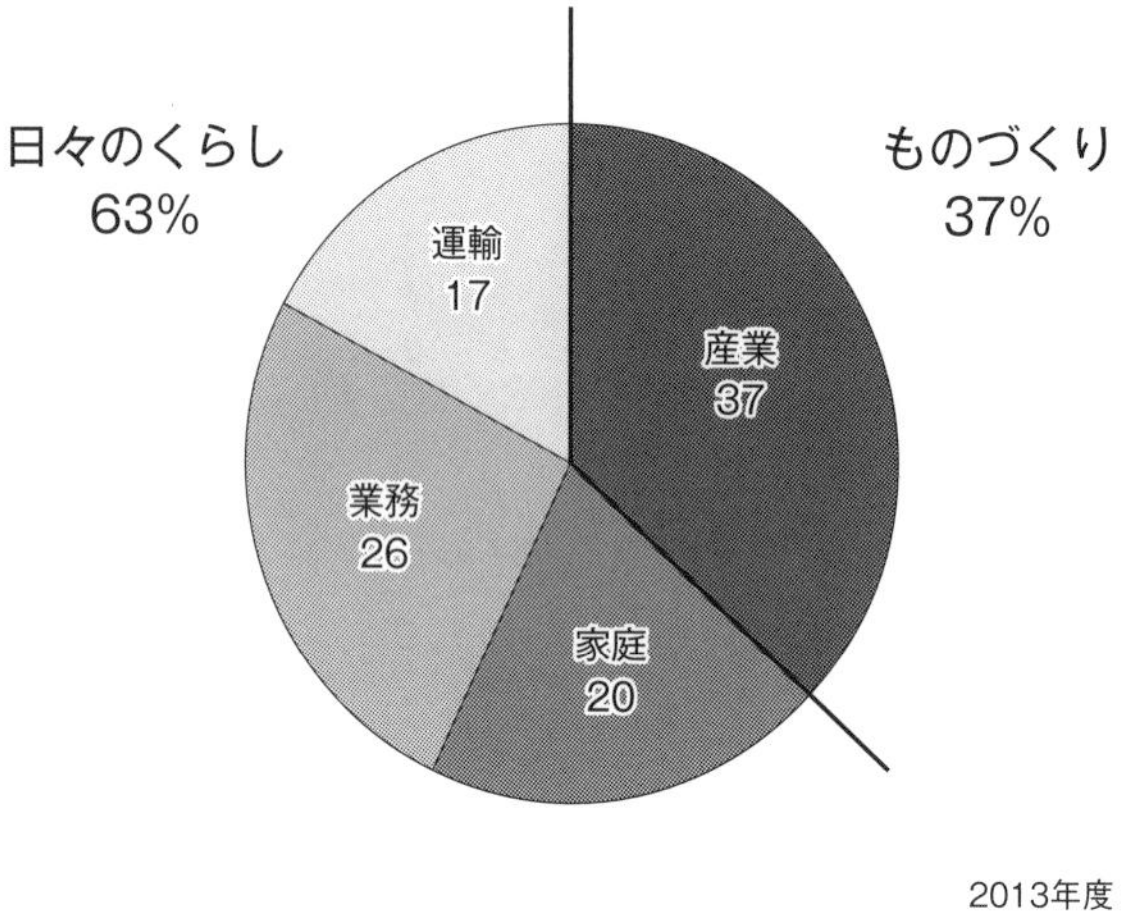

図序-8　エネルギーは私達が使っている（日本）

ことの周辺、すなわちプラチナ社会の必要条件の周辺にある。それを創造型の需要と呼ぶことにする。見え始めたプラチナ社会の姿と、その周辺にある新しいビジネスについてみてみよう。

低炭素社会

図序―8は、日本におけるエネルギー消費を示す。全エネルギーの約60％が日々のくらしに、残り約40％がものづくりによって消費されている。日々の暮らしの内訳は、家庭が20％、オフィスで26％、運輸が17％である。したがって、これらのエネルギー消費を、生活の質を落とさずに、むしろ高めながらいかに減らすことができるかが低炭素社会実現の鍵を握る。

創エネハウスとゼロエネルギービル

家庭は、エネルギーを消費する場ではなく生産する場になるだろう。太陽電池の発電量が消費よりも多い創エネハウスである。良い住宅が、住む人の健康増進に役立つことは最近の調査が示している。家は快適な生活、健康増進、創エネルギーの起点になり、産業としての寄与も大きい。写真序―5は、最近の太陽電池の一例で、太陽電池が屋根材を兼ねておりデザイン的にも美しい。屋根に「太陽電池を載せる」時代から、「屋根が太陽電池」という時代に入りつつある。

日本の家は、夏を快適に過ごすために建てられてきた。そのため、通気性が高く、屋根は立派であるが断熱性は極めて脆弱であった。冷暖房のエネルギーは断熱性を高めれば減少する。冷蔵庫やエアコンや照明など、エネルギー消費の大きい家電製品の効率は著しく向上している。新築の家でエネルギー消費を3分の1くらいに減少させることはすでに常識となっている。その屋根を全面太陽電池にすることで外部に電気を出力する創エネルギーハウスもすでに市販されている。

オフィスのエネルギー消費の中心は冷暖房や照明などで、家庭のそれと大差はない。しかし、エネルギー消費の密度が高く、高層ビルでは太陽電池を載せる屋根の面積が相対的に小さ

写真序-5　「屋根が太陽電池」の時代（提供：カネカソーラーテック）

写真序-6　ゼロエネルギービル（ZEB）事例（提供：大成建設）

いのでエネルギーのゼロ化は家庭より難しい。しかしすでに3階建てのビルまでは、ゼロエネルギーにできるという実験結果が常識になりつつある。「壁も太陽電池」にすることによって高層ビルもゼロエネルギービルになるだろう。

お寺の瓦屋根は太陽電池が常識、そういった時代はもうそこまで来ている。

エコカー・エコ工場・クルマからクルマ、CO_2ゼロへ

運輸のエネルギー消費の中心は自動車である。2050年を待たずに、電気自動車、水素燃料自動車が主力になるだろう。ガソリンを燃やしながら走る時代に別れを告げ、走行中はCO_2を排出しないことが常識になり、そして、これらの車は極めて効率が高いため、電気や水素を化石資源から作ったとしてもCO_2排出は激減する。やがて電気や水素は再生可能エネルギーから作られるようになって、輸送に伴うCO_2の発生はゼロに向かって減少することになる。

2015年10月、トヨタ自動車が発表した「環境チャレンジ2050」はまさに私が1999年に提示した「ビジョン2050」（第1章参照）の自動車版である。世界最強の自動車会社があるべき方向に舵を切ったのだ。

多様化する移動手段

晴れた日、若者は自転車、高齢者はミニ電動車といった具合に移動方法も多様化するだろう。物は安くなるのだから、晴天用と雨天用2台の車を持つことになり、それが経済成長をもたらす可能性もあるだろう。現在、電気飛行機をロンドン郊外からパリ郊外に飛ばす実験が進んでおり、間もなく発売される予定だ。今は不便な地方都市から地方都市への移動が手軽な電気飛行機で補われることになれば、地域の利便性は著しく高まることになるだろう。

情報と移動の自由によって、地域間の実質的な格差は小さくなった。しかし、情報は安くなったが、飛行機や新幹線など移動のコストはまだ高い。移動のコストが10分の1、せめて3分の1になったら自由を実感できるだろう。飛行機はLCC（格安航空会社）が参入してずいぶん安くなった。おそらく移動の分野でイノベーションによる価格破壊が起きるだろう。ニーズのあるところにイノベーションは起きる。グローバリゼーションは世界のどこかでイノベーションが起きて、それがあっという間に世界に拡散するという側面も有する。私達はもっと豊かに、そして自由になれるだろう。

図序-9 多様な移動手段（提供：プラチナ構想ネットワーク）

省エネルギーは最善の方策

エネルギー消費の60%を占める日々のくらし、すなわち家庭と業務と運輸の低炭素化は大きく進展する。残り40%を占めるものづくりの省エネルギーは着々と進んでいるし今後も進む。ビジョン2050が主張するように、2050年までに世界で、1990年の水準と比べてエネルギー効率を3倍にすることは合理的な目標である。

省エネルギーを推進するビジネスにESCO（Energy Service Company）がある。現在は、大企業や大きなビルなどが対象だ。今後の省エネの可能性として中小ビル、雑居ビル、家庭などがあり、そうした対象へのESCOビジネスには大きなチャンスがある。ベンチャー企業の登場が期待されるのである。

都市鉱山

現在、世界の鉄の約70%が鉄鉱石を原料にして作られ、残り約30%が人工物の廃材であるスクラップから作られている。すでに先進国では必要量に匹敵するスクラップが発生しており、2050年頃には世界の多くの国で人工物の飽和、必要十分量のスクラップの発生という状況

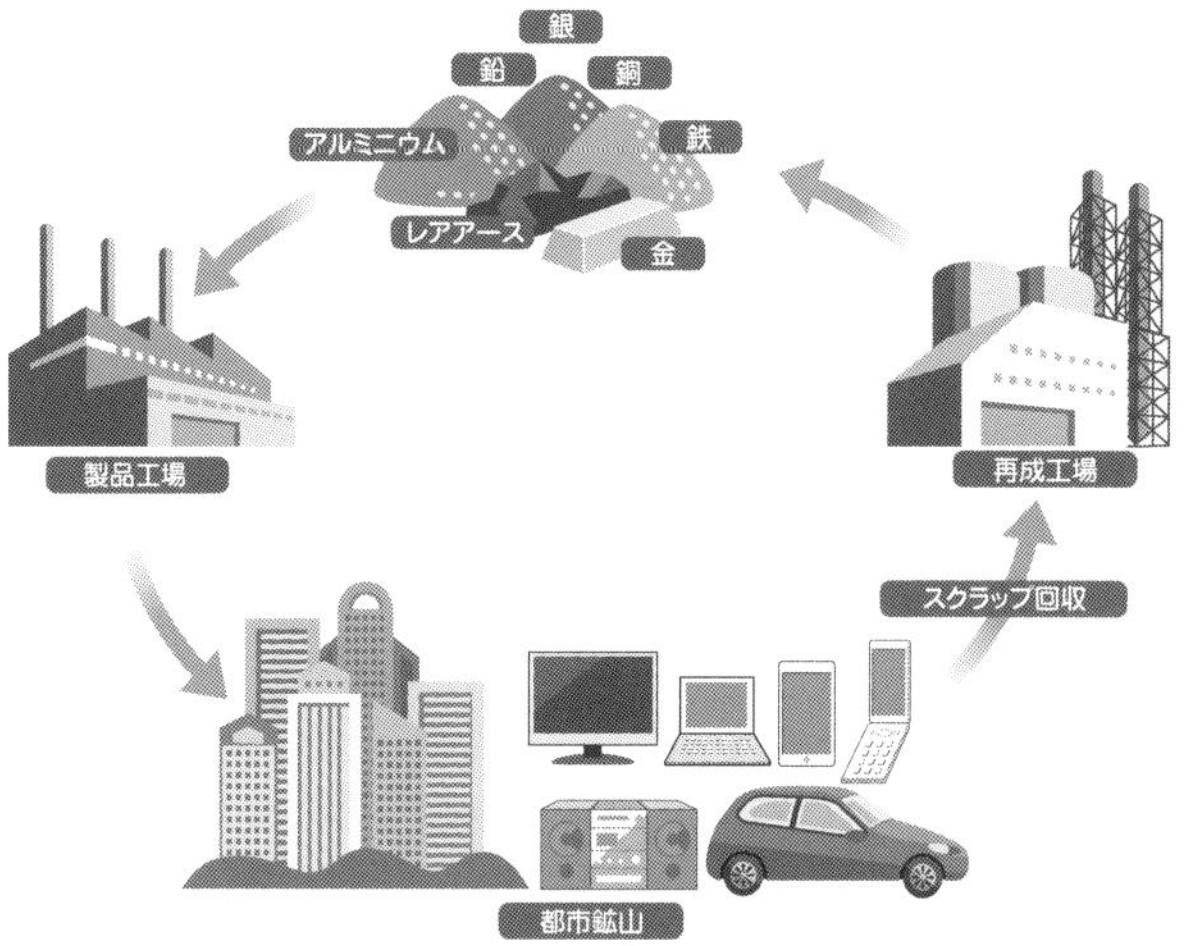

図序-10　都市鉱山のイメージ（提供：プラチナ構想ネットワーク）

が訪れるだろう。しかも、スクラップは鉄鉱石と比較して、鉄鋼を作るのに3分の1ほどのエネルギーしか要しない。製鉄は、ものづくりのエネルギー全体の5分の1ほどを占めている。したがって、都市鉱山は鉄鉱石を不要とするばかりか、エネルギー消費を激減させることになるのだ。

この状況は鉄に限らない。銅や錫や亜鉛や、レアアースなども同様であるし、金など貴金属を含め成立する。都市鉱山を効率良いシステムにするためには、人工物の回収を効率よく行わなければならない。すでに日本などでは、ビルや家や、自動車や大型の家電製品などは回収するシステムが整備されている。この後はパソコンやスマートフォンなど小型の家電だ。特に、貴金属やレアアースの半分ほどがこれらに蓄積されている。小型家電の効率的な回収にはイノベーションが必要だが、リネットジャパンが宅配便とコラボするシステムで挑戦している。

２０５０年頃をめどに、人類は金属を採掘する時代に別れを告げ、過去に採掘した金属を循環使用する社会に移行することになるのである。

再生可能エネルギー

発電所を新設するとき、水力、風力、太陽光など再生可能エネルギーが経済的に最も安いという状況が、世界各所で頻繁に起こり始めている。安全で安心だが高価なエネルギーという時期を脱し、再生可能エネルギーはすでに化石資源や原子力に対して競争力をもつエネルギーになった。技術革新が起こるのは再生可能エネルギー分野であるから、今後その価格競争力はさらに高まる。

再生可能エネルギーは、地熱と潮汐を除きすべて、太陽光のエネルギーが様々な形で現れたものであり、太陽光は人間が必要とするエネルギーの１万倍降り注いでいる。量も持続性も実質的に無限であり、コストが最も安くなるのであるから、将来のエネルギーが再生可能エネルギーになることに疑いはない。

写真序-7　巨大な風力発電と太陽光発電（ロイター/アフロ、AP/アフロ）

2030年を待たずに、日本においても、再生可能エネルギーが常識という時代に入るだろう。

情報システムは集中型からインターネットに変わり、利便性も堅牢性も増した。再生可能エネルギーは、クリーンで安全で堅牢で安価で豊富で持続的な、したがって安心なエネルギー資源としてこれからのエネルギーシステムの中核となる。2050年までにはそうなっているだろう。

省エネルギーが進み、金属資源が都市鉱山に移行し、再生可能エネルギーが中核的エネルギーとなるのは21世紀中であって遠い未来の夢ではない。

日本は資源自給社会になる

再生可能エネルギーが化石資源を代替し、都市鉱山が自然鉱山を代替する、その結果は資源自給社会である。日本は明治以来の国是である資源輸入加工貿易から、資源自給に向かう。狭隘な国土に高密度に住む人々が豊かな生活を営む日本は、2050年の地球の姿だ。したがって日本の資源自給は、課題解決先進国として地球のビジョンを示すことでもある。

世界は持続的循環型社会になる

日本の資源自給を地球に敷衍すれば、世界はエネルギーと資源に関する持続社会になる。その具体像は、省エネルギー・再生可能エネルギー・都市鉱山に基づく循環型社会である。

自然共生

写真序—8は、1960年代の北九州市の空と海の状況を、現在の姿と比較したものである。太平洋ベルト地帯を中心に日本各地で、私たちはひどい公害を経験した。しかし今、美しい自然を取り戻し、北九州市は世界の環境先進都市として多くの視察団が訪れ、その経験は北九州モデルとして体系化され、アジア各国60以上の都市計画に生かされている。

美しくなっただけではない。豊岡市にはコウノトリが、佐渡にはトキが復活し、多摩川など東京の川にアユが群れを成して遡上するまでに自然がよみがえってきた。

写真序-8　1960年代の公害を克服した美しい空と海がよみがえった
（提供：北九州市）

昭和30年代

1980年代

現在

写真序-9　三島市源兵衛川はホタルが舞う清流を取り戻し観光客が倍増した（提供：グラウンドワーク三島）

写真序―9は、三島市源兵衛川の移り変わった姿である。東京から新幹線で40分の駅から徒歩10分ほどで、ホタルを楽しむこともできる。三島市の観光客はこの10年で700万人に倍増した。結果、空き店舗やシャッター街が消えた。三島市は、自然共生を経済と両立させた成功例である。

多くのよい事例を目にし、論理的に考えるにつけて、環境と物質・エネルギーの安定供給と経済成長というトリレンマの解決は可能であると確信できるのである。

自然共生のマクロな視点

伊藤園は、耕作放棄地を集約し農業法人を設立して、自らの製品の原料である茶葉を生産している。その総面積はすでに400ヘクタール近い規模で、無残な耕作放棄地が、写真に見るように美しい茶畑として再生されている。企業にとっては、自らが生産に関与することで安全な茶葉の安定供給が可能になった。地域には、競争力のある農業が生まれ雇用が生まれた。ビジネスと社会課題の解決に同時に資する取り組みだ。

日本の国土の80％は農地と森林で占められている。現在農地の約7％が耕作放棄地となり、森林の70％が実質的に放置されている。日本の国土の保全という観点からの取り組みが不可欠

耕作放棄された桑畑跡

現在の様子(大分県杵築地区)

写真序-10　耕作放棄地と再生された茶畑（提供：伊藤園）

である。伊藤園のチャレンジは企業主導による解決の方向性を示している。

人類はやがて食糧不足に見舞われる。木材の安定供給も大きな課題だ。日本が林業を本格的に行えば木材が自給でき、森林が保全され、山が維持される。日本への輸出で過伐の危機に見舞われている南方の森林の維持も容易になるだろう。

木を見て、森を見て、日本を見て、そして地球を見る、虫瞰と俯瞰、システム的視点が不可欠なのである。

健康支援と自立支援は重要産業

長寿化が経済の停滞を招くのではないかと危惧されている。もちろん、高齢者が若者と比して消費意欲が少ないという負の側面があることは否めない。しかし、健康や自立への欲望は若者よりも大きいわけだ。欲しいものがあるところに需要が生じ、そこに供給があれば経済活動が生まれるのであるから、高

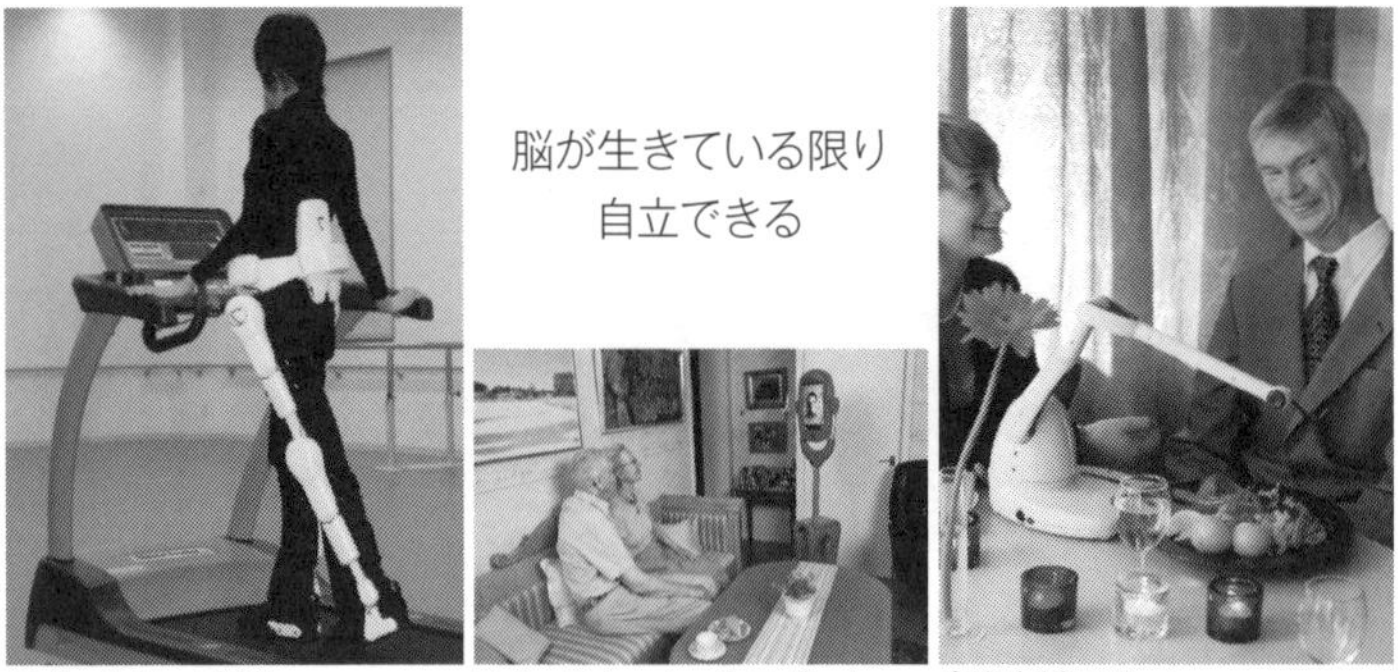

ロボットスーツHAL（下肢タイプ福祉用）CYBERDYNE 製（日本）

コミュニケーションロボット「ジラフ」ロボットダレン製（スウェーデン）

食事支援ロボット「ベスティック」ロボットダレン製（スウェーデン）

写真序-11　自立支援は重要な産業（提供：三菱総合研究所）

齢社会において生まれる新産業があるはずだ。

これまでの医療は、病気には病原菌やウィルスなど明確な原因があって、その原因を薬でたたくという構造であった。しかし、腰痛、アトピー、うつといったこうしたカテゴリーに収まらない症状に現代人の多くが悩まされている。決め手となるのはビッグデータと分析、そして人工知能など情報技術の活用だろう。その周辺に膨大な産業が生まれることは容易に想像できる。

写真序―11は、ハンディキャップを負った人を支援するロボットである。人が考えたり、行動したりするとき脳細胞は電気パルスを発する。その電気が神経を流れて作用点に達し脳細胞に戻るという電気回路が膨大な数あって、人間は行動している。したがって、その電流を検知し、人の意志を判断してモーターを駆動すれば人を支援するロボットとなる。

電気パルスは電磁波を発生し、それが脳波であるから、脳波を検知してもよい。

脳科学とＢＭＩ（Brain-Machine-Interface）とロボット工学という現在急速に進歩している学術と技術によって、脳が生きている限り人が自立できる、そういう時代が間もなくやってくる。つまり頭がはっきりしている限り、他人に頼らずに食べたり、トイレに行ったりすることができるということだ。究極の尊厳産業として栄えるであろう。

医療における進歩も著しい。脳溢血などで損傷した脳の部分を再生する医療も実用化に近づいている。幹細胞を注射して患部に届け、写真序―11左のようなロボットでリハビリを行う。すると学習効果で運動神経系が再生されるという原理で、すでに治験段階に入っている。医療は変わるだろう。

アクティブシニアの参加が不可欠

社会参加が高齢者に良い効果を与えることはよく知られている。医療費や介護費が減るという報告も耳にするようになった。しかし現在そうした意味を超えて、高齢者の参加は社会にとって不可欠となってきている。前川製作所では定年になった後も、本人が希望し周囲が了解すれば何歳まででも働くことができる。ここでは世界トップクラスの冷凍システムが数多く開発

写真序-12　現役とアクティブシニアのコラボが創造性を生む
（提供：前川製作所）

写真序-13　制御システムの従事経験者が教えるロボット教室
（提供：ネクスファ・ロボットクラブ）

されているが、そのほとんどすべてが定年後高齢者と現役との共同作業によるものであるという。

この例は示唆的である。現役は経験が不足しているうえに業務に追われている。新製品の開発に力を注ぐ余裕はない。ラインを離れた高齢者の経験知と余裕とが現役の弱点を補い、相乗効果を生むのではないか。

そう考えると、高齢者の活躍の場は多いだろう。学校教育の現場では、教員の経験の多様性の欠如が教育力を損なっている。海外滞在、クレーム処理、技術などの経験者が教員として参加すればその効果は計り知れない。プラチナ社会に向かうために、アクティブシニアは有力かつ不可欠な存在なのだ。

多様な選択肢

本社あるいは本社機能の一部を地域に移す企業が現れている。コマツは石川県小松市に、ＹＫＫは富山県黒部市に本社機能の一部を移転した。インターネットが普及し新幹線や飛行機が利用できる状況で、不都合はまったくないという。それどころか、コマツの東京本社にいる既婚女性の子供の数が平均で０・９人であるのに対して、小松地区では１・９人。少子化対策にもなっているわけだ。

アラタナは宮崎市にある従業員120人のベンチャー企業だ。若い社長の「オフィスに一歩入れば東京と同じビジネス環境。一歩出れば宮崎の恵まれた住環境」という言葉が印象的だ。情報技術と移動手段の進歩によって、地方はもはや田舎ではない。どこに住むか、どこで働くか、人生の段階における選択肢はすでに多様なのだ。今後ますます選択肢は増え、私たちは自由になる。都市の過密と地方の過疎はともに解決することが可能なのである。

自由な参加

日本は人の絆の強い社会として世界に名高い。他国に根こそぎ侵略されることなく自源的に発展してこられたこと、そして稲作の共同作業が絆を育んできたのだろう。明治以降の工業社会に入ると、会社での共同作業が絆を培った。しかし、今絆が叫ばれるのは、絆が壊れかけていることの逆説であろう。この先、人々の絆は維持されるのだろうか。真剣な共同作業が参加者の絆を育むのだとすれば、プラチナ社会づくりのための共同作業がその役割を担うことができるだろう。

稲作も会社も、共同作業への参加はほぼ強制的で、結束を乱すものは村八分にされた。いわ

①

②

コマツウェイ総合研修センタ
（上：女性社員が研修中、下：研修センタの託児風景）

写真序-14　東京と石川県小松市に本社機能があるコマツ（提供：コマツ）

写真序-15　オフィスに一歩入れば東京と同じビジネス環境。一歩出れば宮崎の恵まれた住環境（提供：アラタナ）

図序-11　働き方が変わり、週2回通勤、2日在宅も
（提供：プラチナ構想ネットワーク）

ば不自由な参加型社会だったのだ。プラチナ社会づくりは、自由な参加型社会である。

たとえば２０３０年、人は月曜から金曜まで通勤しているのだろうか。そんなことはおそらくあり得ない。平均的には週休３日、通勤と在宅の選択には個人の希望が認められるといったところではないだろうか。そうであれば、勤務を続けながらの子育ても容易だろうし、育休と言った概念すらなくなっている可能性も高いだろう。すでにこうした自由な勤務形態を採用している会社も続出している。

高齢者が現役と競って働き続けるか、前川製作所のような形で働くか、それとも田舎で、あるいは都会で余生を楽しむか、それも個人の選択である。

情報化教育が次世代を育む

情報技術はすでに読み書きなどと並ぶ基本的なリテラシーである。また、情報技術をうまく使えば、教育の効率は著しく上がる。戦争の悲惨さや、芸術や、受精や発生の仕組みも、百万言を費やすよりも動画に説得力がある。未来世代に教えなくてはならないという面と、教育の効果を高めるという面と、いずれをとっても教育に情報を導入しなければならない。こうした面でも強い意志をもった少数精鋭の人々の集団、デジタル教科書教材協議会（ＤｉＴＴ）やＣ

ＡＮＶＡＳといった若い組織が世の中を動かし始めている。

雇用のある社会

雇用はお金を稼ぐためにのみ重要なのではなく、社会的存在である人の社会との接点という意味が大きい。特に生活必需品としての衣食住や、家電や車も、音楽も映像も、モノがますます安価に得られるこれからの時代、生活の糧を稼ぐというよりも、社会との接点という意味が重要になってくる。

こう考えてくると、人工知能が雇用を奪うのではないかという問いが重くのしかかる。ロボットが人の肉体労働を代替するようになり、さらに知的労働まで奪うのだろうか。

リンカーズというベンチャーは答えの方向性を示している。大企業のニーズと中小企業の技術とを結び付けようというよくある発想だが、それぞれの情報を結び付けるのに人が介在しているのだ。その数すでに１７００人に達する。この人たちがリンカーであり、ニーズとシーズを絶妙に擦り合せてリンクするのだ。このベンチャーは、すぐれた情報システムを作り自信を持って起業したのだが、まったく使われなかった。それは、過去に多くの起業家が何度も繰り返した失敗なのだ。そこに人が介在することで機能する。人工知能と人が協同することで、効率よく、人に心地よいシステムとなることを示唆している。

教育や健康や観光や、プラチナ社会で重要性を増すサービスビジネスにおいて答えのヒントがあるように思われる。

人工知能の先端において「Society in the loop」という考え方が議論されている。人工知能の発展のループの中に社会が参加するということだ。もし、社会が参加して、人工知能が試行錯誤しつつ発展していくとすれば、現在危惧されている倫理問題も、それが人の雇用を奪うのではないかといった懸念も克服できるのかもしれない。

子供が生まれる社会

もし、日本の重要課題を一つだけ挙げろと問われれば、それは少子化だ。出生率が2、厳密には2・07を下回る民族はいずれ消えるのである。人口予測は簡単だ。30歳に出産のピークがあるとすれば、今から30年間に出産する人は、現在の0〜30歳の女性であって、すでにその数が決まっているからだ。2050年に1億人を割って9700万人という人口予測の確度は高い。今行動を起こさないと、人口減少と高齢者比率とが日本に危機をもたらすことは明確なのである。そもそも、若者が子供を作りたくないような社会を作って何の意味があるのだ。もし、働き方や子供の育て方や生活の仕方が自由になり、多様な雇用機会があるとすれば、そして地球環境や資源の未来に不安がなくなれば、人は希望を持つだろう。そして家庭を持ち子供を欲しいと願うだろう。

プラチナ社会は、普通に生きる人が、もし望むならば、家庭を持ち、子供を育てることができる社会である。

知の構造化が解を生む

転換の時代にイノベーションは不可欠であるが、ノーベル賞といった大変な発明や発見を必要とする場合が多いわけではない。人類はすでに非常に多くの知識を持っている。たとえば、光合成は植物の葉緑体の中で、CO_2と水から、光をエネルギー源として糖と炭水化物をつくる作用である。19世紀であれば、これが光合成に関する知識のすべてであった。ところが20世紀になって、その細部の構造、さらに細部の、もっと細部の、今では分子の構造に至るまで次々と明らかにされた。その結果今や、1万倍、100万倍といった膨大な量の知識が存在する。あらゆる分野でこうした知の蓄積が進んでいる。知の蓄積自体は良いことなのだが、問題はこうした知の全貌を把握する人類はいないということだ。人間は手にした知識を活用するすべを持っていないのである。

もし、こうした膨大な知識の中から適切な知識を適切に動員することができるならば、多くの課題は解決できる。このことを私は知の構造化と定義した。これから、知の構造化の方法論が開発され、具体的な行動がなされ、それが起業家スピリットと結びつけば、さまざまなイノベーションを生むことができる。

健康も医療も介護も、自然共生も観光も教育も、今ある知識を最適に動員することでイノベーションが起きて、快適なサービスを高い生産性で手にすることができるのである。

成功例を横展開する方法

鹿児島県やねだん、島根県海士町、徳島県上勝町、北海道ニセコ町など、東京から遠く、過疎化し、停滞していても不思議ではないのに、あたかもプラチナ社会に近い状況を作り出している地域がある。そうしたところに共通するのは、類い稀なるリーダーがおり、優れた協力者が集い、地域特性を巧みに生かし、とても真似などできない特殊な状況での成功例に過ぎないといった気分にもなる。

しかし工業化社会においても、工場の横展開は困難な課題だった。そのための方法論が研究され、教科書やハンドブックや便覧という形でまとめられ、工業化時代を支えたのだ。

プラチナ社会の横展開の方法を創造しなければならない。プラチナ構想ネットワークでは良い事例を参考にして、いかにして横展開を図るか作業を進め、得られた知識をプラチナ構想ハンドブックとしてまとめようとしている。まだ十分とは言えないが、方法論として一般化することは可能だろうと考えている。

知の構造化と行動で課題に挑む

困難だが重要なこの課題に、知の構造化とアクションによって果敢にチャレンジする学者のグループが生まれている。

東京大学総括寄付講座「プラチナ社会」に集まる8大学の若手研究者たちが、種子島で総合的なプロジェクトを実践し大いなる成果を挙げつつある。図序―12にその壮大なプロジェクトの概要を示す。

重要なのは、様々な知を動員して課題解決に向けて統合化すること、すなわち知の構造化と、外からの人財と現地の人や組織との信頼関係である。信頼関係の醸成には酒を酌み交わすだけでは足りない。経験や利害を異にするステークホルダーすべてにとって納得感のある、総

図序-12　知の構造化で課題解決に取り組む種子島プロジェクト
出所：東京大学「プラチナ社会」総括寄付講座

合的で具体的なプロジェクトの提示が不可欠だ。3年間の取り組みの成果をもとに、任意の地域においてプラチナ社会を実現するための一般的な手法の構築へ向けて大きく踏み出している。

プラチナ社会寄付講座の活動が契機となって、化学工学会は「社会実装学創成研究会」を発足させ、社会実装のために知を統合する方法の体系化を図る。日本工学アカデミーがこの動きに連携しつつあり、化学のみならず、幅広い工学領域が社会実装に向けて協力するプラットフォームを作ることを目指している。

必要のあるところに、知の構造化によって新しいビジネスを作り大きな産業に発展させる、それによって私達はもっと豊かになる、それは今以上に物を持つという豊かさにとどまらず、安心や快適などより良いＱＯＬを実現するためである。

巨大都市からのイノベーション

やねだんや海士町は地方における成功例だが、イノベーションのために巨大都市の果たす役割は大きい。イノベーションが異質な発想の交差からスタートするとすれば、その確率は発想の密度の2乗に比例する。１００倍であれば1万倍になるのだ。ヒト、モノ、カネ、情報など、あらゆる要素が集積する東京は、イノベーション発生確率の最も高い場である。具体的にどのようにしてイノベーションを興すのか、そのヒントが東京西南地区、渋谷と二子玉川と自由が丘を結ぶプラチナトライアングルにある。ここでは複数の異業種企業やクリエーター、大学人等が、持続可能な新しいまちづくりに必要なイノベーションの創出を目指して取り組んでいる。

ビジネス化が持続性を担保する

三島市のホタルに象徴される自然共生は典型的なプラチナ社会へ向けた活動だ。その意義は、人々の健康や安らぎ、活動に関わる人々自身の絆や幸せといった大きな価値を生んでいることだ。しかし同時に、その活動は観光客の増加という形でGDPに還元されている。補助金ではなく、市場経済として成り立っているのだ。プラチナ産業は、投下資本に対して利益を最大化するといった資本主義経済に依拠する必要はない。しかし、プラチナ社会への道が成功裏に持続するためには、多くの活動がビジネスとして成立する必要があるだろう。

生涯成長社会

いずれにしても転換期、仕事の内容は激しく変化せざるを得ない。これまでのように一つの仕事を一生続けるというようなことは期待できない。そうなると、仕事を変えるための教育が極めて重要な産業となってくるだろう。プラチナ社会は学びあう社会でもある。

雀の学校の先生は「鞭を振り振りチーパッパ、まだまだいけないチーパッパ」と生徒を鍛えた。これが途上国型の大学である。プラチナ社会は誰も知らない未来社会だ。そこへ至る道を知る先生はいない。だから、「だれが生徒か先生か、みんなでお遊戯しているよ」と歌うこれからはメダカの学校の時代に入る。先生がいないときに頼るべきは、参加する人々の経験と発想の多様性の交流だろう。教えあい鍛えあい学び続ける社会へと変わらざるを得ないのだ。

丸の内プラチナ大学はプラチナ社会へ向かう能力を高めるためのメダカの学校である。20

16年7月に開講したが、満員の盛況だ。丸の内界隈のビジネスパーソンが有料のこうした講座に集う時代に入ったというのは心強いことである。

プラチナ構想ネットワークは一貫して、人財養成を最重要事業の一つと位置付けている。そのプラチナ構想スクールは多様だ。自治体職員が東京に集って「わがまちのプラチナ構想」を卒業論文として提出する大学、自治体で行う職員グループによる政策コンクール、地域医療の中心となる保健師が集う場、中高生を通じて市民の理解を促すプラチナエネルギースクールなど、生涯成長社会へ向けたメダカの学校である。ノーベル賞学者や日銀総裁経験者が中学生に教えるプラチナ未来人財育成塾やアクティブシニアが小学生に教えるロボット教室でさえ、教える方も学ぶことの多いメダカの学校である。2050年、こうした教育産業が最大の雇用を抱えたとしてもまったく驚くにはあたらないのである。

先進国の経済成長は可能

かつて馬車や駕籠に乗れるのはごく一部の特権階級だけ、一般人は徒歩だった。自動車ができても同じことだった。しかし、ヘンリー・フォードは「従業員全員が買える価格で自動車を作る」ことを目標に規格化大量生産システムを開発し、生産性を画期的に向上させた。自動車

写真序-16　丸の内界隈のビジネスパーソンが仕事とは別に自主的に学んでいる（提供：丸の内プラチナ大学）

写真序-17　人財養成は最重要事業
（提供：プラチナ構想ネットワーク）

の価格を10分の1にし、100倍の人が買い、市場規模は10倍に膨らむという好循環を起こした。これがイノベーションと経済成長の基本的関係だ。それではすでに人がモノを持ってしまった先進国には、経済成長の種はもうないのだろうか。

そんなことはない。図序―7のプラチナ社会の必要条件のいくつかがそうした対象になる。

土木建築と言えばこれまで、キツイ・キタナイ・キケン、典型的な3K産業と言われてきた。現在、設計からメンテナンスまですべてを情報化、ドローンを飛ばして測量し、ロボットや自動トラクターが作業をする、i-Construction（アイ・コンストラクション）に先端企業は注力している。成功すれば工事の単価が10分の1になる。100倍の工事が可能になる、しかしそのような工事は先進国にはないだろう。実は、この分野にはメンテナンスという膨大なニーズが現存する。水道やガスや橋やトンネルや高速道路や、これまでに蓄積したインフラは老朽化し、これらすべてのメンテナンスには年間100兆円かかるとも言われ、ほとんど手がついていない。このままでは未来はないのだ。しかし生産性が10倍になれば視野にはいる。必要なのは、ヘンリー・フォードのようなイノベーターだ。

またもし、1人の介護者が10倍の人を看ることができれば、介護費用は10分の1になり、多くの人が安心して介護を受けられ、市場規模は膨らむ。医療も同様である。高価な先端医療が財政を破綻させると問題視されているが、なすべきはコストの低下、生産性の向上である。高齢社会にむけて、医療のニーズは10倍以上に膨らむだろう。コメディカル人財を大量に育成し、人工知能を含む情報システムを本気で導入すれば生産性向上は可能である。必要なのはイノベーションだ。

GDPとIWI

ヘンリー・フォードは自動車の生産性を高めて人々のニーズに応え、経済を成長させた。しかし、プラチナ社会へ向けた創造型需要がイノベーションを生み出すとして、それは必ずしもビジネスを通じて経済成長に直結するとは限らない。いわゆる経済の外部性の問題がある。

例えばグループでお互いに親を介護しあうのは、たとえ質の高い介護で生産性は介護産業に劣らないとしても、GDPとして計上されない。レストランで食事をすればGDPだが、招待しあってもGDPにならないことと同じである。また、健康自立はプラチナ社会の条件の一つだ。しかし現在の市場では、予防はGDPにならない。糖尿病を患う人が透析になればGDPを増やすが、透析にならないための予防はむしろGDPを縮小させる。透析患者は著しくQOLが低い生活を強いられるけれどもGDPは増大させる。公害問題と同じ構造だ。こうした外部性を経済に内部化する仕組みを早急に構築すべきだろう。

プラチナ社会に向かうための活動の多くは、ＱＯＬを高めるためのサービスの提供である。自動車やテレビを市場経済の外で製造販売することは考えにくいが、サービスは市場経済の外で行われる可能性が少なくない。しかし、それらの活動を内部化しＧＤＰを増やす方向に向けることは可能だろう。

物への欲求によって社会が発展し経済も成長するという途上国の時代、ＧＤＰは適切な社会指標だった。しかし、ＱＯＬを高めるための指標は、質を表現するものでなければならないのは当然である。国連では、ＩＷＩ（Inclusive Wealth Index）を提唱している。ＩＷＩは環境や持続性を含めた総括的な指標である。

プラチナ社会では、経済規模の指標とＱＯＬの指標、例えばＧＤＰとＩＷＩを共に重要な指標として考えるべきだろう。

プラチナ産業と経済成長

図序―13では、一つの点が一つの産業分野に対応し、CO_2排出量の多い分野順に左から右へ並べてある。縦軸はある産業分野の付加価値１兆円当たりのCO_2排出量、横軸は、その左の点との差がその産業の付加価値、すなわちＧＤＰへの寄与を表す。２０１３年のＧＤＰは赤

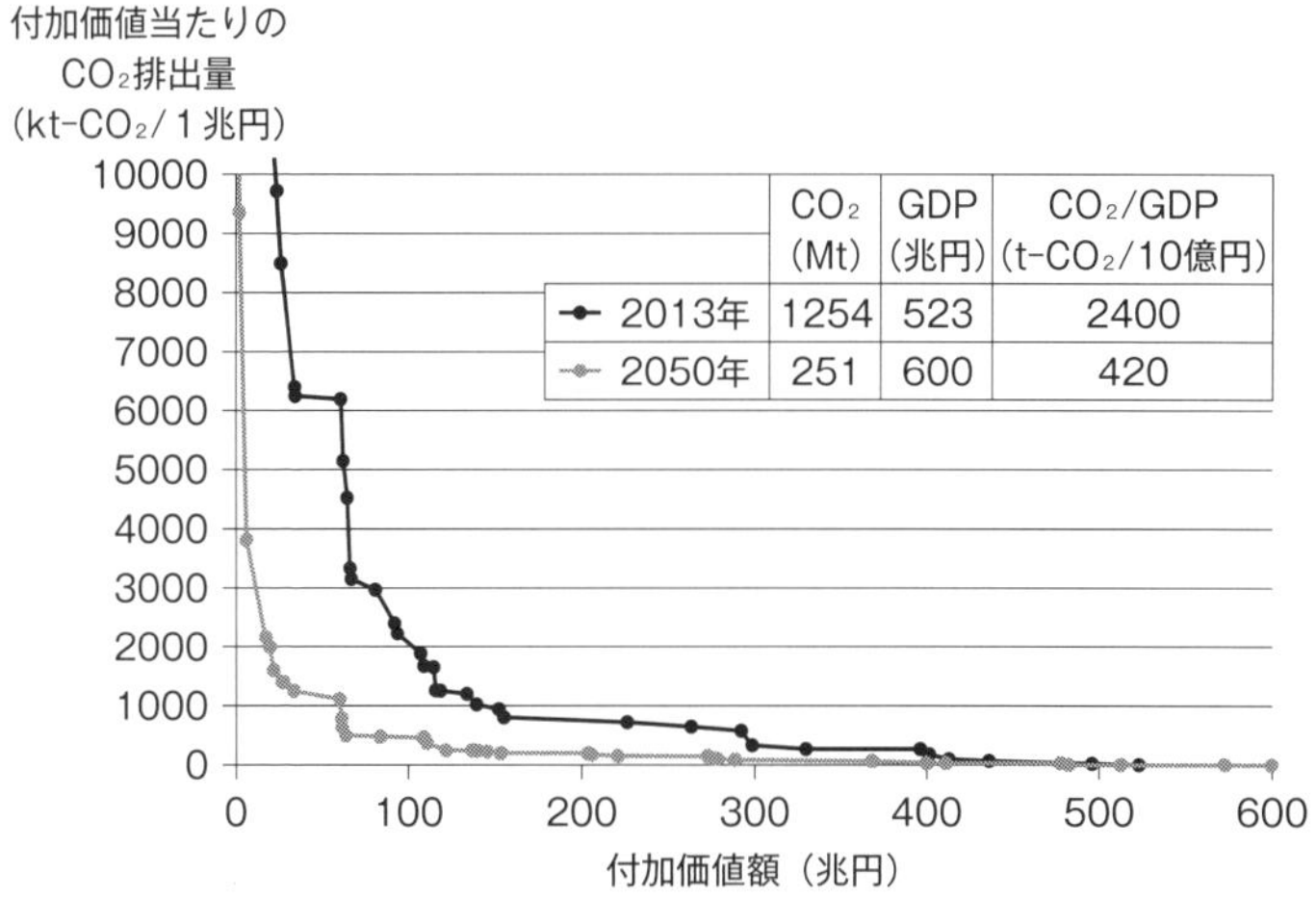

図序-13　明るい低炭素社会の経済構造
出所：科学技術振興機構低炭素社会戦略センターの資料を基に作成

線の右端５２３兆円であり、CO_2の発生量は線の下の面積12億５４００万トンである。横軸で最も左に来るのは製鉄、化学などの工業であり、ＧＤＰ当たり多量のCO_2を発生する。右に位置するのは金融、不動産、商業、医療、教育、サービスなど第三次産業である。二次産業より三次産業はCO_2排出量が小さいということを具体的に示している。

低炭素化とＧＤＰの増大を同時に達成するには、左上に位置する産業を低炭素化させ、右下の低炭素発生産業を成長させるしかない。つまり、工業や運輸を低炭素化し、教育、観光、医療などを成長させることである。プラチナ社会は、鉄鋼業の電炉化、自動車のゼロ炭素化、再生可能エネルギーといった左に位置する産業を低炭素化させ、健康・

自立支援、教育、観光などを成長させる。すなわち、プラチナ社会への移行は低炭素化と経済成長を同時に達成する手段でもあるのだ。

たとえば、2050年まで年率0・3％の経済成長をし、CO_2発生量を80％削減することを目指すとすれば、2050年のGDPは600兆円となり、CO_2発生量は2億5100万トンにしなければならない。この目標値を達成する一つのケースが下の線である。本章で述べるように、達成は容易ではないが可能である。さらにまた、過去20年に再生可能エネルギーや自動車で起きたように、ゴールが見えればイノベーションが起きると期待できる。

産業構造をプラチナ社会に適合させ、量的成長と質の飛躍的充実を併せ実現する。それが、正しい選択なのである。

途上国は共にプラチナ社会を目指す

途上国には、ゼロから始められるという利点がある。アフリカには固定電話がなかったから、あっと言う間にモバイルとインターネットの世界が実現した。再生可能エネルギーシステムの構築において、既存電力システム、すなわち大規模発電所とそれを前提とした送電網という軛がないという点で途上国は有利だ。都市鉱山に関しても利点はある。先進国には高炉中心で裾野の広い鉄鋼産業が存在するため、スクラップへの移行には軋轢を生じる。途上国は、人工物の蓄積が浅くスクラップを発生しないけれど、裾野の広い高炉産業を持たないため、スクラップを先進国から輸入してスクラップ中心の技術やシステムを構築することができる。そのシステムはプラチナ社会のもので、先進国に逆輸入されることになる。つまり、先進国と途上国が協力して人類を都市鉱山へと導くことができるのである。転換期だからこそ、ゼロからのスタートには大きな利点がある。

第2の利点は、導入すべきインフラや製品の多くが安価になっていることだ。再生可能エネルギーはすでに、適地に適切な選択をしさえすれば最も安いエネルギー資源になった。省エネ家電も特殊なものではなくなった。たった5年前でも決してそうではなかったのである。現在の特徴である変化のスピードは途上国に有利だ。

第3の利点は、世界に溢れ投資先を求める莫大な資本の存在だ。途上国が導入すべき多くのものは初期投資依存型である。ヒートポンプなどの省エネルギー、風力・太陽電池など再生可能エネルギー、支援ロボットを利用する健康自立支援システムなど、ほとんどすべてが最初に資金を必要とするが、あとは資金回収を待つだけという事業だ。このことは資本蓄積の少ない途上国にとってマイナスとも思える。たしかに、短期志向の資本はこうした分野への投資を望まない。しかし世界には年金資金をはじめ、低リスク安定リターンを目指す巨大な資本がある。有り余る資本を然るべき投資に向かわせる方法を編み出しさえすれば、途上国の資本不足という困難は大いに緩和される。

第4に明記すべきは、中国のPM2・5に象徴される公害問題だろう。途上国が経験してはならない断じて避けるべき事例だ。なぜならば、こうなるであろうことは分かっていたし、原因も解決法もすべて、人類は分かっていた。中国の学界関係者ももちろん分かっていたのだ。10％の経済成長をしていた頃に、9％に落として1％分を環境投資に回せば避けられたのに、こうなってしまった。これを他山の石としなければならない。必要なのは、知識を政策に反映させる方法だ。

以上の4点を総括すると、途上国は先進国の軌跡をたどるべきでないのだ。それは公害や生活習慣病など、先進国の失敗を繰り返すことを意味する。そんな必要はないのだ。直接プラチナ社会に照準を合わせるべきだ。途上国には先進国にない利点があり、両者は相補的だ。途上国は最高のモノを実現し、それが先進国を含め世界に普及する。共に世界をプラチナ社会に導く同志と考えなければならないのである。

人類は、SDGsにおいて「一人も置き去りにしない」と宣言したし、パリ協定にも合意した。実行あるのみだ。途上国は自主的発展を望んでおり、それは道理だ。先進国は共にプラチナ社会を目指すものとして協力すべきだ。途上国は先進国との協力を進められるよう、社会慣習や制度整備や治安確保などで応えるべきなのである。

これらを成す鍵は人財、結局教育だろう。アフリカの人口問題は世界の人口爆発に残された数少ないリスクで、その解は教育だ。人口問題に限らず、アフリカの帰趨は人類の未来を左右する。「情けは人のためならず」の精神が今こそ必要なのである。

先進国途上国間の問題に答えの方向は見えてきている。そこに向かって協力しアクションする人類の勇気が問われているのである。

格差と社会保障、国家と市場

地球はこれからの人口増を含め、すべての人に、快適な生活を送ることができるモノを提供する容量を持つ。地球の限界の中で、私達は、一人も置き去りにすることなく、モノも心も豊かで持続的な生を得ることができるのだ。つまり、プラチナ社会は実現できるビジョンである。

しかし、そこに至るには折り合いをつけねばならないことがある。人間社会において、公平性や平等性は極めて重要な価値だが、その価値は、日本が正規雇用と非正規雇用の問題で揺れているように、グローバルに揺らぎ始めている。社会保障制度は格差を社会全体で緩和するためのもの。しかし、現状は保険料収入だけで賄いきれず、赤字国債を積み増している。働く現役世代が負担する保険料にも限界があるから、赤字を減らすには税収を増やすほかない。それゆえに税と社会保障の一体改革が必要なのだ。

税収増の条件は法人と個人の所得を増やすこと。それにはイノベーションが必要だ。これまで国の産業振興策といえば自動車や太陽光発電など特定産業を後押しすることだったが、今はそういう時代ではない。今ある技術や知見を組み合わせれば、たいていのモノはつくれてしまう。例えば、救急搬送システムを高度化するために、今までは専用の救急車両とシステム開発に尽力していたが、これからはスマートカーやドローンの転用、ダイナミックマップとの連携など、既存技術の組み合わせで効率的なシステムを構築できる。こうしたイノベーションを実現するために、国は様々な産業や技術にいかに横串を通すかを考える必要がある。業界横断のための仕組みをつくるには行政の縦割り構造が壁になっており、その改革は国にしか担えないからである。

イノベーションのための制度

巻末対談の吉川洋氏は新著『人口と日本経済』の中で、経済成長は労働力人口の増加によってではなく、イノベーションによってもたらされてきたと喝破しておられる。イノベーションの種はプラチナ社会の周辺にあり、その萌芽はすでにあちこちに芽吹き始めている。

新しいモノをつくるだけでなく、安くなることによってイノベーションは生まれる。ヘンリー・フォードが車を10分の1の価格にして100倍の人が買ったから市場は十倍に広がった、これが自由市場の基本的仕組みだ。ところが例えば、素晴らしい医療や介護ロボットが生まれても、今の社会保険制度で支払われるなら価格を下げる動機がない。財政が破綻することになる。高価な車が素晴らしいから国民に配りましょう、と言っているのに等しい制度だからだ。イノベーションを誘発する必要条件は、価格低下の動機が働く制度である。一人も置き去りにしないというSDGsの理念を実現するためには、自由市場の活用が有効であろう。

20世紀の冷戦が終焉し、優位性が証明されたかに見えた民主主義に基づく資本主義というシステムが困難に直面している。私たちは、人と経済を活性化するという自由市場の利点を生かしつつ、有限の地球の中で答えを見つけていかなければならないのである。

21世紀は転換期

人口爆発の回避から少子化の克服へ、飢餓の撲滅から肥満の予防へ、化石資源から再生可能

写真序-18　プラチナ構想ネットワーク

エネルギーへ、採掘資源から都市鉱山へ、公害の克服から自然との共生へ、生産の速度から人生のゆとりへ、強制的参加から自由な参加へ、21世紀は人類史の大転換期である。今ある課題は文明によって得られた自由を存分に活用することで解決することができる。解決した結果行きつく先は、資源自給、自然共生、健康自立、生涯成長、自由な参加、豊かな文化、多様な選択肢、すなわちプラチナ社会である。

プラチナ構想ネットワーク

21世紀のビジョンはプラチナ社会である。その萌芽はあちこちに芽生えている。しかし、人が今現に生きている社会からプラチナ社会に向かうために、どうすればよいのだろう。残された時間は少ない。どのような効率的方法があるのだろう。確かなことは、人々が、それぞれ自律的に行動しなければ始まらないということだろう。目指すは自立分散協調系のプラチナ社会だ。それを目指して、自立的なグループ間で、情報を交換し、知恵を出し合い、知を構造化し、成功へ導く方法論を作り上げながら、行ったり来たり、しかし必ず前進すると心に決めて、試行錯誤するより他はあるまい。少なくとも、そこへ向かうのだと決断した人々の集団が必要なことは確かだろう。プラチナ構想ネットワークは、具体的にどうするのか定かではないが、プラチナ社会へ向かうという一点に思いを合わせた人々が集い、２０１０年8月に発足した。最初の3年で理念を確立し、次の3年で行動を具体化した。この間、46人でスタートした会員数も３００人にまで増えた。いよいよこれから社会への実装を加速したいと考えている。私達だけでできるはずもない。幸い同じ方向を向いたグループとの連携も強化されてきた。つまりはネットワークオブネットワークス、これは自立分散協調系にも通ずる行動指針だ。

好きな言葉、未来を予測する最も良い方法はそれを作ることだ。プラチナ社会へ向かって進もうではないか。

第1章

「ビジョン2050」のメッセージ

◆ ◆ ◆

全ての人が物質的に満たされ、尊厳ある生活を送ることができるならば、世界の困難の多くは克服されるだろう。国連の定めた「持続可能な開発目標（SDGs）」においても、貧困の撲滅が最大の地球規模の課題であり、持続可能な開発のための不可欠な必要条件であると位置付けている。貧困の撲滅のためには、生存の基盤である地球持続を満たしつつ、経済成長を続けなければならない。つまり、地球温暖化や資源の消費を抑制しつつ、現在の途上国の人々にまで十分な豊かさを提供し続けられるのだろうか。現状の持続だけでも地球が３つ必要と言われる中で、一体そんなことが可能なのだろうか。この問題を研究した私たちは、可能な道はあると確信するに至り、1999年、その具体策としてビジョン2050を提案した。

1章◆1　ビジョン2050誕生の背景

マクロなビジョンが必要

ミレニアムに沸いた1999年、拙著『地球持続の技術』（岩波新書）を世に送り出した。1990年代後半は京都議定書を機に地球温暖化の問題が広く世に知られて、CO_2排出削減の機運が高まるとともに、多くの人たちが20世紀の飛躍的発展を支えた物質文明に行き詰まりを感じ始めていたころだった。エネルギー資源の枯渇、地球の温暖化、廃棄物の大量発生などの困難な事態を避けようと、意識ある人々は行動を起こし始めていたが、行動の根拠となるデータや情報が乏しく、議論も十分に煮詰まってはいなかった。

人々が行動を起こすには「自分のやろうとしていることは正しい」「この行動が地球の未来のためになる」と思えなければならない。しかし、リサイクルを推進しようとすると「コストばかり掛かって非現実的だ」という意見が上がってくる。あるいは、太陽電池の導入を検討していると「コスト高で割に合わない、絶対量も足りない」と専門家が否定する。

このように真っ向から対立する意見を解決するには、マクロなビジョンが必要だ。それは重要な個別事項に十分な考慮をしたうえで全体として整合性のある、人々が共有できるようなビジョンであらねばならない。〝将来のあるべき姿〟が共有されていれば、リサイクルや太陽電池といった個別の議論で意見が対立したとしても、進むべき方向性は自ずと定まってくる。20世紀末には多種多様な課題が噴出しているにもかかわらず、あるべき姿は共有されていなかったように思う。

すべての人が豊かな生活

そんな問題意識のもとに「ビジョン２０５０」を策定し、『地球持続の技術』にて提起した。ビジョン２０５０は、21世紀半ばに実現すべき省エネルギー型で再生可能エネルギーに依存する物質循環型の社会像であり、「人工物の飽和と循環」「エネルギー効率の向上」「再生可能エネルギーの開発」の３点を基本原理としている。策定にあたっては地球上すべての人々が現在の先進国に匹敵する生活レベルを達成し、同時に環境と資源の問題を解決することを前提とした。その上で、執筆当時に入手できた最先端のデータを用いながら、エネルギー効率の大幅な向上や再生可能エネルギーの利用拡大など、個別のテーマについて論じた。

「地球上すべての人が現在の先進国レベルの物質的豊かさを享受する」というのは、理想論ではあるが現実的でない、そんなことをしたら地球はもつはずがないというのが当時世界のほとんどの人々の考えであった。今でもそう考える人が過半だろう。しかし、2015年に国連はSDGsを通じて「1人として置き去りにせず」と宣言したではないか。それに、それ以外に地球のビジョンがあり得るだろうか。ビジョン2050を考えている時点では国連がそのような宣言をするとは思いもよらなかったが、間違ってはいないとの確信はあった。そうした思いで研究を重ねた結果、1995年時点の生活と社会、人口や人工物の趨勢、技術とその未来などを論理的に分析すれば、決して理想論ではなく、実現可能なビジョンであることが分かったのだ。

なぜ低炭素社会なのか

地球環境はすさまじいスピードで変化している。気候変動に関する政府間パネル(IPCC)第5次評価報告書(AR5)によれば、1880年から2012年の間に、世界の地表面(陸地と海面)温度の年平均は0・85度上昇した。さらに、1986~2005年を基準にした今世紀末の変化予測では最大で4・8度上昇、最低でも0・3度上昇するという。

気温上昇の要因のひとつは人口増加だ。20世紀の１００年間で世界の人口は17億から60億に増えた。さらに生活様式が近代化したことで、あらゆる物量ニーズが拡大し、農業生産量は７・５倍に、工業生産量は20倍に増加している。

それらに呼応して、大気中の二酸化炭素（CO_2）濃度が上昇した。１００年前の地球のCO_2の平均濃度は２９０ｐｐｍ前後であったのに対して、２０１５年末の温室効果ガス観測技術衛星「いぶき」による観測結果ではついに４００ｐｐｍを超えてしまっている。

大気は地球全体の温度を約15度に保つ働きをしているが、CO_2濃度が高くなると均衡が崩れる。気温の差は数字で見ればわずかだと思うかもしれない。しかし、地球は確実に温暖化し、環境に計り知れない影響を与える。気温が上昇すると、海流や気流が変化して気候が変わる。欧州で記録的寒波が発生する一方で、豪州では干ばつで酪農が大打撃を受けた。日本でも猛暑日と豪雪被害の両方が増えている。これらは地球温暖化による気候変動だと考えられる。気温が上がったら1年中クール・ビズで過ごせばいいという話では済まないのだ。

２０５０年、世界の人口は今よりも20億人増えて90億人に達する見込みだ。現在、先進国では、１人当たりの1年間のCO_2排出量はおよそ8・4トン。２０５０年に全人類が先進国並みの生活を送れば、CO_2排出量は年間７５０億トンに達する。このときの大気中のCO_2濃度は、私の研究チームの試算では６００ｐｐｍ。過去１００年間のCO_2濃度の変化と比べても、

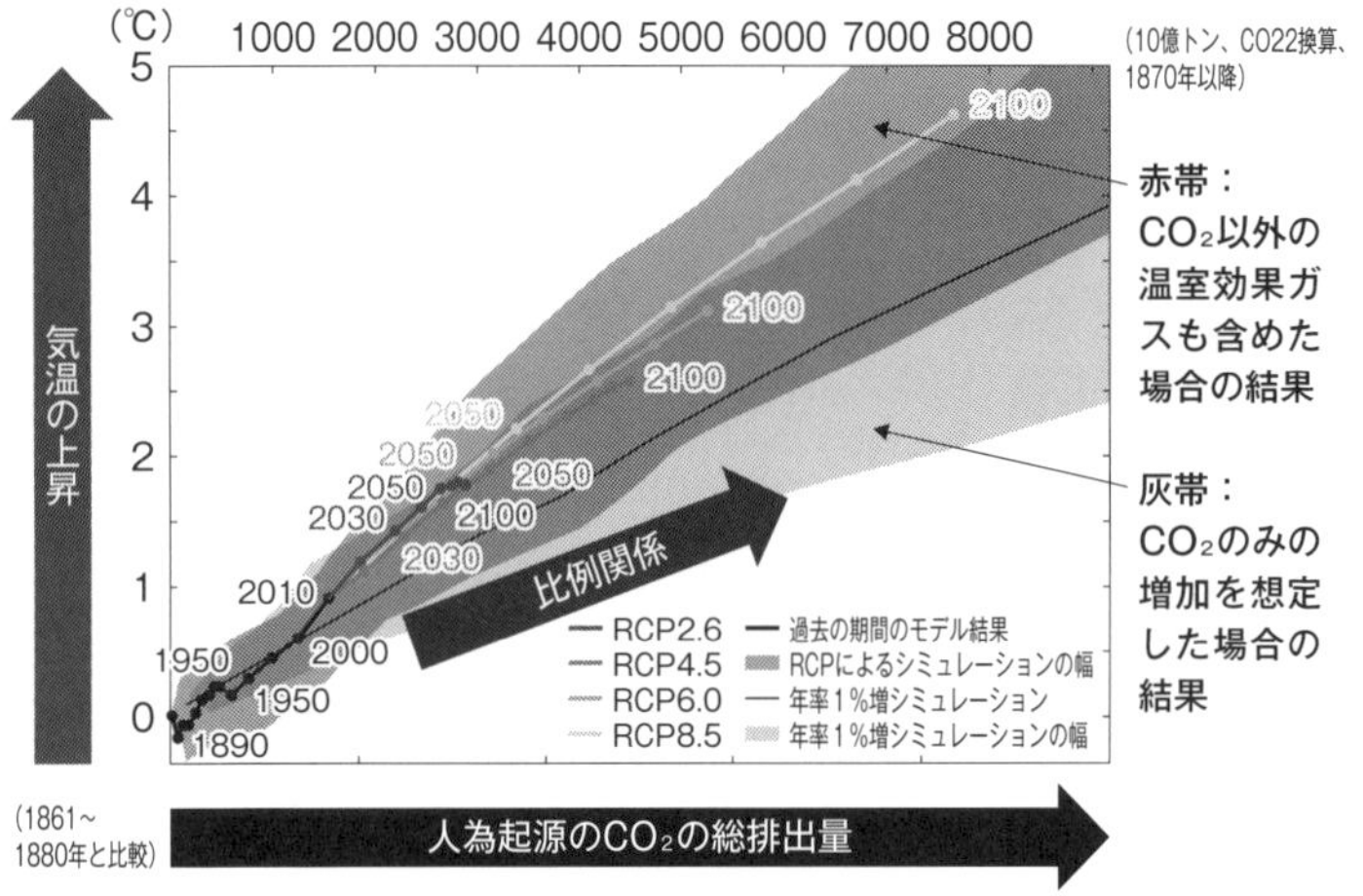

図1-1　世界のCO_2排出累計総量の関数としての世界の平均気温上昇量
出所：IPCC第5次評価報告書WGI FigureSPM.10を基に作成

これからの40年間の変化はあまりにも急激だ。

　IPCCの予測の最大4・8度上昇とは現状以上の温暖化対策を取らなかった場合のワーストシナリオで、最小0・3度上昇とは厳しい温暖化対策を取った場合のベストシナリオだ。もはやどちらのシナリオが良いかは言うまでもない。地球環境を持続させるために人類が目指すべきはCO_2排出量を可能な限り減らした「低炭素社会」である。

地球温暖化という脅威

　IPCCの報告書には毎回、人間活動がおよぼす温暖化への影響についての評価が盛り込まれている。1990年の第1次報告書では「人為起源の温室効果ガスは気候変化を生じさせる恐れがある」という程度の柔らかな表現に過ぎなかった。しかし、報告書発行のたびに、表現は強いものとなり、第5次報告書では「20世紀半ば以降の温暖化の主な要因は、人間の影響の可能性が極めて高い」と記された。可能性の度合いは95%以上である。

すでに気温は0・85度上昇し、これからの50年間で0・3度から4・8度の上昇が予測されている。これほどの急激な変化を人類は経験したことがない。

温暖化によるリスクとしてよく知られているのは極地の氷が溶けることによる海水面の上昇だ。巨大な氷は溶けるのに時間がかかるが、いったん氷が減って海水温が上昇し始めると、さらに氷が溶けやすくなってしまう。仮に気温上昇が止まったとしても、再び海水温を冷やし続けるだけの氷ができるまでに膨大な時間を要する。

海水面が上昇すれば、南太平洋のツバルなどの島々が海に沈むのではないかと言われている。タイなどの沿岸部にある国々も状況によってはかなりの部分が水没する可能性が指摘されている。日本への影響もゼロではない。海水面が約60センチメートル上昇するとしたら、東京や大阪などの沿岸部のゼロメートル地帯が約1・5倍に拡大すると見られ、洪水・浸水対策に社会資本を投じなければならない。

そして、地球温暖化は気候変動を引き起こす。欧州は日本の北海道よりも高い緯度にあるにもかかわらず、温暖な気候を保っている。これは暖流であるメキシコ湾流が大西洋を北へ流れ

図1-2　日本の夏季の豪雨日数（上）と真夏日日数の変化

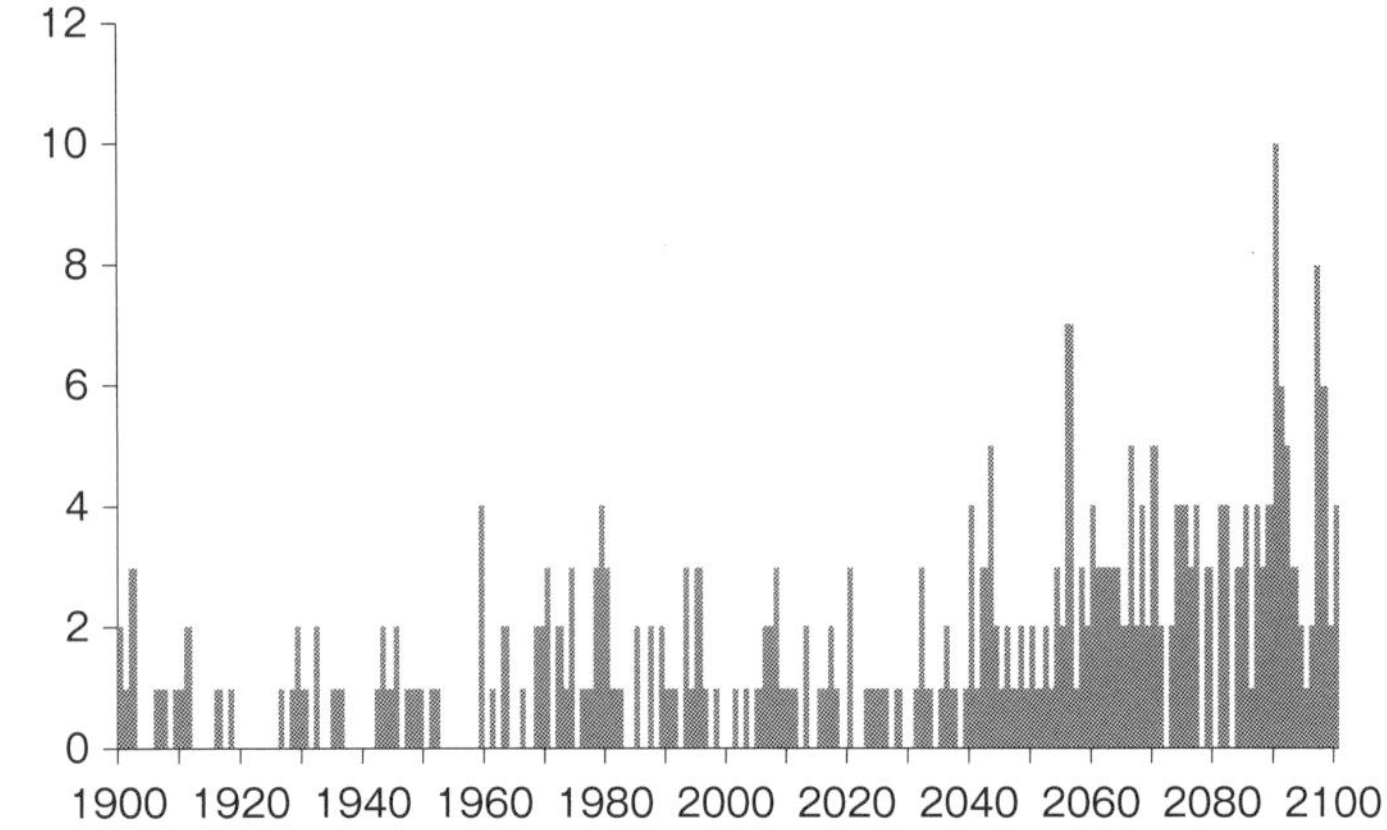

1900年から2100年までの日本の夏季（6・7・8月）の豪雨日数の変化（2001 年以降についてはシナリオ「A1B」を用いた結果）。日本列島を覆う格子（100km×100km程度）のうち一つでも日降水量が100mmを超えれば、豪雨1日と数えた。広い面積の平均を基にしていることから、絶対値は観測データと直接比較できない。相対的な変化のみが重要。

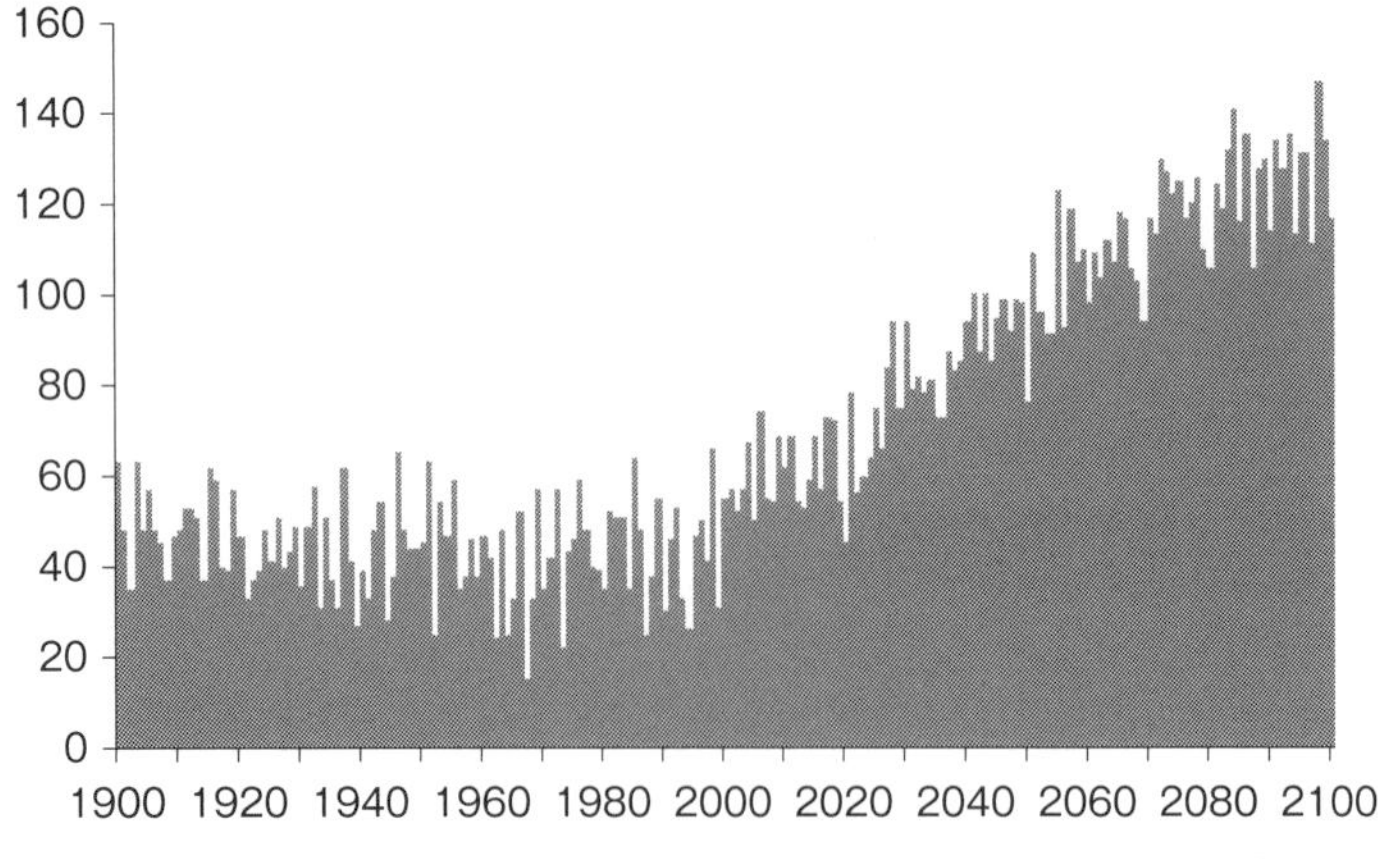

1900年から2100年までの日本の真夏日日数の変化（2001年以降についてはシナリオ「A1B」を用いた結果）。日本列島を覆う格子（100km×100km程度）のうち一つでも最高気温が30℃を超えれば、真夏日1日と数えた。都市化が考慮されていないこと、広い面積の平均を基にしていることから、絶対値は観測データと直接比較できない。相対的な変化のみが重要。

出所：東京大学気候システム研究センター、国立環境研究所、海洋研究開発機構地球環境フロンティア研究センター

て欧州に達し、そこで海底に沈みこむという海流の大循環をしているためだ。しかし、温暖化が進むと、降水量が増えて海水の塩分濃度が低下する。比重が十分に大きくならないと、海底に沈みこまなくなるので、メキシコ湾流の流れが止まりかねない。

そうなると、地球全体の気温は上昇しても、欧州は寒冷化する可能性がある。欧州を大寒波が襲い、電気などのライフラインが寸断されたために、数百人単位で死者が出たことは記憶に新しい。社会インフラはこれまでの気象・気候条件を前提にしているため、あまりに急激な変化だと対策が追いつかないのだ。

また、メキシコ湾流が欧州に流れなくなると、その熱は熱帯域にとどまり、メキシコやアメリカ南部を猛烈に温める可能性がある。ニューオーリンズを丸ごと消失させた巨大ハリケーン「カトリーナ」はこういったメカニズムから生まれたと考えられている。

さらに恐ろしい予測として「温暖化の正のフィードバック」が挙げられる。シベリアの永久凍土にはメタン分子が水に囲まれた構造を持つメタンハイドレートが眠っている。温暖化で氷が溶けると、メタンガスが大気中に放出される。メタンはCO_2ほど排出量が多くないので注目度は低いが、単位量当たりの温室効果はCO_2の10倍だ。温暖化でメタンが大気中に放出され、そのメタンの温室効果でますます温暖化が進むという、フィードバックが起こり得る。

近年の気候学の研究では地球環境が実に微妙なバランスの上に成立していることが分かって

きている。大気中の一成分がわずかに変わるだけで生態系が激変する可能性がある。

1章◆2　ビジョン2050とは何か

2050年のあるべき姿

地球温暖化を食い止めるには大気中のCO_2濃度を抑えなければならない。ビジョン2050では1990年のエネルギー使用量を基準に、2050年の物質やエネルギーの供給、CO_2濃度をシミュレーションした。

1990年は約60億トンの化石資源と、約15億トンの非化石資源（バイオマス・水力・原子力）をあわせた、75億トン相当のエネルギーを消費している。当時の世界の人口はおよそ60億人なので、1人当たり1トンの化石資源を消費した計算だ。実際には先進国と途上国の差が大きく、先進国は約45億トンを消費していた。国別に見た1人当たりの消費量は、日本が2・4トン、英国が2・5トン、ドイツが2・6トン、アメリカは5・3トンであった。数値が突出しているアメリカを除けば、日本と欧州からなる先進国の1人当たりの平均消費量は2・3トンであった。

２０５０年の世界総人口は93億人と推測されていた。そのうち途上国の人口は約80億人である。彼らが先進国並みの生活を送れば、化石資源の消費量は２・３トン×約80億人＝約１８５億トンに上る。このうちの10億トンは基準年同様、バイオマスでまかなうとする。また、２０５０年の先進国の需要は基準年と同じだとみなすと、化石資源45億トン＋非化石資源５億トン＝50億トン。地球全体では２３５億トン、基準年の３倍に相当するエネルギーを消費することになる。これが、すべての人が豊かになったら地球はもたないと多くの人が考える暗黙の背景である。

しかし、この計算は基準年の技術を前提としている。技術が進化すれば、エネルギーの利用効率は向上する。仮に、２０５０年までにエネルギー利用効率を3倍にできれば、エネルギー消費量は基準年と同じく75億トン程度で済む。

それでも、化石資源の使用量が１９９０年当時と同じならば、ＣＯ$_2$も同じだけ排出され続けるので、地球環境を以前の状態に戻すことはできない。地球温暖化の進行を抑えるには効率向上だけでなく、より踏み込んだ努力が必要なのだ。

ビジョン２０５０では再生可能エネルギーの比率を高めることを提案した。基準年は非化石資源によるエネルギー使用量が炭素換算で約15億トンであった。これを2倍に引き上げることができれば、2050年の化石資源の使用量は45億トンで済む。つまり、エネルギーの利用効率を3倍にし、再生可能エネルギーの使用を2倍にできれば、化石資源の使用量を基準年の4分の3に抑えられるというわけだ。ビジョン2050を達成し、21世紀後半もエネルギーの利用効率の向上と再生可能エネルギーの使用拡大を進めていけば、化石資源の使用量をさらに抑えたシナリオを実現することができるだろう。

それが大気中のCO_2濃度にいかなる影響を及ぼすか。

基準年のCO_2濃度は369ppmであった。大気中のCO_2濃度は人為起源のCO_2排出量に比例して上昇するという経験則がある。1990年代後半の時点では年間2ppmずつ増加していたので、このペースが続けば50年間で100ppm増加し、2050年には469ppmを超えるだろう。

一方、前述のように、2050年に途上国が先進国並みの生活水準になり、かつエネルギーの利用効率も再生可能エネルギーの割合も変わらなければ、化石資源の年間消費量は220億トン。このときのCO_2濃度を計算すると600ppmに達する（図1―3―b）。これは産業革命以前のCO_2濃度の2倍を大きく上回る数値である。

これに対して、ビジョン2050では化石資源の使用量が基準年の4分の3になり、CO_2濃度は460ppmと算出される（図1―3―c）。数字上は現状維持モデル（469ppm）

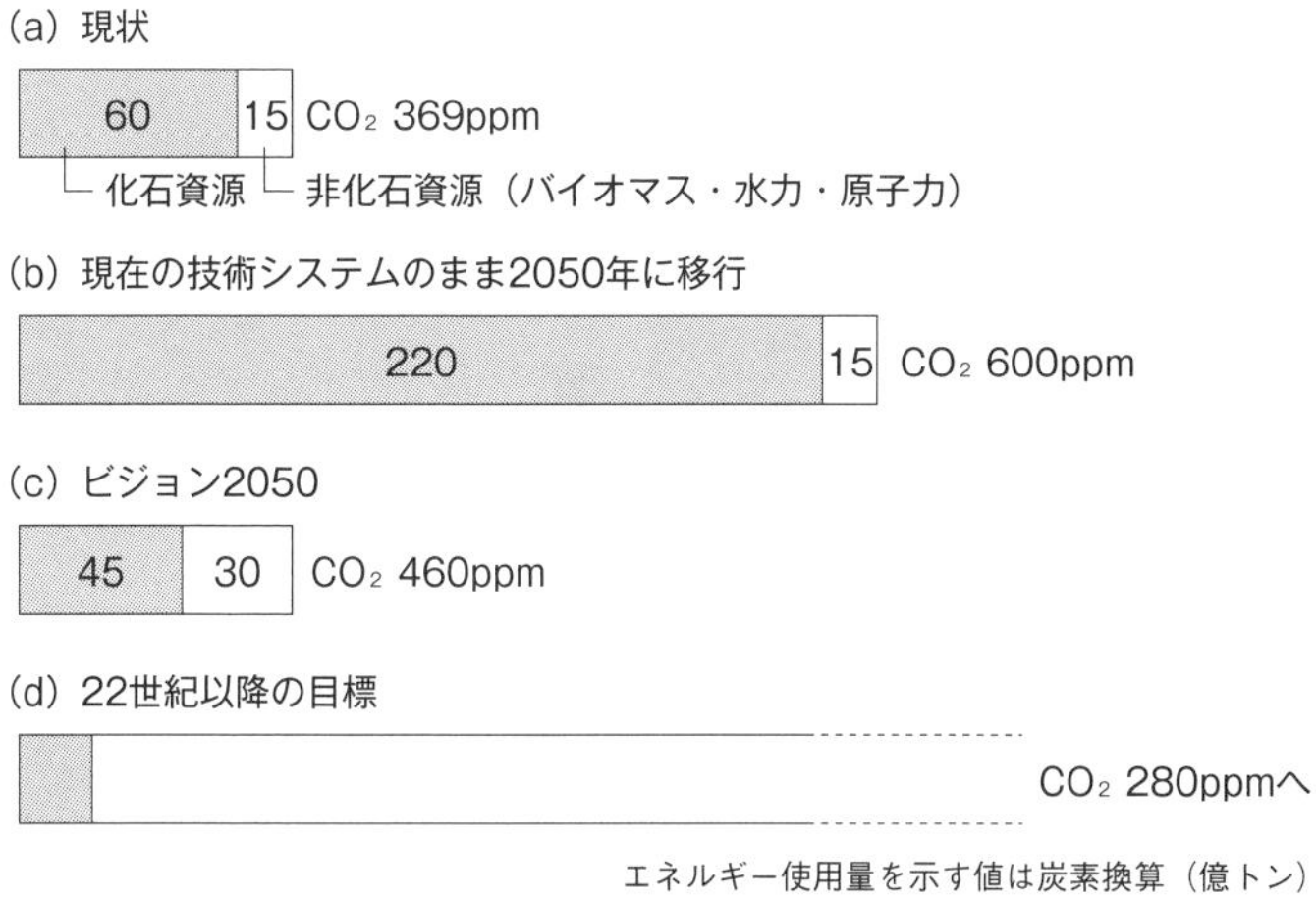

図1-3 エネルギーシナリオとCO_2濃度
出所：『地球持続の技術』

と比べて大差ないが、人口が1・5倍に、エネルギー需要が3倍になっていることを考えれば、この程度に抑えられているという方が正しい。しかも、ビジョン2050を達成し、21世紀後半以降もその方向性を推進していけば、CO_2濃度上昇のペースは鈍化し、やがて海がCO_2を吸収することで濃度が低下していく。ビジョン2050のシナリオであれば、22世紀には産業革命以前のCO_2濃度280ppmに戻すことも不可能ではない(図1―3―d)。

以上、ビジョン2050の目標をまとめると下記3点になる。

①物質循環のシステムをつくる
②エネルギーの利用効率を3倍にする
③再生可能エネルギーを2倍にする

ビジョン2050は大気中のCO_2濃度を減らすものだが、そのために過度な我慢や犠牲を強いてはいない。精神論ではなく、科学技術によって前述の3つの条件を実現しようというものだ。

人工物の飽和と物質循環システム

まず物質循環システムについては、人工物の飽和がポイントだ。鉄やセメントといった人工物は社会に蓄積され続けるが、いずれ人口に対してくまなく行きわたり、最終的には飽和に至る。中国にしてもインドにしても需要が永遠に拡大することはない。しかるべきタイミングで飽和を迎える。インフラの主要材料である鉄やセメントを指標に分析した結果、2050年には世界中で相当程度飽和に近づいていると予想した。

人工物の飽和は、新たに必要とする素材と廃棄される人工物の量が等しいことを意味する。つまり、金属資源をリサイクルして製品化すれば、天然資源を採掘する必要がなくなる。つまり、金属資源に関する限り、枯渇の不安はないばかりか、そもそも必要がなくなるのである。廃棄物量と資源採掘量をすべて最小化した完全循環型社会が将来のあるべき姿である。

エネルギー効率3倍

第2のエネルギー効率の目標値の設定は、すべてのエネルギー消費には理論値があることからスタートする。この理論値と実際のエネルギー消費との差が、省エネルギーの可能性の最大値である。技術によってこの最大値にどこまで近づくことができるかの分析が、省エネルギーをどこまで進めることが可能かの予測ということになる。

たとえば、輸送のエネルギー消費の理論値はゼロである。重さがゼロの物体の走行にエネルギーは必要ない。したがって自動車や電車の軽量化は有効であり、また、エネルギー資源を有効な走行力に変える技術も省エネに資する。軽量化技術の可能性、駆動技術の可能性を検討して、輸送のためのエネルギー消費を4分の1にすることができると予測した。

自動車と並んで、世界で最も大きいエネルギー消費が暖房需要である。家庭やオフィスでは、建屋の断熱性能向上による空調費の節約、高効率エアコンやLED照明などによる消費電力の削減、発電側の効率の向上など、さまざまな要素が効率化し、2050年には全体として4分の1に抑えられると考えた。

また、ものづくりの分野でも効率化が進む。ほとんどの金属は、空気中で酸化されている。酸化状態にある天然資源から金属をつくるよりも、金属状態にある廃棄物から作る方がエネルギー消費は格段に少ない。つまり循環型社会に向かうことは省エネルギーにも寄与することになる。のほかにも建設や家電その他の産業はエネルギー消費を2分の1に削減することができるだろう。こうした縮減率にそれぞれのエネルギー消費の重みをかけて平均すれば、社会全体の消費量は3分の1以下に抑えることができることになる。

このように、エネルギー消費項目を精査し、寄与の大きな項目に関して、理論と技術の綿密な解析結果から予測した値を、それぞれのエネルギー消費量の重みをつけて平均して、3倍の効率化が適切な目標であると判断したのである。

再生可能エネルギー2倍

3点目には、再生可能エネルギーを2倍にすることを目標とした。1995年時点で、世界のエネルギー消費は、化石資源が80％と圧倒的に多く、薪10％と水力5％からなる再生可能エネルギーが15％、原子力が5％であった。したがって、CO_2を発生しないエネルギーは再生可能エネルギーに原子力を加えた20％であったが、再生可能エネルギーによって40％と倍増することを目標とした。

快適性も経済性も高まる

以上の3点は相当に高い目標設定ではあるが、達成できない無謀な値ではまったくない。次章で述べるように1995年以降の20年の間にも達成に向かって着々と進んでいる。しかも、将来のあるべき姿に近づきながら、生活の質は落ちていない。エアコンや冷蔵庫は普通に買い替えるだけでエネルギー消費量が抑えられる。新製品は以前よりも便利で使い勝手がよくなっているはずだ。自動車は燃費がよくなっただけでなく、安全性や快適性も向上している。多様なエコカーから好みの1台を選ぶ楽しみも生まれた。また、産業部門においても鉄やコンクリートのリサイクル率が上がっている。

リサイクル率が上がり、自動車や家電製品の効率化が進み、太陽光発電が広まったからといって、人々は何か不自由をしているだろうか。それらは経済発展や利便性や安心感を増すことはあっても損なうものではなく、さらに、メガソーラーなど新たなビジネスチャンスを創出している。ここにビジョン2050の真価がある。

低炭素社会とは温室効果ガスを排出する化石資源の使用を抑えた社会だが、人間活動や経済

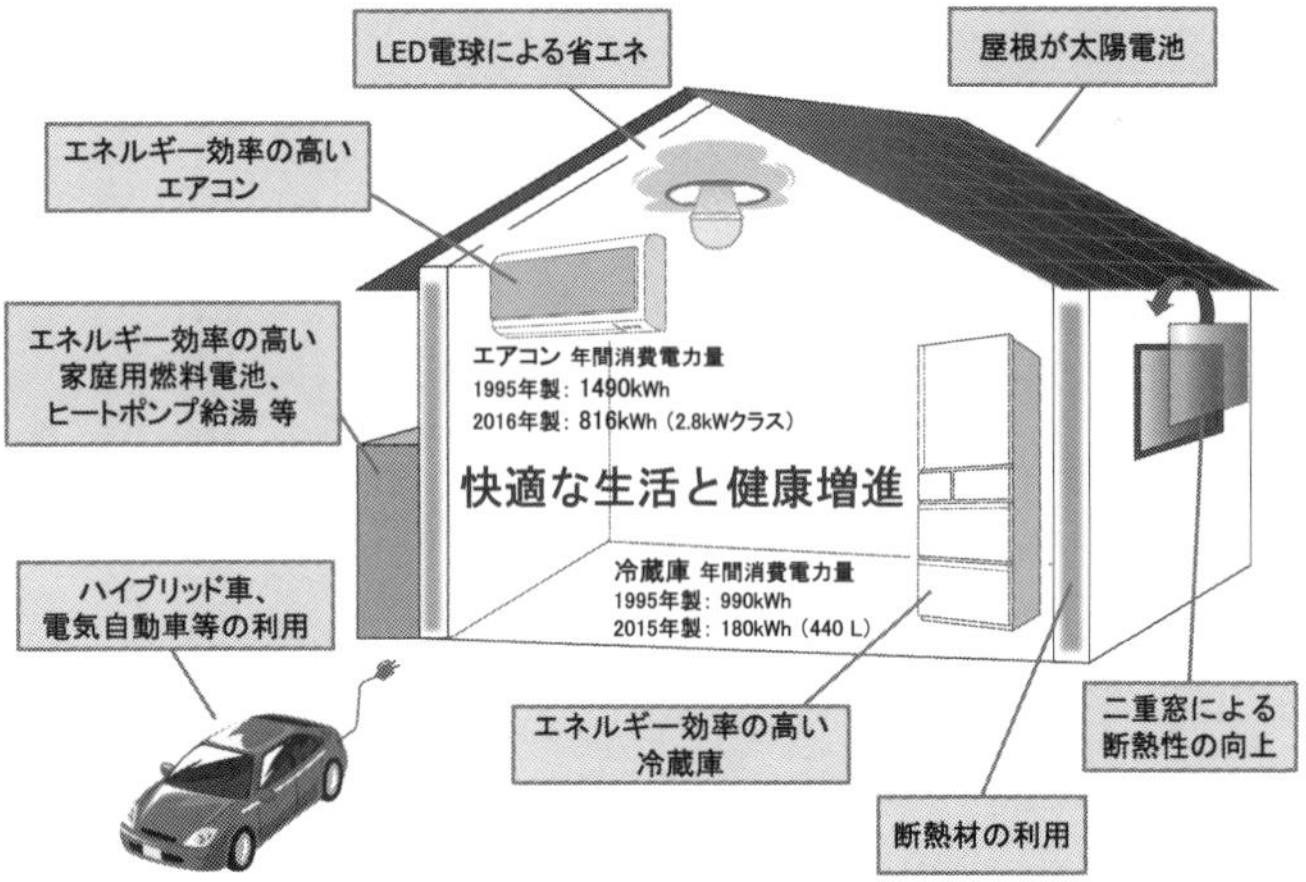

図1-4　エネルギーを使う家から、エネルギーを創る家へ
出所：各種資料を基に著者作成

発展を抑えつけるような暗い話ではない。明るい低炭素社会は夢物語ではない、実現可能な持続的発展のためのビジョンなのである。

現実的なビジョンゆえの前提

ビジョン2050は途上国の成長と先進国の生活水準維持を前提としている。2050年に途上国の人々が先進国並みの生活を送れば、エネルギー消費量が3倍に膨れ上がる。しかし、だからといって、途上国は生活水準を現状維持してほしいなどと言う権利は誰にもない。途上国の近代化は否定できないし、そもそもそんなことをしたらテロやクーデターや陰惨な世界になることは明らかだろう。

また、エネルギーの使用を減らすために、ライフスタイルを見直すのは大切なことだが、過度な期待は禁物だ。過剰包装を控える、無駄なコピーはやめる、自転車を使うといったことは日々の行動として実行可能だろうが、極端な生活様式の転換を多くの人が短期間で達成することは難しい。精神論だけで世界は動かない。ビジョン２０５０ではライフスタイルの見直しも考慮しているが、その量的効果に期待し過ぎてはいない。エネルギー消費効率を技術的に高める道を探ることに重点をおいている。

そして、２０５０年時点で、再生可能エネルギーが全面的に化石資源に置き換わる可能性はほとんどないということも前提のひとつだ。水力発電と途上国での薪の利用を除けば、再生可能エネルギーの全エネルギーに対する寄与率は１９９９年時点で１％にも満たなかった。ガソリンや石炭などの化石資源はエネルギー密度が高く、いつでも利用できるのに対して、太陽光や風力といった再生可能エネルギーはエネルギー密度が希薄で、発電量の時間変動が激しい。使い勝手がよくて便利なものから、使い方に工夫が必要な再生可能エネルギーへ急速に全面的に置き換わるシナリオは極めて考えにくい。

ビジョン２０５０はこれらの前提の上に成り立つ。策定から20年近く過ぎるものの、執筆当時に入手できる最先端かつ高精度のデータを使用して十分な検討を重ねたので、いま見返しても前提条件を含めて内容は古びていない。

先進国と途上国の差は今後も見極めるべき重要なファクターだろう。先進国は今後、確実にエネルギー消費量が減っていく。人口はすでにピークアウトし、押しなべて人口減少に転じている。日本の人口は2008年の1億2806万人がピークだった。国立社会保障・人口問題研究所の推計によれば、2050年には最大で1億292万人、人口減少が加速すれば1億人を下回る可能性もある。こうした人口予測は出生率と平均寿命の仮定に基づくものだが、もし大きな状況の変化がなければ2100年には6500万〜3800万人にまで人口が減っているという。

人口が減少すれば、エネルギー消費の総量も減る。また、クルマや住宅や家電製品は、すべてエネルギー効率が向上するので、同じように使ってもエネルギー消費量は減る。日本のエネルギー消費量は2004年度までは一貫して増え続けていたが、その後は減少に転じている。現在のエネルギー消費はビジョン2050を打ち出した1990年代後半とほぼ同水準だ。

人口減少とエネルギー効率向上によって、エネルギー消費量が減る。これは日本だけではなく、先進国は多かれ少なかれ似た傾向にある。途上国もいずれ開発が進み、人口が頭打ちになり、人工物が飽和すると、同じような変化を辿ることになるだろう。ビジョン2050は、現実的で合理的なビジョンとして策定したものなのだ。

日本はビジョン2050に向かう変化の先頭に立っている。その意味は、高齢化のトップランナーであり、出生率が低く、人口減少が予想され、大きな財政赤字を抱える中で、明るい低炭素社会に向けて進もうとしているからである。つまり豊かさと地球持続の両立のために、合理的なリサイクルシステムの進展、省エネルギー化、再生可能エネルギーの利用拡大を進めながら、新しい技術やシステムを取り込み、人口減少を上回る生産性の向上にチャレンジしている。それを実現するためには、この勤勉で優秀な人々が常に、新しい知識、考え方、技能などを学習し獲得する場の必要性が増す。激しい変化に対応する能力を高めた人々が、社会の様々な要素をうまく循環させることによって、明るい低炭素社会に向かうことができるだろう。そうしたすべてを含めた複雑な社会システムを設計し、そしてなによりも勇気をもって実践することが求められているのである。

注１：本書では、化石資源○○トンといった表現があるが、このときは、当時の石炭、石油、天然ガスの比を考慮したうえでの炭素換算の値としている。また、CO_2量との換算で言えば、化石資源トン数を3・1倍すればCO_2量になる。ただ、石炭、石油、天然ガスの比は時代や国で変わるので状況によっては差が出ることはある。

注２：地球持続の技術で用いている「自然」エネルギーと本書の「再生可能」エネルギーとは同じである。最近は、英語ではrenewable energy、日本では再生可能エネルギーと呼ぶのが普通になってきており本書もそれにしたがう。

第 2 章

1995年以降「ビジョン2050」の進展

◆ ◆ ◆

ビジョン2050を構想した20年前、地球温暖化に関しては科学者の間でもその真贋に関する議論が盛んであった。しかし、2016年現在では99%の科学者が事実であると考えている。さらには科学者の認識を超えて、地球上いたるところで頻発する異常気象により、一般の人々に実感をもって受け入れられつつある。地球温暖化、エネルギーと資源、経済というトリレンマを解決すべく提案したビジョン2050の実現性を、この20年間の推移を見ながら検証してみよう。

2章◆1　人工物の飽和と物質循環システム

人口の飽和

「飽和」は21世紀を表現する基本概念である。世界人口もいずれは飽和する。確かに、21世紀中は世界人口が増大すると、国連は予測している。しかし、その原因は平均寿命の伸びである。人口は、子供の出生数と平均寿命で決まるが、出生数はすでにアフリカを除いて減少し始めている。

1人の女性が生涯に産む子供の数が人口を維持するために必要な2、厳密には2・07を割っている国の方がアフリカを除けばはるかに多いのが現状である。先進国で2を超えている国は少ないし、超えていてもわずかである。メキシコ、ブラジル、タイ、インドネシアなど新興工業国に分類される国でも出生率は毎年低下を続け、2013年現在で、それぞれ、2・19、1・80、1・40、2・34といった程度である。つまりアフリカ以外の人口は平均寿命が飽和すれば減少し始めるのだ。

世界のほぼすべての地域で、経済の発展とともに子供を産む数が少なくなっている。理由は、労働力として子供を産むという動機が薄れること、子供の教育にコストがかかるようになり多子の負担に耐えられないこと、避妊などの知識が普及することなどが重要であると言われている。また、事実として教育、特に女性に対する教育の普及が出生率を低下させることが知られている。

したがって、今後アフリカの経済成長が順調に進むとすれば、特に教育が速やかに進展すれば出生数は飽和、ないしは減少を始めるのである。人口がピークを迎えるという意味でも21世紀は特殊な時代なのである。

ビジョン２０５０では２０５０年の世界人口を93億人と想定しており、これは現在も大きな変化はない。

人工物の飽和

社会には絶え間なく人工物が供給され蓄積している。蓄積の結果が近代都市の姿だが、無限に蓄積できるものでもない。すでに先進国の多くでは自動車や建築物などの飽和が顕著だ。

日本の住宅と世帯の数は図２―１に示す通り、２０１５年頃に飽和したものと考えられる。

日本の世帯数は５０００万、住宅の総数は約６０００万戸である。１世帯１戸が完全に行きわたっているどころか、すでに世帯数を１０００万戸も上回っている。別荘などセカンドハウスのケースもあり、空き家が８００万戸と言われている。地方都市では住民不在や持ち主不明の空き家が増えて社会問題になりつつある。世帯数５０００万、住宅総数６０００万戸に対応する年間の需要は、住宅の想定耐用年数の50年で割ると１００万から１２０万戸である。ここ最近の新規住宅着工数を見てみると、おおむねこの範囲内に落ち着いている。

人工物の飽和を途上国の経済的な発展段階と対応して考えると、まず道路や橋や鉄道といったインフラ整備から始まり、少し豊かになるとテレビや電化製品など身の回りのハイテク製品、そして最後に高価な買い物である自動車に至る。日本では、すでに多くの人工物が飽和に達しており（図２―２）、中国でも着実に飽和への道筋をたどっている（図２―３）。

図２―４は、各国の人口１人当たり自動車販売台数を示している。日本では、保有台数が６０００万台で、ほぼ２人に１台を保有している。アメリカやイギリス、フランス、ドイツなどの先進国も同様で、およそ２人に１台というのが自動車の飽和の状態となっている。

飽和しても新車が売れるのは買い替え需要があるからだ。日本の場合、新車が廃棄されるまでの平均年数は12年なので、年間６０００万台÷12年＝５００万台が廃棄される。１９８９年以降、新規の登録台数は４００万台から５００万台。廃棄と新車の台数はぴったり符合する。

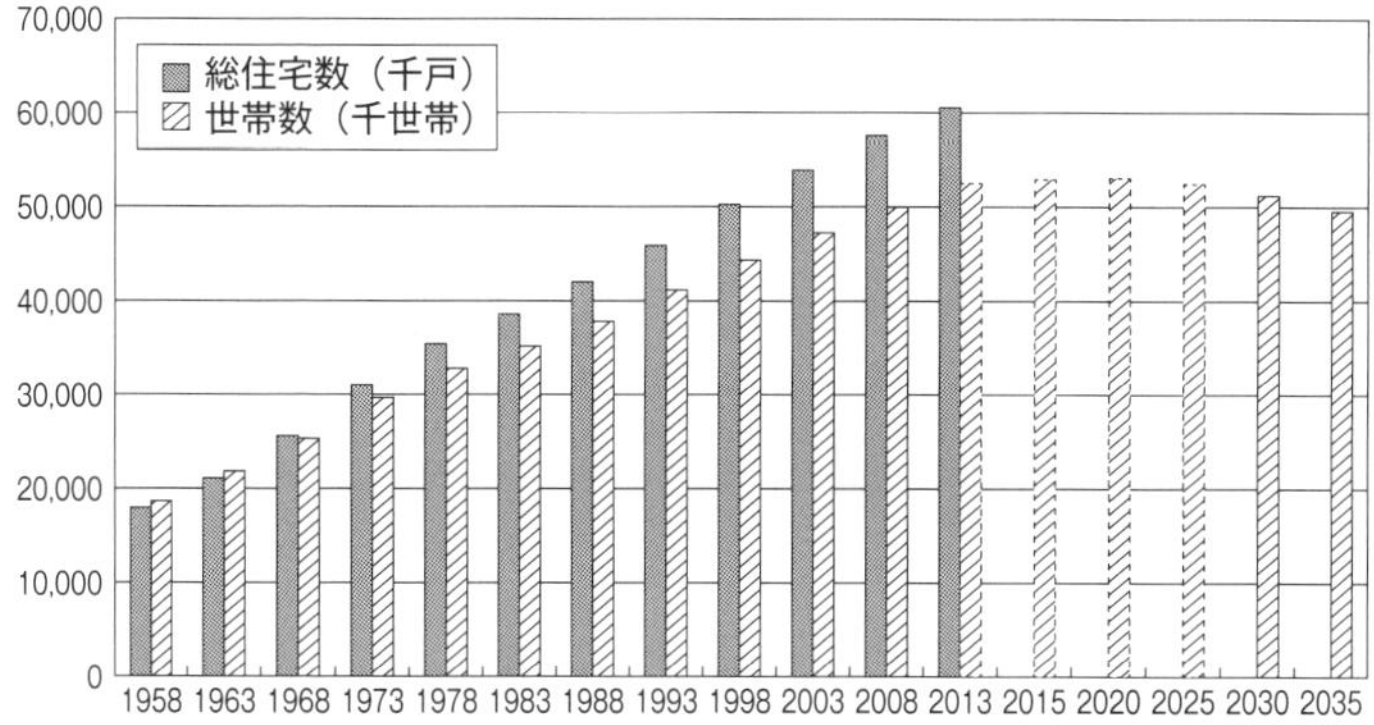

図2-1　住宅数と世帯数の推移

出所：1958〜2013年は「平成25年住宅・土地統計調査」（総務省）を、2013〜2030年は「日本の世帯数の将来推計（全国推計）（2013年1月推計）」（国立社会保障・人口問題研究所）を基に作成

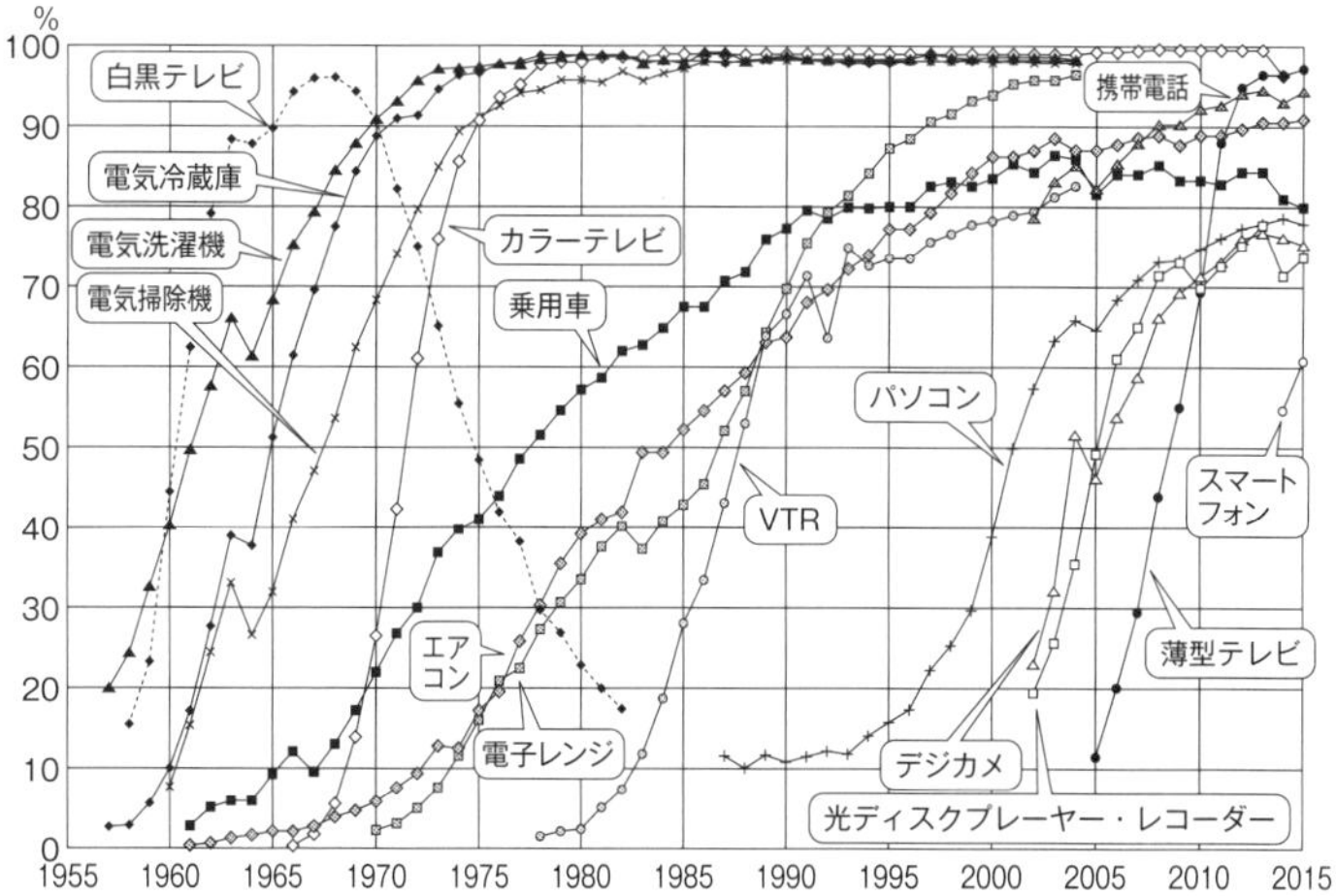

図2-2　日本における主要耐久消費財の世帯普及率の推移

（注）単身世帯以外の一般世帯が対象。1963年までは人口5万人以上の年世帯のみ。1957年は9月調査、58〜77年は2月調査、78年以降は3月調査。05年より調査品目変更。デジカメは05年よりカメラ付き携帯を含まず。薄型テレビはカラーテレビの一部。光ディスクプレーヤー・レコーダーはDVD用、ブルーレイ用を含む。カラーテレビは2014年からブラウン管テレビは対象外となり薄型テレビに一本化

（資料）内閣府「消費動向調査」

出所：社会実情データ図録（http://www2.ttcn.ne.jp/~honkawa/2280.html）

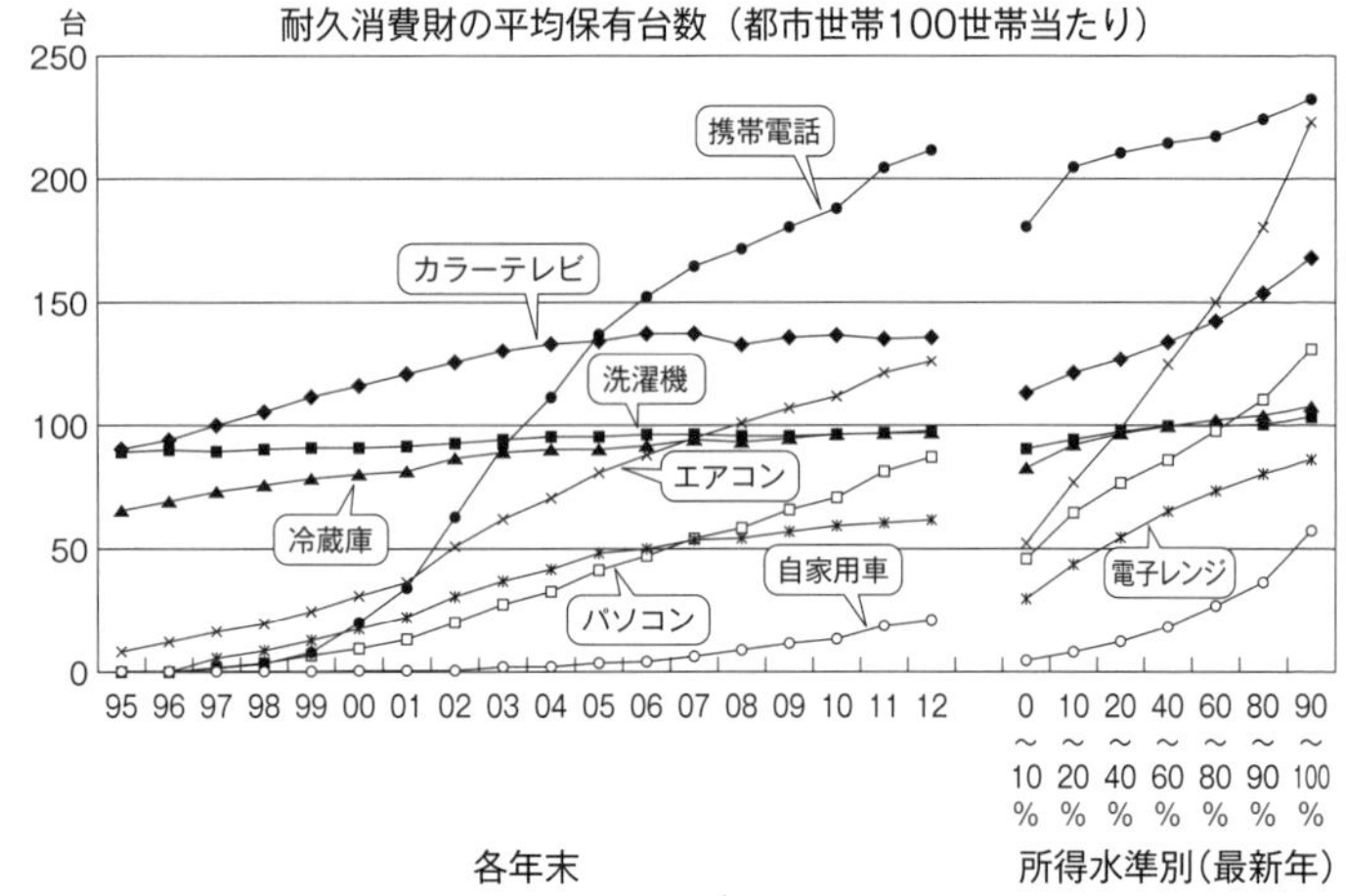

（注）抽出調査による。01年まで農家世帯を含まず、02年以降都市部の全世帯対象。2012年末の調査対象66,000世帯。所得水準別は下からの所得階層区分による。
（資料）中国統計年鑑

図2-3　中国における主要耐久消費財の世帯普及率の推移
出所：「社会実情データ図録」（http://www2.ttcn.ne.jp/honkawa/8200.html）

この状況で、人口１人当たり何台売れるだろう。１００人で50台の車があり、年間50台÷12年≒4、すなわち、自動車が飽和した状況での販売台数は人口１００人当たり4台、１人当たりでは０・04台である。図２―４を見れば、先進各国ともこの値に収斂していることが見て取れる。また、中国は急速に先進国の状況を追いかけている。今後の発展も日本や韓国の例に倣うとすれば、中国の自動車販売が飽和に近づくのは５～10年以内である。

　つまり、人工物の飽和は販売数の飽和をもたらし、経済成長を止めることになる。これが先進国における低成長経済の本質的背景なのだ。したがっ

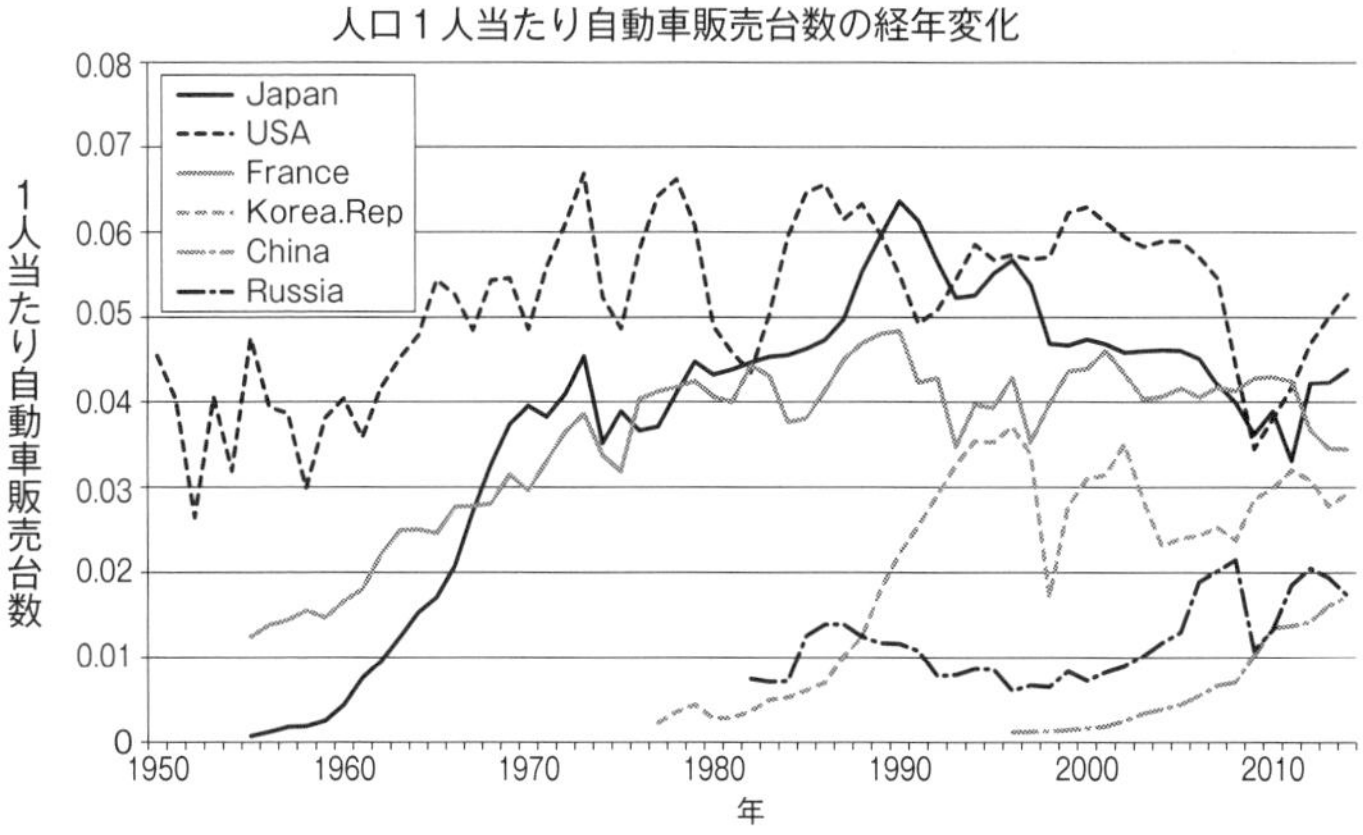

図2-4　人口1人当たり自動車販売台数の経年変化
出所：自動車販売台数（自動車年鑑）、人口（UNSD Demographic Statistics）を基に作成

て、既存のシナリオの延長線上に経済成長モデルはないと考えた方がよいだろう。

物質材料の飽和…セメント

人工物が飽和するということは人工物に使用されている材料も飽和することを意味する。図２—５は各国の現在の人口１人当たりのセメントの生産量の推移である。セメントの輸出入は比較的少ないので生産量は国内への投入量に近似できる。したがって、線の下の面積が、各国のセメント投入量である。

セメントは道路や港湾やダムなどに使用されるので、国の発展や都市化などの状況をみる良い指標であろう。各国ともいわゆる高度経済成長期に向かって大量のインフラを整備するため投入量が

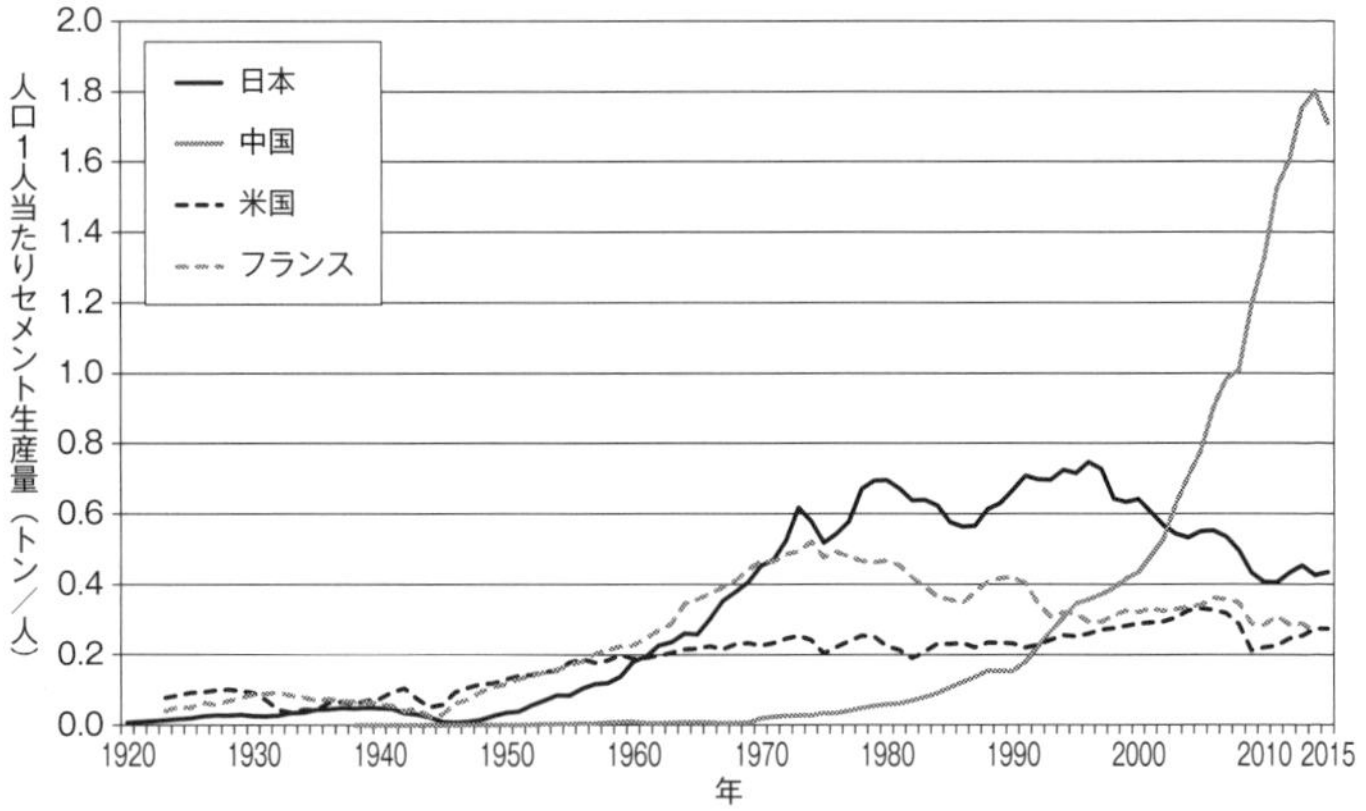

図2-5　人口1人当たりセメント生産量
出所：セメント生産量（UN　Statistical Yearbook、U.S. Geological Survey）、人口（UN 2015 Revision of World Population Prospects）を基に作成

増えやがてピークを打つ。日本なら1960年代から急激に増え、1980〜2000年頃にピークを迎え、下降期に移行した。

アメリカはクルマ社会に代表される現代文明を長期にわたって牽引した。そのため、舗装道路や高速道路なども一気に建設するというよりも、試行錯誤を重ねながら緩慢に成長していったのであろう。これまでの投入量の総和は1人当たり約17トンである。

一方、中国は1990年代から一気に建設を進め、すでに1人当たり22トンに達している。つまり、人口がアメリカの4・5倍の中国には、アメリカの6倍近いインフラが存在している。居住者がいないビルの群れといった報道から考えると、すでに過剰である可能性を否定できない。

物質材料の飽和…鉄

鉄はセメントに次いで大量に使用され、強度や靱性などの物性を組織制御や添加物で自在に制御することができ、しかも何回でも再生リサイクルできる優れた素材である。鉄はすでに日本では飽和している。新規製品の投入に伴う鉄の総投入量が3000万トン、廃棄される人工物に含まれる鉄すなわちスクラップが3000万トンでほぼ釣り合っているのは、序章で述べた通りである。これは、図2―2に示したほとんどの人工物の飽和にも対応している。もちろん、スマートフォンなど新規の製品は現れるのだが、鉄総量のバランスに影響を与えるほどの大きさはない。総量のバランスに影響を与えるような大きな人工物の飽和は、自動車と建物が最終段階なのである。自動車と家屋に関しては上に述べたが、ビルの飽和も、世界中の多くの都市を観察してみれば直感的に理解できるだろう。

図2―6はビジョン2050で予測した、人工物の飽和によって、生産が採掘資源から廃棄物のリサイクルに移っていき、総生産量は飽和していく様子を示している。図2―7は、対応する鉄に関する推移である。鉄は現在、中国が世界の過半を生産しているが、最近まで中国で生産される鉄は中国で消費されていた。そこで、世界全体から中国の寄与を差し引き、中国を除く世界の鉄の推移をみようとしたものである。

両図を比較すると極めて類似している。鉄の生産は鉄鉱石から徐々にスクラップのリサイクルに移行しつつあり、2012年時点ですでにほぼ半分ずつになっている様子が分かる。この図は主として先進国の飽和状態を反映しており、現在中国が急速に飽和しつつあり、やがて世界全体が飽和しリサイクルの時代に移っていくことになる。

それでは、中国を含む今後の推移を検討してみよう。日本の蓄積量は14億トンである。人口は1・25億人だから、1人当たりにすると11トンである。この値を1人当たりの鉄の飽和量、あるいは日本の人口密度やそれに伴う人工物の密度の特徴を考えると、1人当たり飽和値の最大値と考えてよいだろう。

1人当たり11トンを人口13億人の中国に当てはめると飽和値は140億トンになる。中国の2012年までの鉄の蓄積量は89億トンと推定されている。現在、年間需要が7億トンと言われるので、あと7～8年で140億トンに達し、人口比で日本と等しく、飽和に達することになる。

次に世界を見てみよう。世界では現在、年間約14億トンの鉄が生産されている。このうち、鉄鉱石を使って高炉から生成される鉄が年間10億トンで、これが世界の新規の蓄積量となる。残りの4億トンは、スクラップを使って電炉で生産されるリサイクルの鉄である。

これまでに人類が生産し蓄積してきた鉄の総量は推定約300億トンで、これらが人工物と

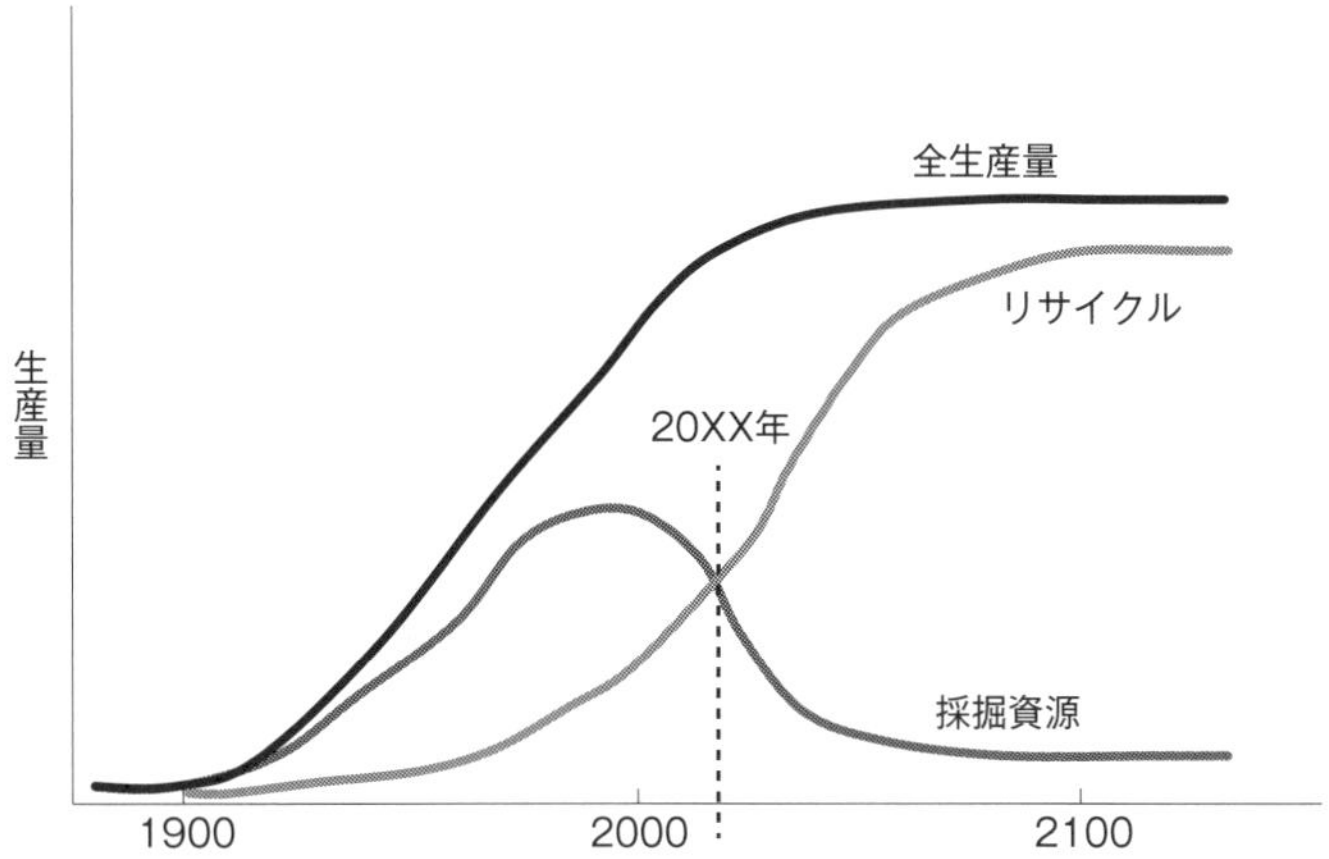

図2-6　原料の採掘資源からリサイクルへの遷移

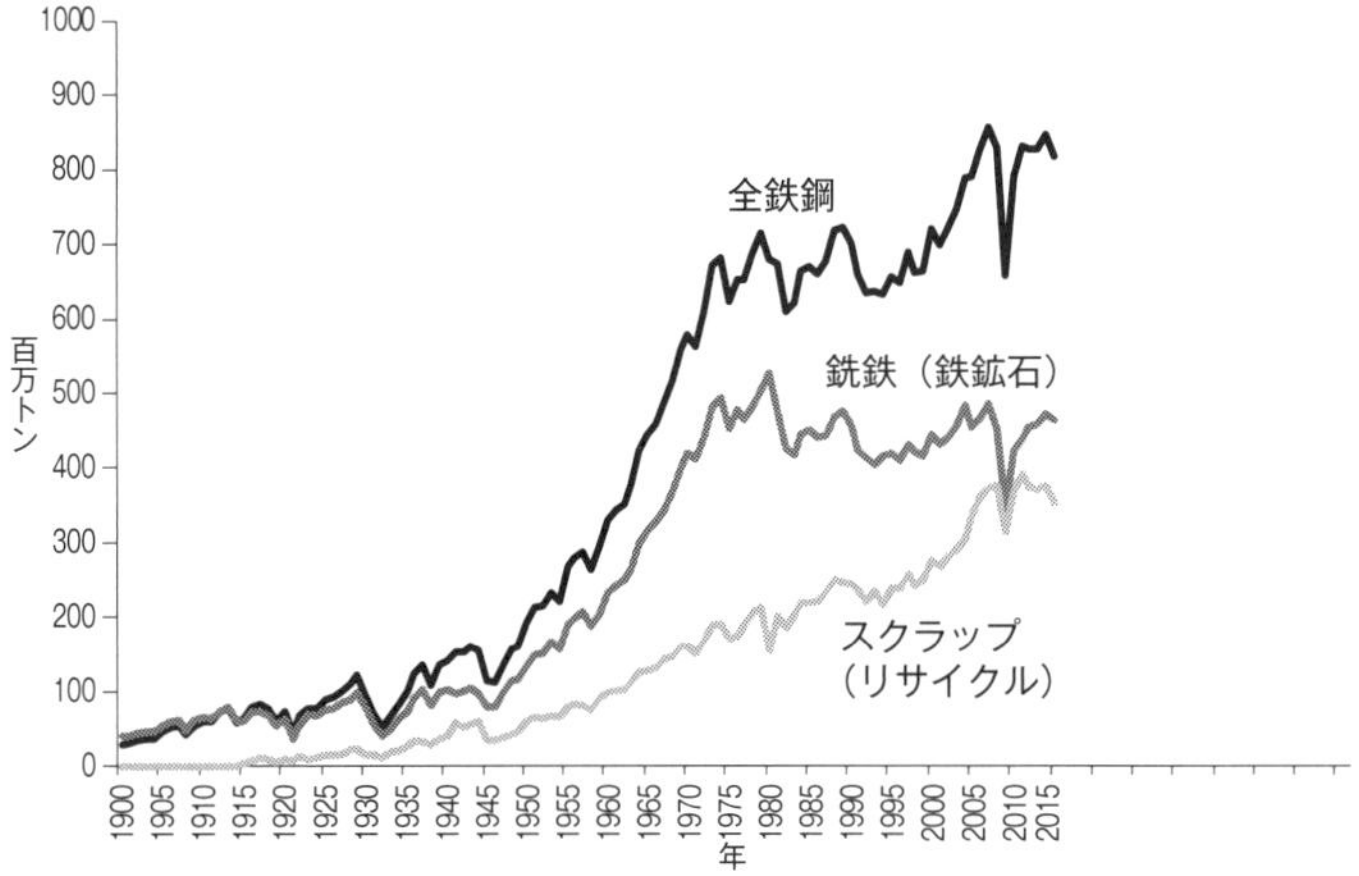

図2-7　中国を除く世界の銑鉄、スクラップ、全鉄鋼生産量
出所：U.S. Geological Survey Data Series, Steel Statistical Yearbook (World Steel Association) を基に作成

して世界の様々なところに存在している。これが都市鉱山だ。さらに、2050年まで現在と同じ年間10億トン、合計340億トンの鉄が毎年積み増しされるとすれば、都市鉱山の総量は640億トンに達する。世界の人口93億人に対する飽和蓄積量は、11トンを掛けて約1000億トンである。2050年には飽和量の64％に達するわけで、これは日本の1990年頃に相当する。25年前の日本の状態が世界で生じるとすれば、それがすでに飽和という可能性も高いだろう。

しかも、鉄を使った人工物の寿命が30年だとすれば、1年間に排出されるスクラップは蓄積量の30分の1なので、年間約21億トン。現在の世界の生産量を大きく上回るスクラップが発生する。エネルギー消費量は鉄鉱石を使うよりも、スクラップの方が格段に少なくて済むからスクラップが捨てられることは今後ともないだろう。つまり2050年には世界的に、鉄の飽和感が行きわたっているものと想定される。

この状態で、あらゆる鉄製品をスクラップから作る物質循環システムを確立していれば、人類はいよいよ鉄鉱石の採掘に別れを告げることになる。

天然資源の採掘から都市鉱山の活用へ。これは鉄に限らず、セメントやセラミック、アルミニウム、希少金属などあらゆる非生物系物質に有効な話だ。

材木や紙など生物系物質にもほとんどこの議論は成り立つが、伐採したら必ず植える、何回か循環使用した最後には燃焼してエネルギーとしてきちんと利用するというのが正しい循環だ。プラスチックも同様だが、そもそも２０５０年には相当量のプラスチックは、木材など生物系資源から作られている可能性がある。

このように物質によって循環方式の細部に差異はあるが、完全物質循環システムは人類が目指すべきゴールなのである。

循環型社会へ向けた希望

人工物の飽和はこれまでの経済的視点から見ると困ったことだが、資源やエネルギーの持続という観点から人類にとっての希望なのだ。まず、資源枯渇の不安のうちで、非生物系資源に関する限り不安がなくなる。残りは生物資源、エネルギー資源であり、これに関しても後に述べるようにビジョン２０５０とプラチナ社会の提案に沿って進めば大丈夫だ。

以上、人工物の飽和に関しては、20年前に上梓した『地球持続の技術』での予測通り進んでいる。つまり現時点で、先進国ではほぼ飽和に達している。当時途上国であった中国はすさまじい経済成長を遂げた結果、飽和に接近し、すでにオーバーシュートした可能性すらある。世界的には、２０５０年が人工物の飽和の節目であり、その頃までに循環型社会の技術や制度や経済を確立すべきであると考えられる。

2章◆2　省エネルギーと再生可能エネルギー

さらなる進化を遂げた省エネルギー

世界のエネルギー消費は、1995年以降、約50％増加した。しかし、図2―8で見るように、GDP当たりのエネルギー消費は30％低下している。GDP当たりのエネルギー消費は、産業構造の変化と技術向上の2つに大きく依存する。具体的には製造業が減ってサービス産業が増えるとGDP当たりのエネルギー消費は減るし、エネルギー技術の向上によっても減少する。図2―8の省エネ効果はこの両者を含むものである。実際、1995年と2015年の比較ではGDPは78％増加しており、エネルギー消費の伸びの50％を上回っている。

エネルギー技術も明らかに向上している。図2―9に見るように、2000年からの12年で、エネルギー多消費産業のエネルギー消費は15％ほど低下している。

世界のエネルギー消費の21％を占める自動車についてみると、先端的なエコカーのエネルギ

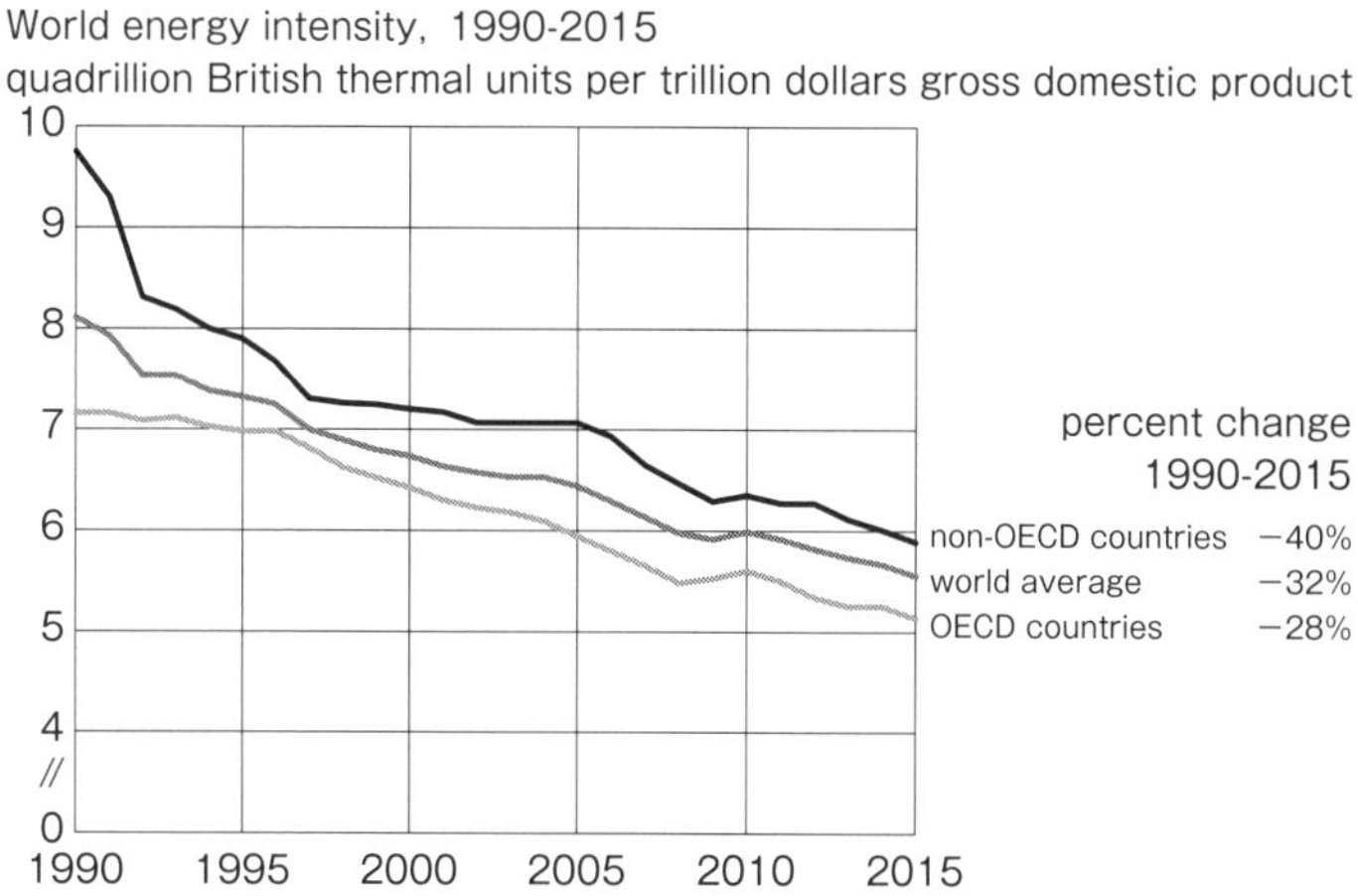

図2-8　世界の省エネ指標
出所：The U.S. Energy Information Administration (EIA)

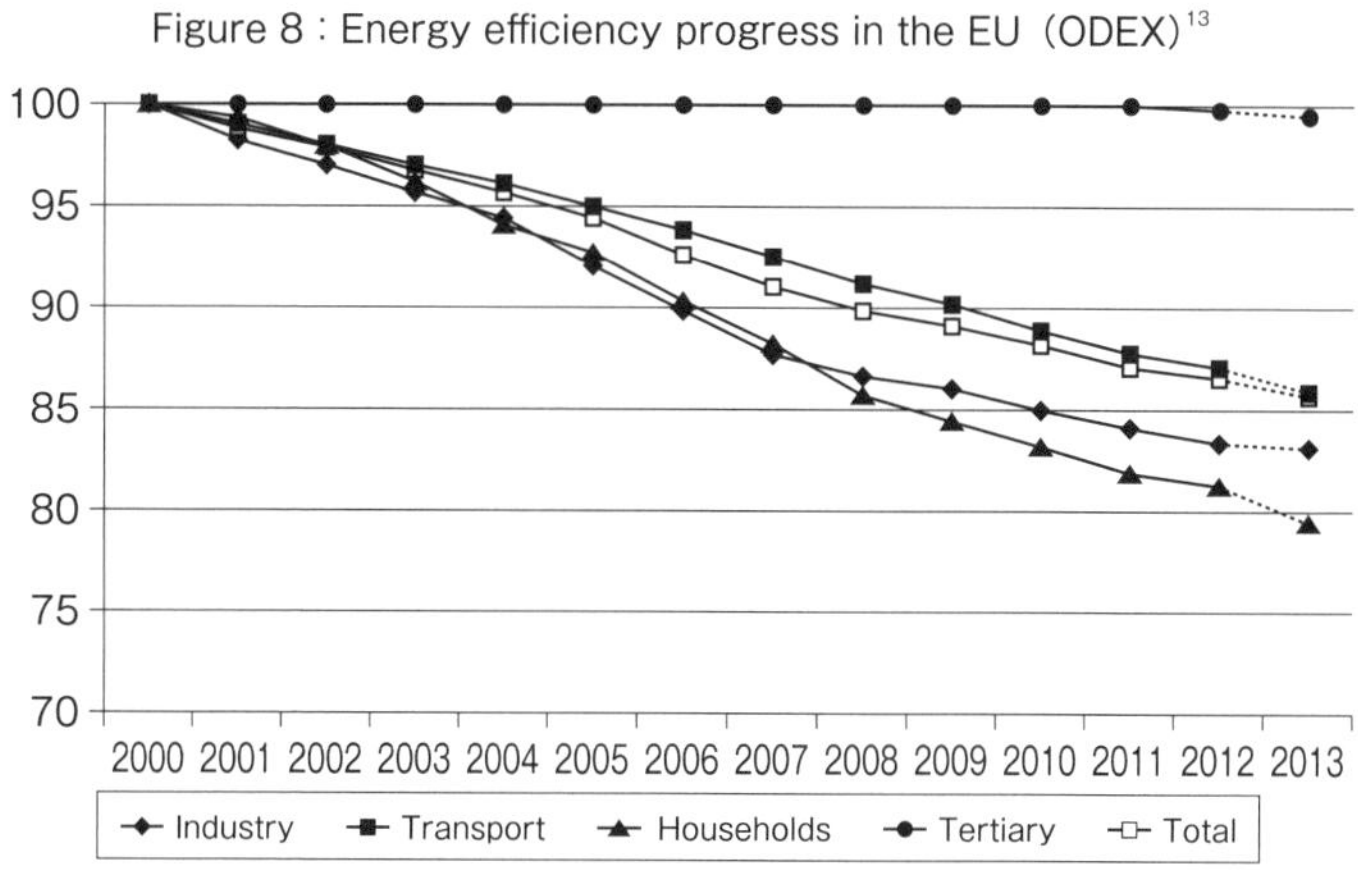

図2-9　産業とエネルギー消費
出所：ODYSSEE

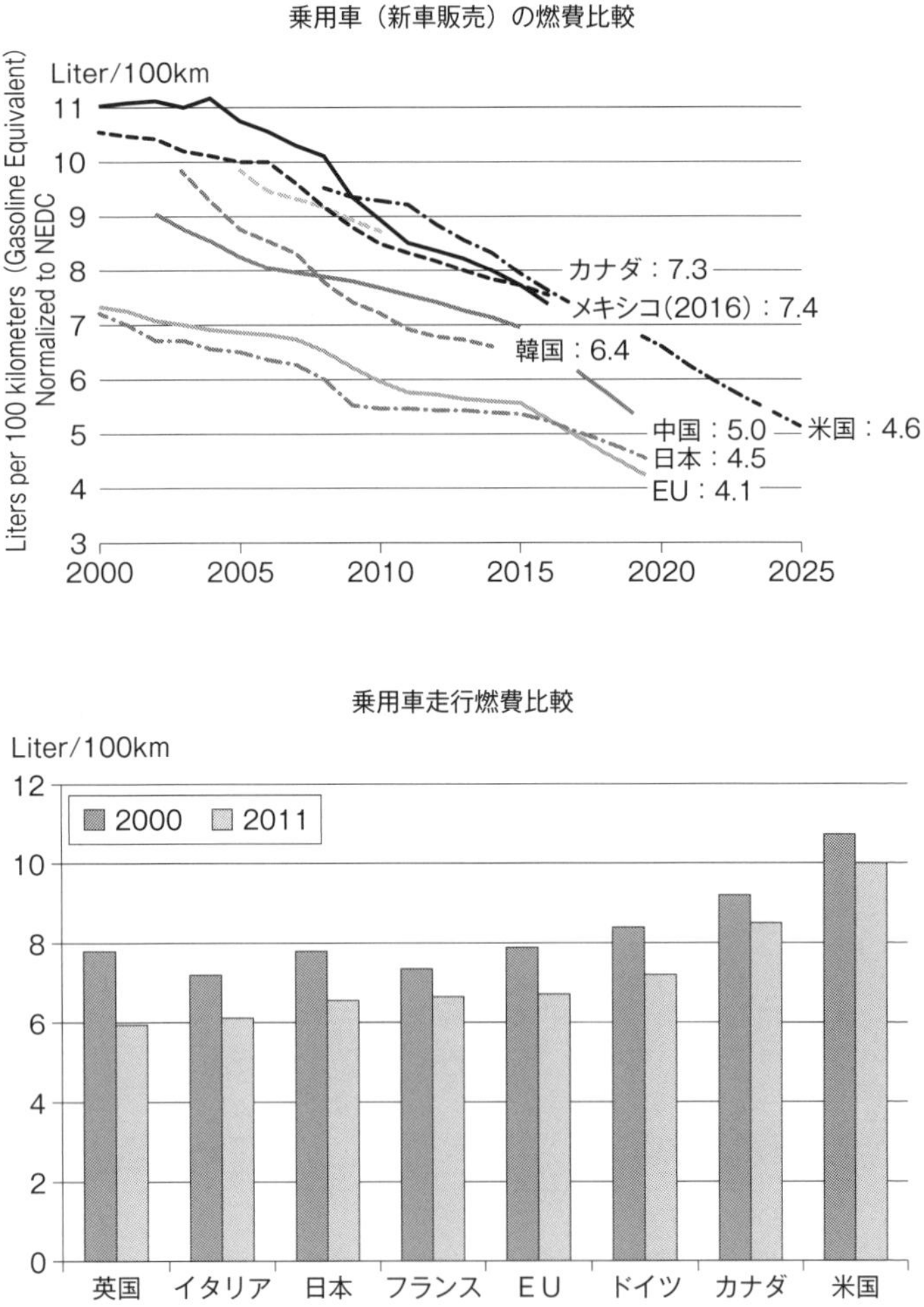

図2-10　世界市場で販売される新車のエネルギー消費
出所：ADEME

ー効率は著しく向上している。トヨタ自動車によるハイブリッド車の本格導入など、日本の自動車産業はこの分野で世界をリードしている。図2―10に見るように世界市場で販売される新車のエネルギー消費は、2000年からの12年間で20％も改善しているのである。

以上のことから、2050年までに1990年当時と比べてエネルギー効率を3倍に増大させるという目標に向かっていると言ってよいだろう。

再生可能エネルギーは電源投資の中核に

図2―11は、1995年以降の発電量の推移を資源別で表したグラフである。また、図2―12は、各エネルギー資源の供給量と全エネルギー消費に占める割合を、ビジョン2050作成当時の1995年から2015年までの推移を示したもの。石炭、天然ガスに石油を足した化石資源が相変わらず多く、電源に占める比率はほぼ一定の65％ほどであるが、残り35％の内容は大きく変容している。第1に、水力は絶対量が1・6倍に増えている。1・4％と実質的にゼロに近かった水力以外の再生可能エネルギーは、風力と太陽光を中心に大きく増えて6・4％に達した。この伸びは市場原理によるものであり、すでに再生可能エネルギーは価格競争力

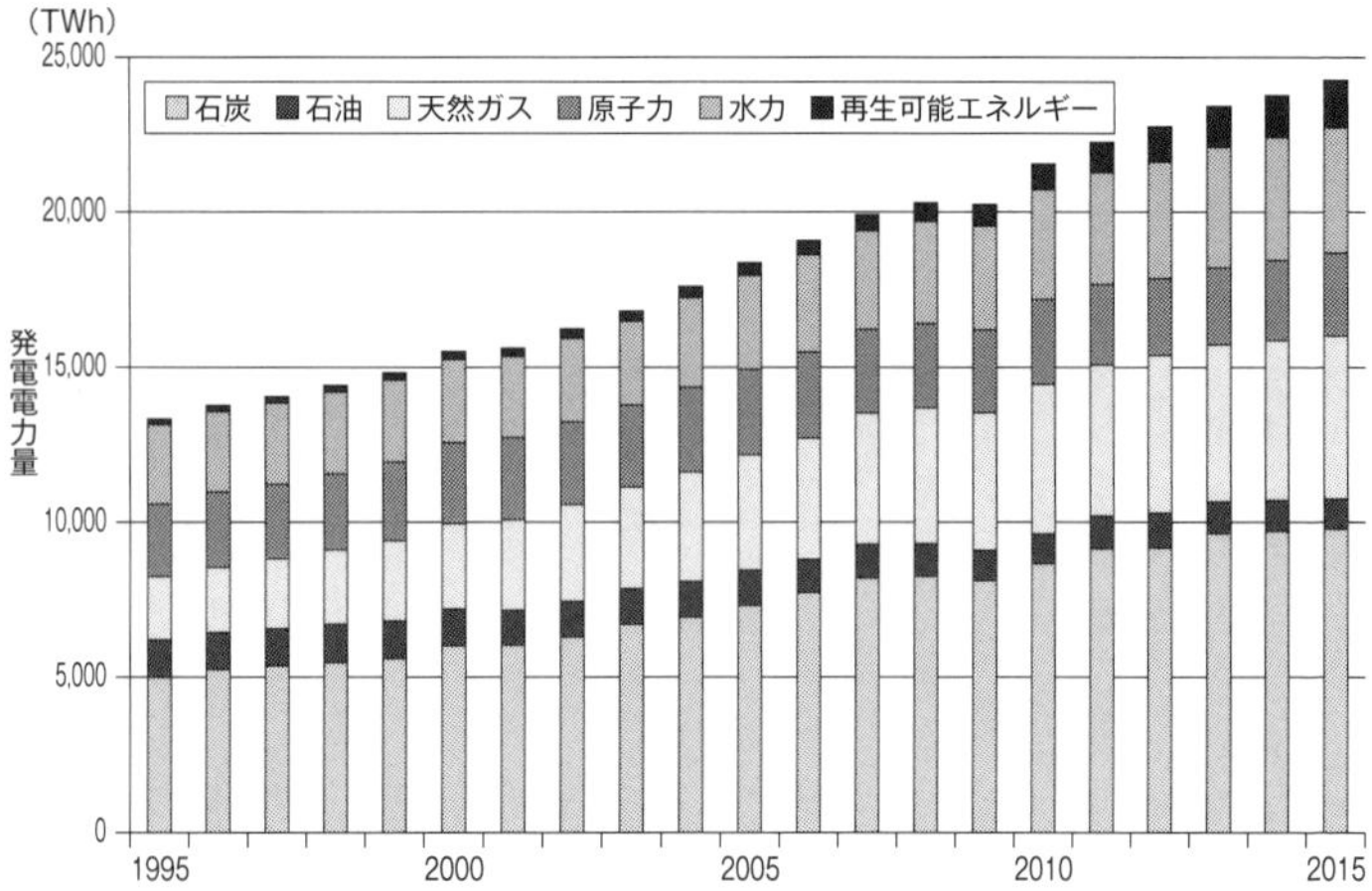

図2-11　1995年以降の資源別発電量の変化
出所：IEA Energy Balancesを基に作成

図2-12　一次エネルギー総供給の内訳

	単位	石炭	石油	天然ガス	原子力	水力	薪	新規再エネ	合計
1995	%	22.8	34.9	18.7	6.3	6.9	9.6	0.8	100
	Mtoe	2,205	3,372	1,807	608	663	931	74	9,660
2000	%	22.2	34.7	19.6	6.4	6.7	9.3	1.1	100
	Mtoe	2,340	3,660	2,067	675	703	978	117	10,540
2005	%	24.5	33.3	19.5	6.0	6.5	8.1	2.1	100
	Mtoe	2,947	4,007	2,352	721	786	978	249	12,041
2010	%	26.0	30.7	20.3	5.3	6.8	7.3	3.6	100
	Mtoe	3,502	4,131	2,736	718	920	978	483	13,469
2015	%	26.9	29.3	20.3	4.8	7.2	6.7	4.9	100
	Mtoe	3,940	4,286	2,981	699	1,053	978	715	14,651

注．新規再エネ：風力、太陽電池、地熱など
出所：IEA Energy Balancesを基に作成、2015はWorld Energy Outlook 2015より推定

を得ている。原子力は２００6年に発電量のピークを経て若干減少した。

エネルギー全体で言うと、化石資源が76・5％を占める。また、水力、風力、太陽光、地熱、バイオマスなどの全再生可能エネルギーの量は１・6倍に増大し、エネルギー全体に対する比率も18・8％にまで達している。この間に原子力は１９９５年の６・３％から２０１５年の４・８％に減少している。

この結果、エネルギー全体に占める非化石エネルギーの割合は再生可能エネルギーと原子力の和で、23・6％となっている。

再生可能エネルギーの導入が進んだ原因は、コストの低下である。技術が向上し、市場規模が拡大し、さらに技術がという正のスパイラルが回った結果である。図２―13と図２―14に示すように、１９８０年頃から現在まで、風力が20分の1、太陽光発電は２００分の１と価格が劇的に低下した。１９９５年からの直近20年でみても、それぞれ4分の1、20分の1と低下した。こうした状況を反映して、エネルギー投資の中核は再生可能エネルギーになっている。

私達は「こういったコスト低下が起こるのだ」と長年主張し続けている。しかし、エネルギーの専門家を含めて日本の多くの人々はそれを信じられなかったようだ。その結果、世界の再生可能エネルギー導入のペースと比べて、日本は一歩後れを取った。風力では大きく出遅れた。太陽光発電は、１９７4年に世界に先駆けてサンシャイン計画という国家プロジェクトを

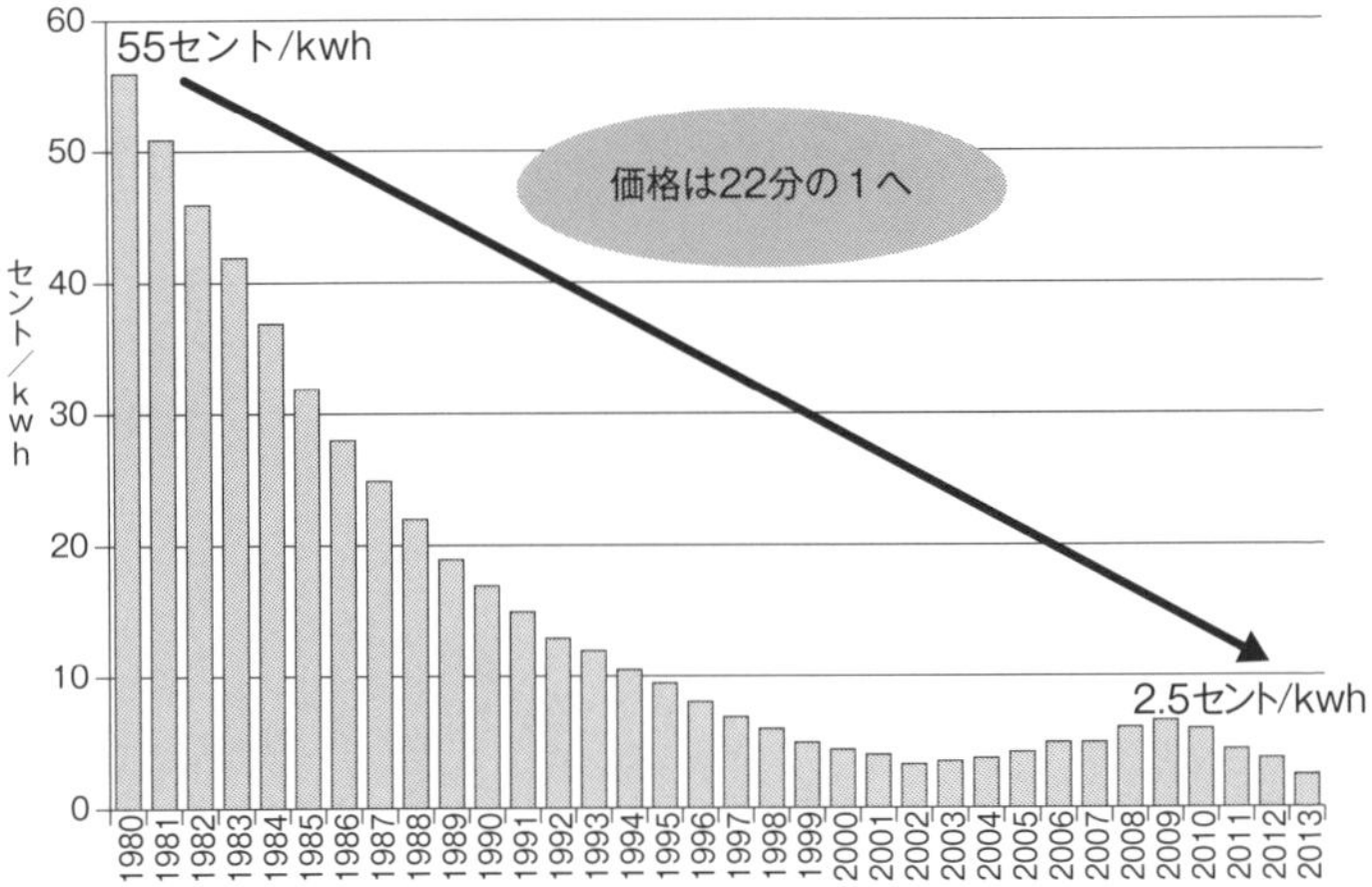

図2-13　米国における風力発電コストの低下
出所：US White Houseのデータを基に作成

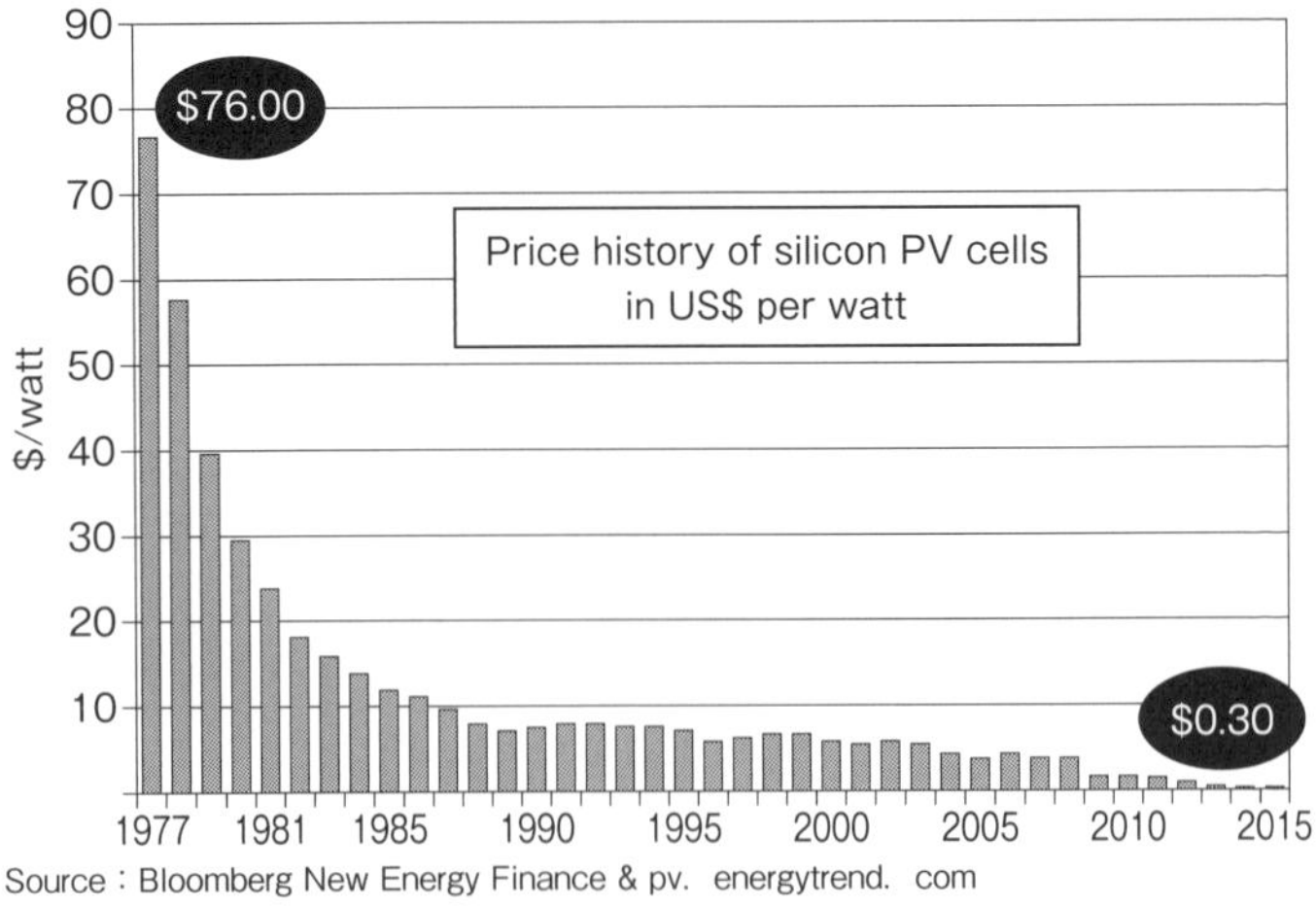

図2-14　太陽光発電のコスト低下
出所：Bloomberg New Energy Finance & pv.energytrend.com

立ち上げ、技術では明らかに世界を先導した。社会への導入で後れを取ったが、固定価格買い取り制度を導入して後れを取り戻しつつあるという状況だ。

再生可能エネルギーと並んで、CO_2を発生しないエネルギーである原子力は伸びていない。現在の発電量は1995年時点の値から15％しか増えていない。『地球持続の技術』では、原子力には安全性に関する懸念があるため、20世紀の後半から21世紀の前半にかけて、全エネルギーの5％程度を占める過渡期のエネルギーであろうと位置付けた。実際、原子力が伸びていない理由は、安全性への不安がコスト増を生じ経済優位性がないということである。再生可能エネルギーのコストが急激に下がっているなかで、原子力がコスト競争力を回復するというシナリオは描きにくい。原子力は過渡期のエネルギーという、ビジョン2050の位置づけは正しかったと言えるだろう。

しかし、エネルギーの議論における日本の困難は原子力問題である。要は過去に大きな設備投資をした原子炉を有し、直接間接に関係する人々が数多くおられるということだ。すなわち、現に今あるという事実に尽きるのである。太陽から地球に注ぐエネルギーは現在人間が必要としている量の1万倍に達する。そのエネルギーを安価に使いやすくするのが再生可能エネルギーの技術であり、それが経済競争力をすでに得たわけであるから、人類の未来は再生可能エネルギーに決定したと言って過言でない。日本は早く、原子力の軛から脱して、省エネルギー、再生可能エネルギーにまい進すべきなのである。

結論として、風力、太陽光発電の普及速度はビジョン２０５０策定当時の著者の予測をも上回っている。もうひとつ良い意味での誤算は水力発電の増大だ。大きなダムの建設はすでに限界にあるのではないかと考えたが、現実にはまだ開発余地があり2倍近くまで開発が進んだ。

ビジョン２０５０の再生可能エネルギー倍増の意味は、薪や牛糞など旧来型のバイオマス10%、水力、風力、太陽光など再生可能エネルギー5%、原子力5%、合わせて20%であったのを40%へ倍増することである。その目標に達してはいないが、再生可能エネルギーだけで5%だったものが12%を超えるところまで進んだ。２０５０年には世界のエネルギーの過半を再生可能エネルギーが占める時代となっているだろう。

2章◆3　ビジョン2050は明るいビジョン

〝課題解決先進国〟日本の産業構造とエネルギー

さて、ビジョン２０５０を進めるうえで、日本が世界の中で果たしてきた大きな役割について述べよう。図2―15は、図序―3に示した1965年から2015年までの1人当たりのGDP、エネルギー消費、電力消費を、それぞれ1973年を1として表現したものである。

1973年まで、GDP、エネルギー消費、電力消費は一体となって増大した。工業、特に重化学工業が中心となって高度経済成長した時代である。1973年に第一次エネルギー危機が発生した。一気に10〜20倍に暴騰した石油価格は、安価な石油に依存した世界経済を直撃、特に日本の工業に大打撃を与えた。しかしこのとき、鉄鋼、化学、窯業、紙パルプといった当時の中核産業が省エネにまい進し、ピンチをチャンスに変えることに成功した。すなわち世界一のものづくり産業を作り上げると同時に、エネルギー消費を増やさずに経済成長することに成功したのである。

ちなみに1973年のGDPは約200兆円、12年後には330兆円に増えたが、この間エネルギー消費はまったく増えていない。

その後、経済成長の中核は第二次産業から第三次産業に移行していった。同じGDPを稼ぐために消費するエネルギーは第二次産業と比較すると第三次産業は約3分の1である。そのため、経済は成長してもエネルギー消費の増加量は1973年以前よりは小さかったのだ。このあたりが、1995年にビジョン2050を策定した当時の状況である。

そして、2000年から2005年になってエネルギー消費は頭打ちとなり、2005年以

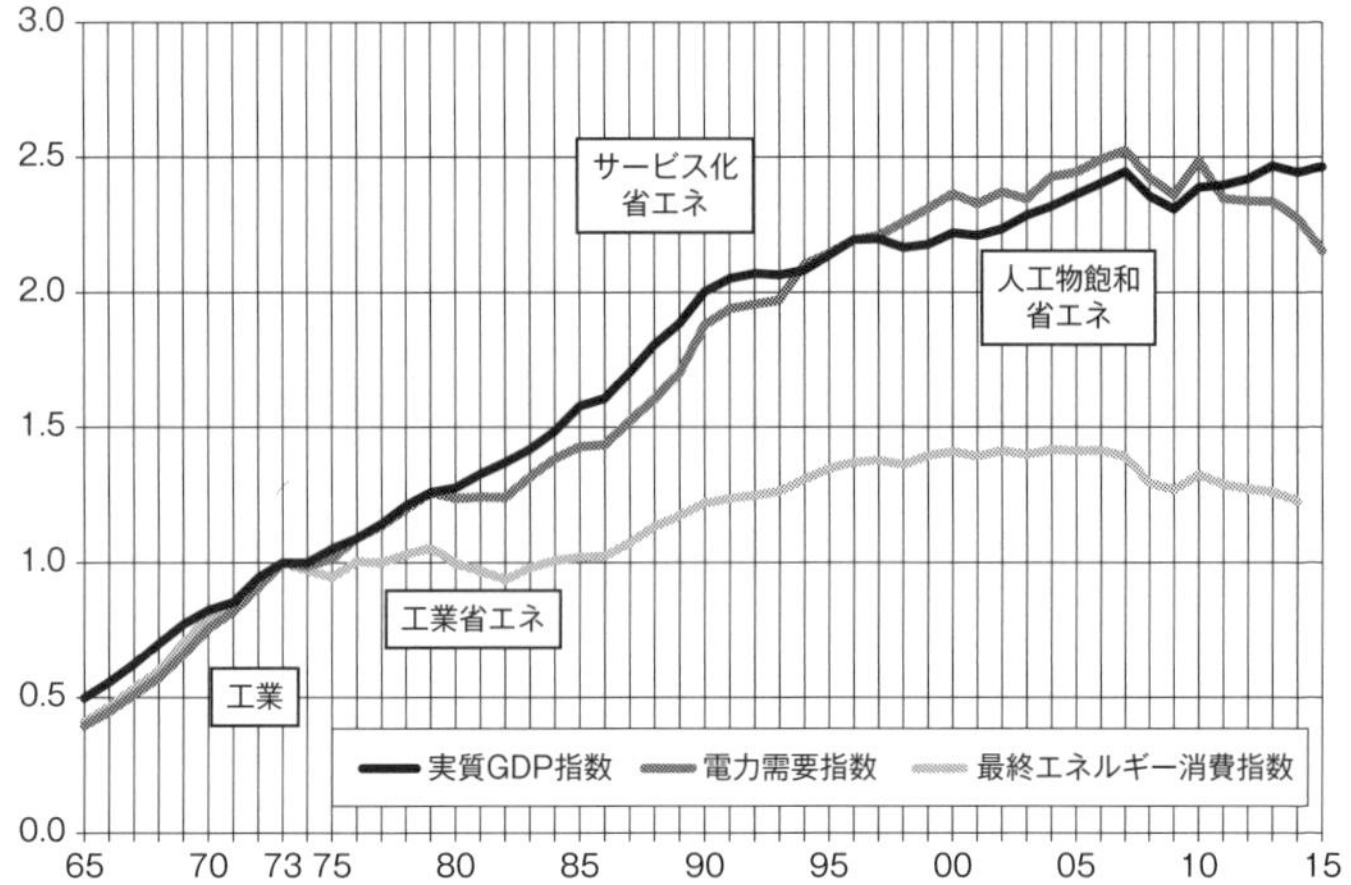

図2-15　GDP、エネルギー消費、電力消費の推移
出所：各種資料を基に著者作成。実質GDP（内閣府「国民経済計算」）と電力需要（資源エネルギー庁「総合エネルギー統計」）は出典元の数値の1973年度＝1として指数化したもの。2015年度の電力需要は電気事業連合会発表の2015年度の発受電電力量をもとに、事業用発電、自家消費・送配損失を推定し、自家発電（過去10年間の自家発による電力量のトレンドをから推定）を加えたもの。最終エネルギー消費は「総合エネルギー統計」を使用

降、ついに減少に転じたのである。人工物の飽和と省エネルギーによって、やがてエネルギー消費は減少するという、ビジョン2050のシナリオ通りの現象が日本で現に進行しているのだ。この間、経済成長は小さいものの続いている。2003年と2015年を比べるとGDPは年率0・65％で増え、エネルギー消費は年率1・6％で減っている。

電力はエネルギーとは少し異なる推移を示す。サービス産業は工場ではなくオフィス中心に行われるため、使うのは電力だ。エネルギーに占める電力の割合は増え続け、現在エネルギー消費の43％が電力となっている。需要に

ついては、オフィスの床面積は増え続けたが、ようやく頭打ちの状況に入りつつある。そして、オフィスビルの省エネルギーも家庭と同様に進展している。こうした事情で電力は、2005年頃までGDPとほぼ一体化して増えてきたが、2006、7年をピークとして減少を始めている。

現在日本では、工場、自動車、家、ビルなどエネルギーを多く消費する人工物の飽和が近づきつつあり、それらは更新のたびにエネルギー効率を高めていく。その結果、経済成長してもエネルギー消費は減るという時代に日本は入っている。

世界のすべての人に豊かな生活を実現するためには経済成長しなければならない、しかしCO_2を発生するエネルギーは減らさなければならない、いかにして両立させ得るかという課題を日本は世界に先駆けて実現しているのである。

このように、これまでの日本の足跡を総括的に見れば、ビジョン2050に向けた課題解決先進国の道を歩んでいる。しかしながら、原子力問題に翻弄されて、現在のエネルギー政策は焦点の定まらないわかり難いものとなっている。早く原子力の軛を脱し、これまでエネルギー効率で世界を牽引したように今後もリードし続けるべきであろう。

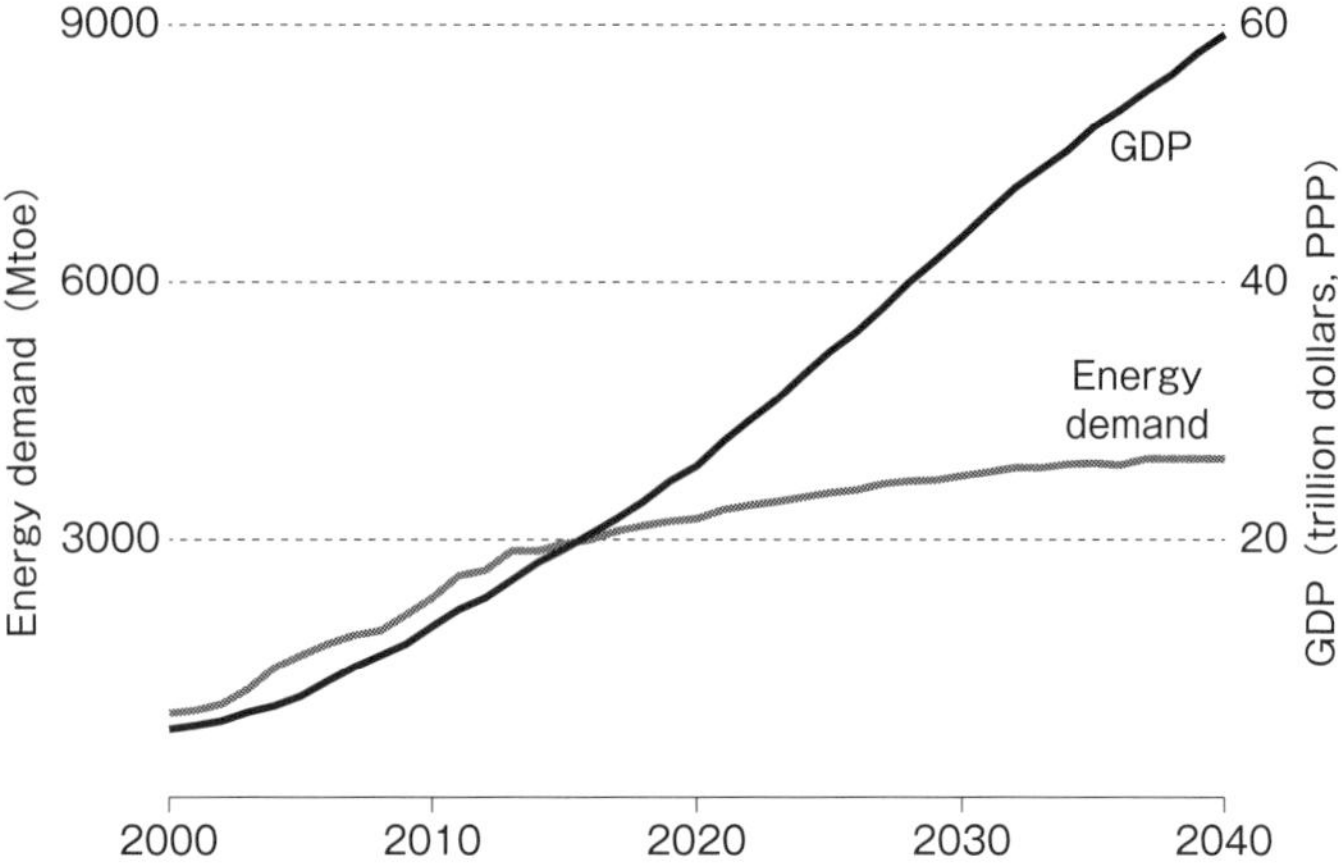

図2-16　中国のGDPとエネルギー消費（IEAによる予測）
出所：IEA World Energy Outlook 2015

確かに世界を牽引してきた

図２―16は、２０１６年にＩＥＡが発表した中国のＧＤＰとエネルギー消費量の現在までと今後の予測である。これを図２―15と比較すると、中国が今後とるべき方向は、まさに日本のこれまでの軌跡をおいて他にない。

これまで中国ではＧＤＰとエネルギーとが同じように伸びてきた。これは日本の１９７３年までの重化学工業中心の成長モデルだ。これから２０４０年までにＧＤＰは３倍に伸びるが、エネルギーは30％の伸びにとどまるという。日本は１９７３年から現在まで、ＧＤＰは２・５倍になったが、エネルギー消費は24％しか伸びていない。中国は、40年前から日本が行ってきたことをやるべきだし、やれるだろうというわけである。しかし、それは過去に倣うというだけのことだ。日本はこれからさらに成長とエネルギー消費の減少を実践するわけであるから、中国もその動きに並走し、もっと大きなエネルギー消費の抑制を目指すべきなのである。

いずれにしても、日本はこれまで経済成長と省エネを両立する優れたモデルを世界に提供してきたと言ってよいであろう。

世界はビジョン2050に向けて進んでいる

1995年から現状までを調べてみると、ビジョン2050で提起した姿に向かっていると言えるが、執筆時点で予測できなかった点も少なくはない。たとえば、世界一のエネルギー消費国で輸入国だった米国はシェールガス革命によってエネルギー輸出国になろうとしている。豊富に存在するシェールガスが手軽に活用できるようになったおかげで、米国内ではガス価格が下落した。再生可能エネルギーの普及拡大もあって、石炭依存度を下げるべく石炭火力発電の規制強化が進み、多くの既存発電所が廃止あるいは廃止予定であり、ほとんどすべての計画は中止された。米国全土に点在していた約500の電力会社のうち180社が倒産した。

その結果、米国のCO_2発生量は減少に転じた。２００５年に比べて２０１５年の排出量は12％減少したのである。この間、経済成長は15％であり、米国もまた日本同様、経済成長とCO_2削減を達成している。こうした事態を20年前に予測することは不可能だったが、ビジョン２０５０の立場からは大いに歓迎すべき方向だ。

また、中国の経済発展のスピードも想定を超えた。１９９５年当時の延長線上で考えるならば、中国における人工物の飽和は今しばらく先と推測されたが、想定より早く、セメントの投入量などから考えるとオーバーシュートの可能性さえ感じさせる。中国は一つの共通の物差しで測れないくらいに広大だ。海岸部や都市部では人工物の飽和を超えて、山間部や地方都市ではもうしばらく時間がかかるという状況であるのかもしれない。

人工物の飽和という概念はビジョン２０５０で初めて提案されたものである。近年、ヨーロッパを中心にサーキュラーエコノミーという名で循環社会の経済が喧伝され始めた。しかし、サーキュラーエコノミーの議論は、循環を人工物の飽和と組み合わせることによって、資源採掘から脱皮し、エネルギー消費を大幅削減するというビジョン２０５０の論理構成にはいまだ至っていない。さらにまた日本では、２０００年に循環型社会形成推進基本法によって、３Rすなわち、リデュース（Reduce）、リユース（Reuse）、リサイクル（Recycle）が国の方針として採用されている。リサイクルには物質としての再利用と、エネルギー資源としての燃焼利用とがあり、マテリアルリサイクルとサーマルリサイクルを同じ価値に位置づけている。この意味での３Ｒは世界に誇るべき基本的考え方である。

このように考えてみると、循環型経済は日本が先導してきた面が強く、特にビジョン２０５０の人工物の飽和による完全循環社会、それに伴う省エネルギー社会という概念は、現在でも世界を先導すべき意味を持っている。

１９９５年時点に比較してエネルギー効率を3倍にすることに関しては、3倍という値を含めて現在でも有効である。エネルギー消費の理論と現状とのかい離を技術がどこまで埋めることができるかを、エネルギー消費量の大きなものすべてに対して予測し、予測値を加重平均した結果が3倍であった。これまでファクター4（※１）、ファクター10（※２）など様々な提案がなされているが、これらは理論的根拠の薄弱な値だった。合理的分析に基づいた数値は合理性が高いのである。一方、再生可能エネルギーを2倍にする目標は修正する必要がある。２０５０年にはエネルギー全体の2分の1を目標とすべきである。

パリ協定では、第１に省エネルギー、第2に再生可能エネルギーと、この２つが最重要課題と位置づけられた。ビジョン２０５０のCO_2に関する部分は、世界の共通認識になりつつある。１９９５年時点で予測できなかった事象が少なくはないが、その基本構造である、「人工物の飽和と循環社会」「省エネルギー」「再生可能エネルギー」いう３つの行動指針は、遠からず世界に認知され始めると言ってよいように思われる。

編集部注

※1：ファクター4とは、１９９２年に提示された概念。製品・サービス当たりに必要な資源やエネルギーを4分の１とすることで、資源生産性（資源の投入量当たりの財・サービスの生産量）が4倍になり、豊かさが2倍に、天然資源の浪費などの環境負荷が2分の１にできるというもの。

※2：ファクター10とは、１９９１年に提示された概念。持続可能な社会を作るためには今後50年のうちに資源利用を現在の半分にすることが必要であり、それには世界人口の２０％を占める先進国が資源生産性（資源の投入量当たりの財・サービスの生産量）を10倍にする必要があるというもの。

第 3 章

低炭素社会を支える技術（エネルギーを使う）

環境規制やオイルショックを背景に、日本は省エネルギー技術を磨いてきた。世界トップレベルの省エネ製品も多く、これ以上の効率化は難しいとの声が必ず聞かれるが、本当に限界に達しているものはほとんどない。

どこまでエネルギー効率を高められるのか、目標値は理論的に導き出すことができる。適切な目標設定は新たなイノベーションを生む。その革新的技術は低炭素社会を実現に導くと同時に、新たな成長戦略の切り札になり得る。いかに効率化を図り、エネルギー投入量当たりの価値を最大化するのか。挑戦はまだまだこれからだ。

3章◆1　エネルギー効率向上の方向性

「日々のくらし」と「ものづくり」

低炭素社会ではCO_2排出につながるエネルギーの使用を抑制することを目指す。何もやせ我慢をする話ではない。序章図―3で示したように、すでに日本は歴史上、2回もデカップリングに成功している。経済成長およびくらしの豊かさと、低炭素は共存し得る概念なのだ。

CO_2排出量は「日々のくらし」と「ものづくり」に大別できる。日々のくらしとは「運輸」「業務」「家庭」の3要素からなる。ものづくりとは「産業」そのものだ。

各分野のうち、運輸は自動車メーカーが燃費向上やエコカー開発に意欲的なので、放っておいても低炭素化が進むと見ている。トヨタは2050年に販売する新車のCO_2排出量を8割削減するとのビジョンを打ち出した。また、カーシェアリングなど新しいサービス形態が生まれ、都会の若者を中心に自動車を持たないライフスタイルが浸透しているのも追い風になるだろう。

業務と家庭のエネルギー消費は傾向が似ていて、照明などの家電製品と、冷暖房と、給湯・厨房がそれぞれ3分の1ずつを占める。エネルギー消費量削減の取り組みとしては、高効率な製品への置き換えや断熱効果の高い二重窓の導入などが挙げられる。こうした設備更新は建て替えのタイミングが最もスムーズだが、家屋の建て替えは40年から50年に1度、オフィスビルも数十年に1度なので、2050年にビジョンを達成するためには、既存物件のリフォームを合理的に推進していく必要がある。そのためには、後述する「電気代そのまま払い」のような制度を設けるべきだろう。ユーザーにとっては初期投資額が大きいことがリフォームに二の足を踏む最大の要因だ。低炭素化を推進するファンドのような組織・団体が初期投資を肩代わりし、ユーザーは設備更新で削減できた電気代を返済に充てればリフォームを行いやすくなる。

一方、ものづくりはエネルギー消費の大半が素材づくりに使われている。産業界でもっともエネルギー消費量が多いのは鉄鋼業界で、化学や窯業土石（セメント）などの産業が続く。ものづくり部門の低炭素化を考えるうえで忘れてならないのは鉄やセメントなどの人工物がいずれ飽和するという事実だ。

自動車にしろ、ビルにしろ、あらゆる人工物はどんどん都市へ投入され、蓄積されて、いずれ充足する。これから東京に新しいビルを建てるためには、既存のビルを壊さなければならない。つまり、新たに人工物を投入する際には必ず既存の人工物が廃棄される。この廃棄物をリサイクルするほうが、新たに天然資源を採掘して加工するよりもエネルギー効率が良い。都市から出る廃棄物は新たな人工物の資源になるという意味で、都市鉱山と呼ばれる。携帯電話のレアメタルなどでも注目された言葉だ。ものづくりは人工物の飽和と都市鉱山の活用を前提とした、高効率な物質循環システムを構築できるかどうかにかかっている。

このように個々の部門でエネルギー消費量を抑える省エネルギーとともに、再生可能エネルギーの利用を拡大していくことが、低炭素社会実現のための二本柱だ。

ＩＥＡが２０３０年には再生可能エネルギーが石炭と並んで電源投資のトップになると予測し、２０４０年までの電源投資の６割が再生可能エネルギーに向けられるだろうと予測している。すでに再生可能エネルギーの価格競争力は石炭と闘えるレベルになりつつあるので、ＩＥＡの予測よりも実現は早いかもしれない。

本章では、以上のような観点から低炭素化を支える技術を考えていく。

3章◆2　運輸部門の低炭素技術

輸送はエネルギーを消費しない？

自動車を動かすためにはガソリンや電力が必要だ。自転車を漕ぐときも、相応の脚力を必要とする。それゆえ、何かを動かせば必ずエネルギーが消費されると考えがちだが、それは正確ではない。

実は、水平輸送のエネルギーの理論的極限はゼロだ。

スピードスケートをイメージしてほしい。選手がスケートリンクで滑り出す際には足で力強く蹴る。運動エネルギーを発生させるためには「仕事」が必要で、ここに多くのエネルギーが使われる。しかし、一定以上のスピードになったら、理論上はエネルギーがいらない。ゴールしたスケート選手は足で蹴っていないのに、リンクのうえを滑らかに周回している。

スケート選手はやがてコーチに抱きかかえられたり、自ら壁をつかんだりして停止する。このときに運動エネルギーは熱になって大気中に放出される。失われるエネルギーは滑り出す際に使われるエネルギーと等しい。よって、停止時に生じるエネルギーを貯めておき、スタートするときに使うことができれば、永遠に運動し続けられるというわけだ。

ハイブリッド車（ＨＶ）などに搭載される回生ブレーキは、まさにこの原理を応用したもの。ブレーキをかけて減速する際に放出されるエネルギーをバッテリーに貯めておき、発進するときや加速するときにそのエネルギーを活用するのである。

水平輸送だけでなく、垂直運動の場合も理論的極限はゼロだ。エレベーターのワイヤーを滑車にかけて、エレベーターの反対側に同じ重さのおもりをつける。滑車に性能のよいベアリングがついていて、摩擦がなければ、エレベーターを上下させるのにエネルギーは必要ない。

つまり、輸送に伴って消費されるエネルギーは摩擦が原因なのだ。氷は摩擦が小さいので、一定の速度に達したあとは慣性で滑り続けられるし、宇宙空間は摩擦がゼロなので、人工衛星は飛び続け、地球は太陽の周りを回り続けている。しかし、現実世界には摩擦がある。自転車は漕ぎ続けていないと止まってしまうし、スケート選手も永遠に滑り続けられるわけではない。

摩擦によるロスをいかにして低減できるか。これが輸送におけるエネルギー効率化のカギを握っている。

エネルギー効率に優れた車が続々登場

自動車のエネルギー効率について、現在、国内市場に最も数多く存在するガソリンエンジン車で考えてみよう。

ガソリンエンジン車はガソリンをシリンダーの中で燃焼爆発させ、シリンダーヘッドに力を与え、その力で軸を回転させて、多くの歯車などで方向とスピードを整えて車輪を回転させて走る。全体としてみれば、ガソリンの化学エネルギーをシリンダーヘッドの仕事に変換し、その仕事で自動車を輸送しているのである。

ガソリンの持つ化学エネルギーは、仕事と熱に変換される。エネルギー保存則が働くから、熱と仕事を合わせれば化学エネルギーは１００％変換される。理論的にはガソリンがすべて仕事に変換されてもよいのだが、仕事になるのは35％程度で、残り65％は熱として無駄に消費されている。排気ガスやエンジンからの放熱、タイヤと地面の摩擦、歯車や変速機など車内部の摩擦など、さまざまなところでエネルギーが熱になって捨てられている。

特に、発進や加速のときは大きな仕事を必要とするため、多くの摩擦熱が生じ、相当分が大気中に放出されている。ある程度の速度に達したあと、定速走行している間は理論上、エネルギーを使わないでよいはずだが、実際にはタイヤと地面との摩擦などにより、エネルギーが消

写真3-1　トヨタ自動車「プリウス」

費される。高速で走行していれば、空気抵抗も発生する。減速時や停止時に踏み込むブレーキは摩擦そのものだし、交差点で停まっているときもエンジンが動いており、ここでもエネルギーが使われている。

よって次の５つを改良することが自動車の省エネルギーの指針である。

①化学エネルギーから仕事へ変換する効率が１００％でないこと

②エンジンからタイヤまで力を伝達することに伴う歯車などの摩擦

③タイヤと地面との摩擦

④車体と空気との摩擦

⑤ブレーキによる摩擦

効率向上に向けた具体的なアプローチのひとつがハイブリッド化である。

私がビジョン２０５０を提案した１９９０年代末、トヨタ自動車のハイブリッド車「プリウス」が話題を集めていた。プリウスのデビューは気候変動枠組条約第3回締約国会議（COP3）が京都で開催された1997年であった。初代モデルのカタログ燃費は1リットル当たり28キロメートル（10・15モード）。当時、同程度の車格の車は燃費が1リットル当たり20キロメートル以下だったので、突出して燃費が良いとして話題になった。

HVはガソリンエンジン車に電気駆動用モーターとバッテリーを搭載し、発進時や低速走行時には電気で駆動して、減速時には回生エネルギーを回収・蓄電することでエネルギーを効率よく利用する仕組み。交差点などで停止するときだけでなく、走行中でも、必要ないときはエンジンを停止する。つまり、①ガソリンから仕事への変換と⑤ブレーキによる摩擦という課題を相当程度解決しているのである。

一般に、HVは都市部が向くと言われているのは信号が多く停止と発信が頻繁で、エンジンを動かさずに、回生エネルギーと電力で発進する機会が多いからだ。長距離ドライブであまり回生がなされないときは普通のガソリン車と同じように燃料を消費する。

また、プラグインハイブリッド車（PHV）はHVよりも大きなバッテリーを積んでおり、回生エネルギーだけでなく、外部電源から充電して使うこともできるため、電気自動車（EV）のように数十キロはガソリンを使わず走行できる。

車のエネルギー効率は8倍に

これから自動車はどこまでエネルギー効率を高めることができるだろうか。少し前まではガソリンかディーゼルか、二択だったが、いま市場にはさまざまな自動車が走っている。エンジンを持たずに電力だけで走行するＥＶは軽自動車や小型車のイメージが強かったが、最近ではセダンタイプやスポーツカータイプも登場し、多様化している。

また、燃料電池車（ＦＣＶ）も市販された。ＦＣＶはエンジンの代わりに燃料電池（ＦＣ）スタックを搭載する。ＦＣの仕組みは19世紀初頭に発見されており、その歴史は古い。自動車に応用するには常温で気体の水素の車載方法が課題だったが、炭素繊維強化プラスチックを使った70メガパスカルの高圧水素タンクの実用化に成功した。ＦＣＶは水素と空気中の酸素とを反応させせて発電し、そのエネルギーで走行する。走行中のＣＯ$_2$排出量はＥＶと同じくゼロだが、ＥＶよりもパワーがあって走行性能に優れており、航続距離も長い。

図３—１は燃料消費量を縦軸に、車体重量を横軸に据えて、市販モデルをプロットしたもの。注意してほしいのは、日本で燃費という場合は燃料１リットル当たりの走行距離を使うが、この図では欧米式に１キロ走行当たりの燃料消費量を使っていること。つまり、縦軸は単位距離当たりの燃料消費量であるから、同じ重さで比べた場合は縦軸の値が大きい方が、燃費

写真3-2　トヨタのFCV「ミライ」

写真3-3　ホンダのFCV「クラリティ FUEL CELL」

が悪いということになる。

他の条件が一定である時、燃料消費量と車体重量は比例関係にある。そのため、各モデルのデータはおおむね直線上にプロットされ、車体重量が軽くなるほどに燃料消費量はゼロに近づく。理論的には車体重量がゼロならばエネルギーを消費することなく移動することが可能だ。

実際、自動車で、どこまで燃料消費量を抑えられるのか、1リットルのガソリンで走行できる距離を競う省エネカーレースが世界各地で開催されており、数年前には1リットルで500キロメートル超を走破するというギネス記録が生まれた。このときの車体重量はわずかに25キログラム。ドライバーの体重45キログラムを併せても、負荷は70キログラムだった。

市販車は安全性や快適性も備えなければならないので、ここまでの軽量化は難しいだろうが、効率を考えれば、車体重量が軽いに越したことはない。車体の軽量化には小型化するほか、軽い素材を使う方法がある。スーパーカーや高級車ではアルミニウムや炭素繊維強化プラスチック、鉄の合金である高張力鋼のように、一定の強度を保ちながらも車体軽量化に有効な素材が積極的に採用されている。

さて、図3―1に戻ろう。1999年の全自動車の燃料消費と2016年現在を比較すると、同じ重量ならば現在の方が33％少ない。これがこの17年間の駆動技術の進歩による省エネ効果。さらに軽量化によって、同じ大きさの車の重量は軽くなっているから、同じ形式の車の

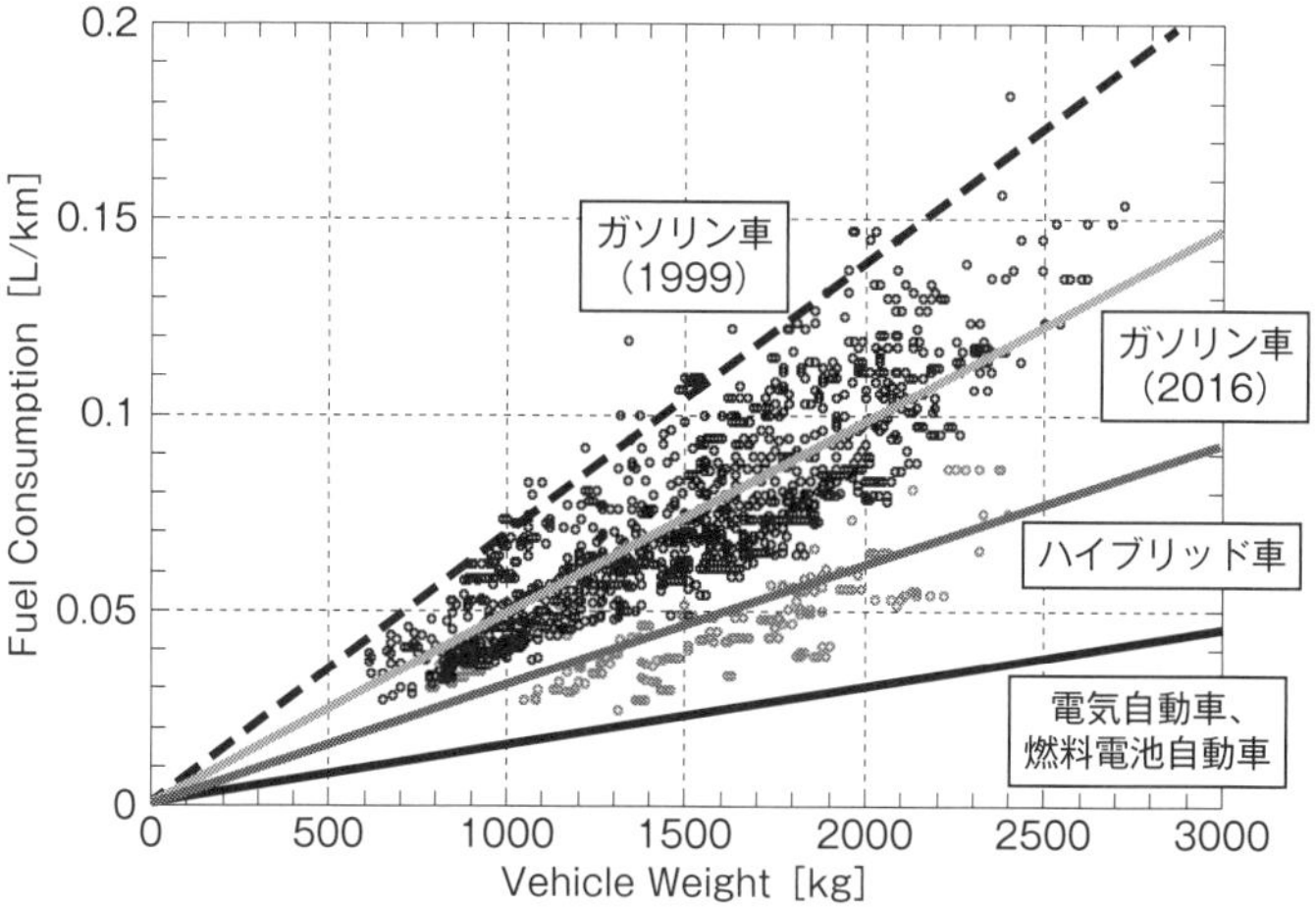

図3-1　知識の構造化：自動車のエネルギー効率は2×4＝8倍に
出所：carview!のデータを基に作成

燃料消費量は40％くらい少なくなっていると考えられる。

ＨＶの燃料消費量は1999年のガソリンエンジン車の半分以下で、ＥＶやＦＣＶはＨＶのさらに半分である。つまり、ガソリンエンジン車と比べると、ＨＶはエネルギー効率が2倍、ＥＶやＦＣＶは4倍というわけだ。

今後、技術革新で車体重量はもっと軽くすることができるだろう。車重を2分の1にすることができれば、エネルギー効率は2倍になるので、ＥＶやＦＣＶは8倍もの効率化が可能になる。

なお、エネルギーの議論では電気や水素が何から作られているかが重要になる。ここでは電気は日本の標準的な電源構成をベースに計算し、水素についても同様に標準的な電源構成で水を電気分解した場合の値をもとに計算していることを書き添えておきたい。

多様なエコカーで豊かなカーライフを

プリウスはこれまでに3回のフルモデルチェンジを実施し、そのたびにトヨタは新しいハイブリッドシステムを開発して、エネルギー効率の最適化を図ってきた。この20年間でハイブリッド技術は磨かれ、HVに対する市民の理解も深まったのではないだろうか。

発売当初こそ、プリウスは同格の車と比べて車体価格が高いため「本当に得なのか?」と疑問視する声もあったが、最近は単純な損得の議論は影を潜めた。確かにイニシャルコストは高いかもしれないが、適切に使えば燃料消費量を抑えられ、長い目で見て経済的にメリットがある。燃料の消費が少ないということは、環境負荷も少ないということ。ただ安く買えれば良いのではなく、総合的な満足という賢い選択をする消費者が増えてきたと言える。

エンジンを持たないEVやFCVは低炭素社会に貢献し得るだけでなく、エンジン車につきものだった騒音や排ガスの心配がないので、乗員にも車外の人たちにも優しい。また、電気駆動ゆえに自動ブレーキなどの運転支援システムや自動走行システムといった新技術とも相性が

写真3-4　トヨタ車体製COMSのパーソナルモビリティ「P・COM」

よく、安全かつ快適にドライブすることができる。

多様なモデルが出そろいつつあるので、「近所の買い物がメインだからＥＶで十分」「ときどき長距離ドライブに行くからＰＨＶがよい」というように、ライフスタイルにあわせて選択できるのも楽しい。

地方都市では自動車が主要な交通手段だ。通勤やちょっとした買い物でも自動車が欠かせないことから１人り１台を所有する傾向にあるが、ミニバンやセダンにドライバー１人しか乗っていないのはもったいない。最近ではシティコミューターやパーソナルモビリティなどと呼ばれる１人乗りのＥＶの開発が進んでいる。小型でスペックも抑えていることから、一般のＥＶと比べて価格も安い。日常の短距離移動には小型ＥＶを、家族や仲間とドライブに出かけるときはＰＨＶを使うという賢い使い分けが可能になるだろう。

あるいは、自動車とバイクを使い分けるように、普通の自動車と小型ＥＶを所有する人が現れてもおかしくはない。複数台数を所有しても同時に何台も動かせるわけではないし、前述のとおり、個々の自動車のエネルギー効率が向上するので、環境負荷をかけることなく、多様な自動車に乗る楽しさを味わうことが出来る。使用頻度が低い長距離ドライブ用はカーシェアリングやレンタカーを利用するというのも賢い選択だ。

シェアリングビジネスはＩＴの進展によって、さまざまな分野に波及している。パーソナルモビリティを地域でシェアリングして観光客に貸し出すなどのアイデアも出ており、地方創生の観点からも車の進化には熱い視線が注がれている。

輸送部門全体の低炭素化を推進するには、それぞれの車のエネルギー効率を高めていくと同時に、車ごとの特性に合わせて適材適所で活用することが重要だ。多様なモビリティが登場したことで選ぶ楽しさが生まれ、新たなビジネスチャンスも創出されつつある。CO_2排出削減と豊かさは十分に共存する概念である。

移動のモーダルシフト

運輸部門のCO_2排出量のうち、自家用乗用車は47・5％を占める。次いでCO_2排出量が多いのは貨物自動車で35・1％。その他の輸送機関（バス、タクシー、鉄道、船舶、航空）は17・4％なので、低炭素社会を実現するには貨物自動車のCO_2排出削減も推進していく必要がある。

貨物自動車とはトラックのことで、運送会社などが使用する営業用貨物車と、農家や商店など非運送業者が使用する自家用貨物車がある。輸送重量（トン）と輸送距離（キロメートル）をかけたトンキロ当たりのCO_2排出量で比較すると、図3―3に示すように自家用貨物車は営業用貨物車の約6倍のCO_2を排出している。さらに、営業用貨物車は船舶の5倍以上、鉄道の8倍以上を排出している。貨物車よりも船舶のほうが、船舶よりも鉄道のほうが、CO_2排出量が少ないので、トラック輸送を船舶あるいは鉄道に切り替えれば、環境負荷低減に貢献できる。

このように輸送手段を変更することをモーダルシフトと呼ぶ。国土交通省は10年以上前からモーダルシフトを推進しているが、十分には進んでいない。なぜならトラック輸送は利便性が高いからだ。トラックはいつでもどこへでも行けるし、小口でも配送できる。それに対して、船舶や鉄道は運行ルートやタイムスケジュールの自由度が低い上に、集荷や最終目的地まで配送するときには結局、トラックを併用することになる。それなりの規模でシフトしないと、コストメリットが生まれにくいのである。

しかし、物流業界はいまトラックドライバー不足という大きな課題に直面している。ドライバーの高齢化が進んでいるが、長時間労働かつ低賃金という労働環境の厳しさから、若手の志願者がいない。給料や待遇を少々改善しても、求人広告への反応は乏しいという。それに反してインターネット通販の台頭などにより物流・宅配の個数は増えている。ドライバー1人当たりの負荷が増えれば、配送遅延や交通事故などのリスクが増すことは目に見えているが、長期的に見て、人手不足解消の目処は立っていない。物流業界はいままさに新しいビジネスモデル構築の必要性に迫られている。

モーダルシフトはそんな物流業界の課題解決に貢献する可能性がある。トラックを鉄道に置き換えれば、その区間はドライバーを確保しなくてよくなる。小口配送を行う事業者同士がうまく連携すれば、コンテナの積載効率を高められたり、復路の積み荷を確保できたり、鉄道や船舶でもメリットを実感できる規模を確保できる。

もうひとつ、人材不足を補う技術として浮上してきたのが自動運転だ。いすゞ自動車と日野自動車はトラックやバスの自動運転システムの共同開発を行うことを発表した。目指すは3台

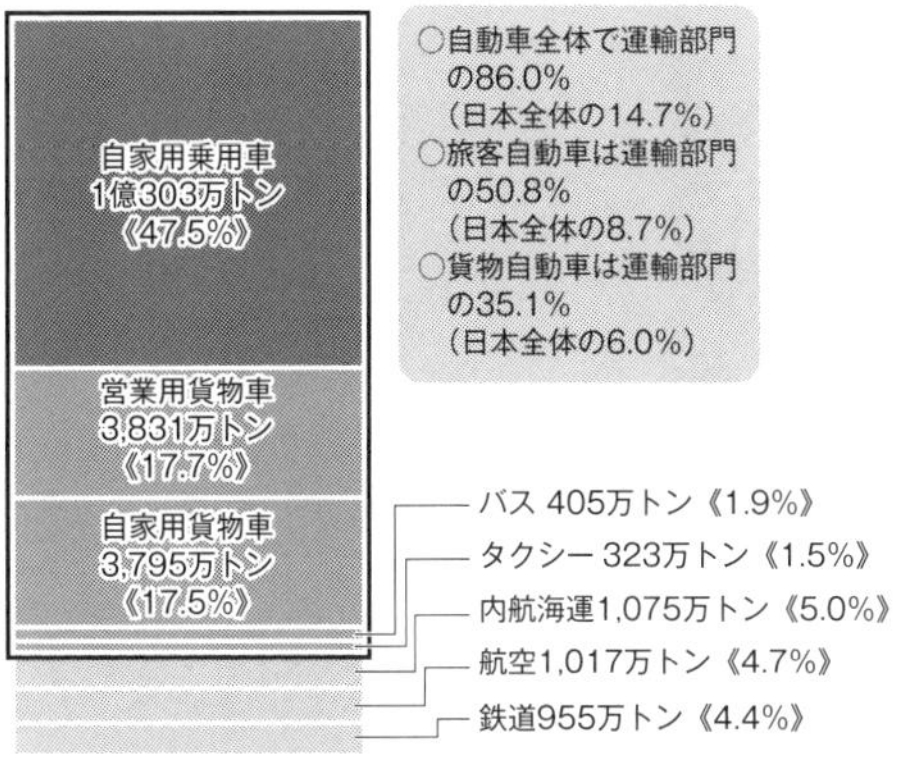

※端数処理の関係上、合計の数値が一致しない場合がある。
※温室効果ガスインベントリオフィス「日本の温室効果ガス排出量データ（1990〜2014年度）確報値」より国土交通省環境政策課作成

図3-2　運輸部門におけるCO_2排出量の内訳
出所：国土交通省

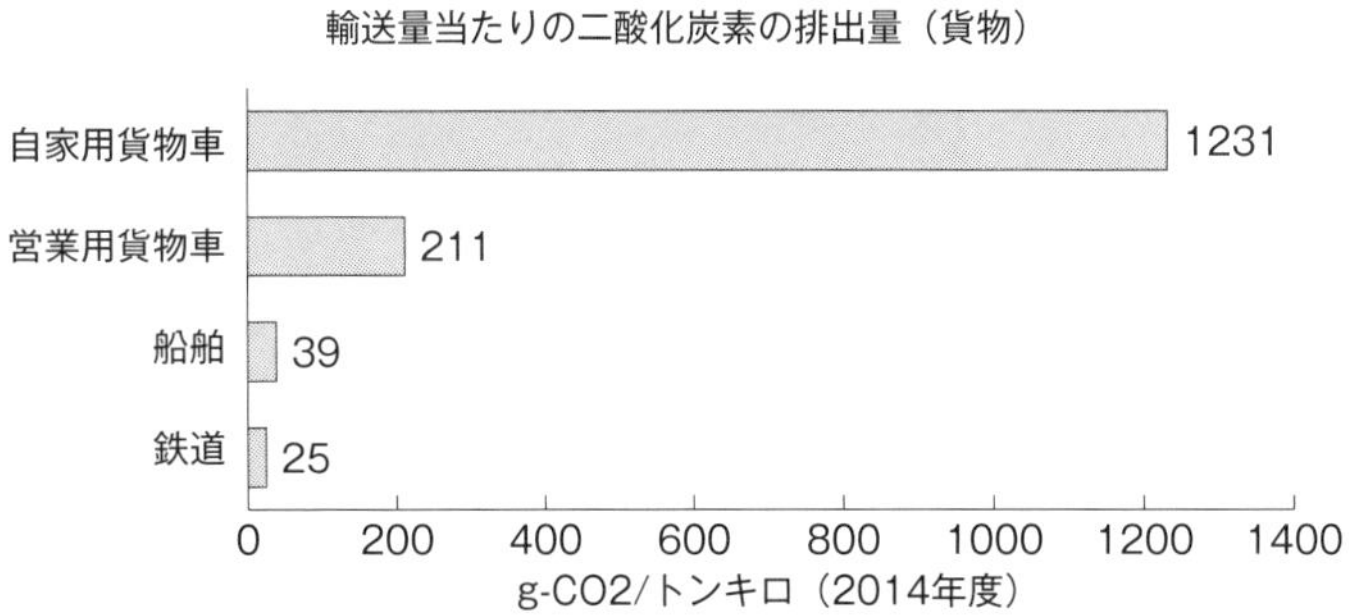

図3-3　輸送量当たりのCO_2排出量（貨物）
出所：国土交通省

以上のトラックによる隊列走行だ。実験中は全車両に人間が乗車するが、ゆくゆくはドライバーの乗車は先頭車両のみとし、後続車両は無人での運行を考えている。車両間を物理的に連結していないが、発想としてはワンマン列車のようなもの。これによって人件費を抑えながらも、輸送効率を高めることができる。

さらに将来、完全な自動運転が実現すれば、ドライバーは前方監視義務から解放されるので、車中で伝票整理や営業活動、商品企画なども行えるようになる。トラックドライバーと言えば、体力を使う仕事の代表格のように言われるが、技術の進展によってクリエイティブな仕事に生まれ変われるかもしれない。

3章◆3　家庭・業務部門の低炭素技術

省エネの推進は経済的にもお得

家庭部門ではどのようなところでエネルギーが消費されているのだろうか。図3―4は家庭における用途別エネルギー消費の割合を示したものだ。一番割合が大きいのは動力・照明他、

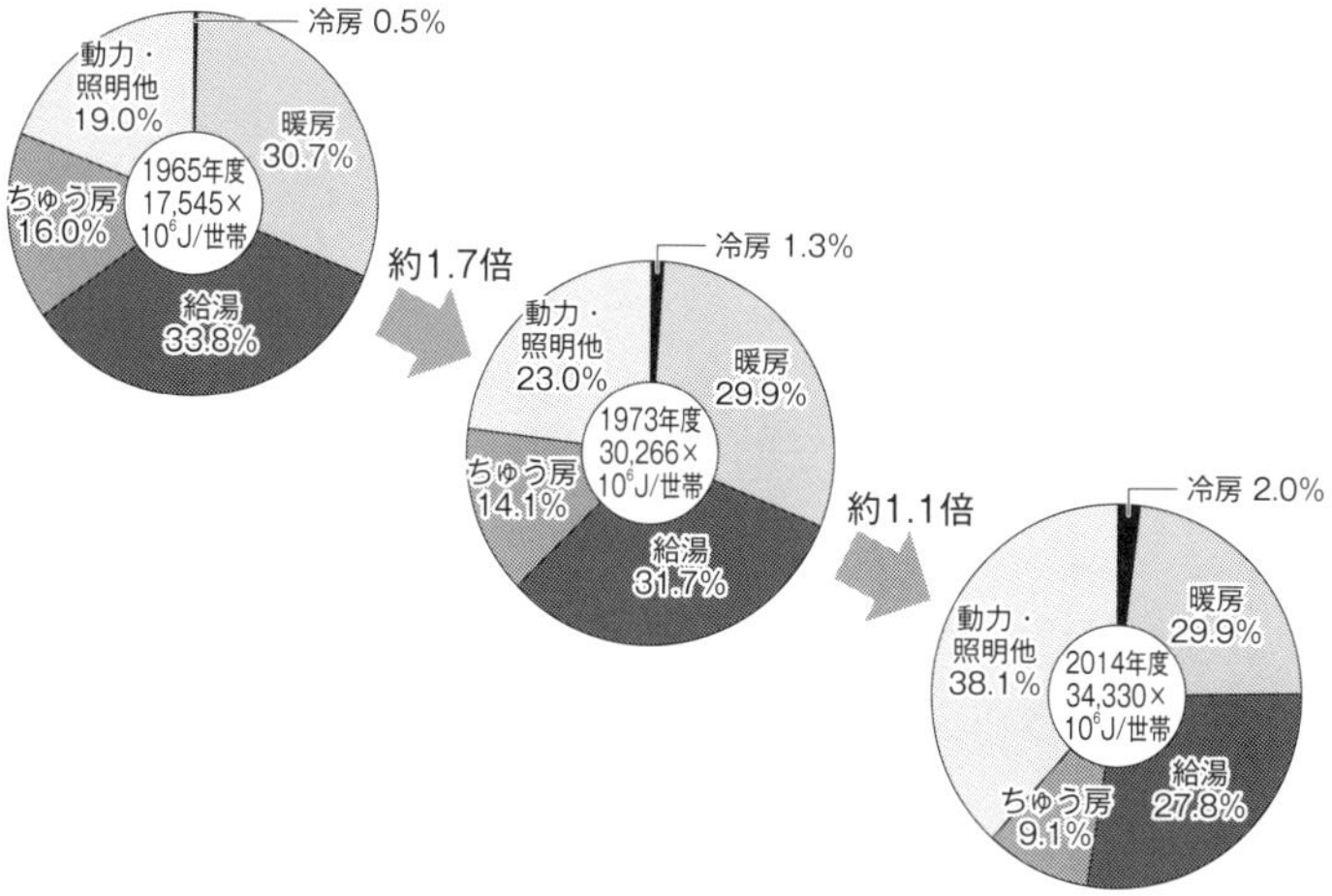

図3-4 世帯当たりのエネルギー消費原単位と用途別エネルギー消費の推移

出所：エネルギー白書2016

次いで給湯、暖房の順である。動力とは冷蔵庫などの電化製品のこと。オフィスでもこの割合に大きな差はないので、家庭・業務部門の低炭素化についてはこれらエネルギー消費の大きい分野で、どこまで消費を減らせるかがポイントになる。

たとえば、冷蔵庫やエアコンは高効率の最新モデルに、照明は高効率のＬＥＤ電球に買い替える。給湯は家庭用燃料電池エネファームやヒートポンプ電気給湯器エコキュートを使い、お湯と電気を同時に得られるようにすることで、エネルギーの無駄を減らす。壁や床にはしっかりと断熱材を入れ、窓は断熱性能に優れた二重窓にすれば、住宅やビルの冷暖房効率は高まる。このようにできることをすべて行い、今後の技術革新も見込むと、２０３０年には家庭のエネルギー消費量を現状の4分の１に削減できる。そして、残る4分の１のエネルギーを太陽電池等による発電でカバーできれば、外部から持ち込むエネルギーはゼロになる。発電量が消費量を上回れば、エネルギーを売ることも可能だ。

このように省エネ対策を列挙すると「省エネはお金がかかるからできない」という人がいるが、いますぐ、すべてを実施しなければならないという話ではない。

エアコンや冷蔵庫などの電化製品はごく普通に使用していても、およそ10年ごとに買い替えているはずだ。新たに買う製品が10年前のモデルよりもエネルギー効率が悪いことはあり得ない。普通に買い替えるだけで低炭素化は可能なのだ。

エネファームやエコキュートも、最新型モデルはエネルギー効率が高まっている。しかも、本体価格は発売当初よりかなり下がっているので、導入によるコストメリットを実感しやすいはずだ。断熱材や二重窓は既存住宅に取り入れるにはややハードルが高く、コストもそれなりにかかる。しかし、断熱効果によるエネルギー削減効果は大きい。新築や大規模リフォームのときには積極的に検討すべきである。

省エネがビジネスチャンスに

省エネへの投資は回収が可能だ。エネルギー消費量が減れば、当然のことながら、電気料金やガス料金の支払いも減る。エネルギー消費量が4分の1になれば、基本料金を除く従量課金分は4分の1になる。今後、電気料金が値上がりして倍になったとしても、現在の2分の1で済む。長期的に見れば、省エネを推進する方が金銭的に得するようになっているのである。

このことは、省エネを推進するビジネス機会があるということだ。

低炭素社会戦略センター（ＬＣＳ）と東京大学は共同で「電気代そのまま払い」という仕組みを提案している。これは低炭素化対策の導入に伴う家庭の負担を軽減する仕組みで、家庭の省エネ・再エネを補助金頼りではなく大幅に進展させることを目的とする。

たとえば、太陽光発電システムや家庭用燃料電池を導入する際には、金融機関などが初期費用を融資し、導入によって節約できる電気代を返済に充当する。これにより、家庭が負担する初期投資はゼロになる。月賦と違って月々の支払いが増えることもないので、資金に余裕がない家庭でも、低炭素化のための設備を導入できる。社会全体としては補助金をかけずに低炭素化対策を推進できることがメリットだ。

ただし、誰かが初期費用を肩代わりする必要がある。イギリスでは非営利企業を設立し、英国エネルギー・気候変動省が主に出資をしている。日本では、大阪ガスの子会社による太陽光発電の推進事例が有名だが、信用調査には時間がかかるため、小規模案件には向いていない。家庭を対象にするなら、やはりファンド設立が適しているだろう。そのほかにも真に実のある対策とするには細かな調整が必要であり、２０１５年から静岡県長泉町や北海道下川町など５カ所で実施している実証実験の検証結果が待たれる。

一方、既に事業として成立しているのがＥＳＣＯ（Energy Service Company）事業である。ＥＳＣＯ事業の受託者はオフィスビルなどに対して、低炭素化対策のコンサルティングを行い、包括的にサービスを提供して、削減できた水光熱費から対価を得る。契約期間が終了したあとは削減分がまるまる委託者の利益になる。

リーマンショックや東日本大震災など、経済に影響を及ぼす大きな出来事があると、投資を絞りがちだが、省エネへの投資は必ずあとで回収できる。年金運用団体など手堅く回収すべき投資家にこそ、このことに早く気づいてほしいと願っている。

家庭のエネルギー消費は電気に集約される

家庭部門におけるエネルギー消費をエネルギー源別にみると、１９６５年度には石炭が占め

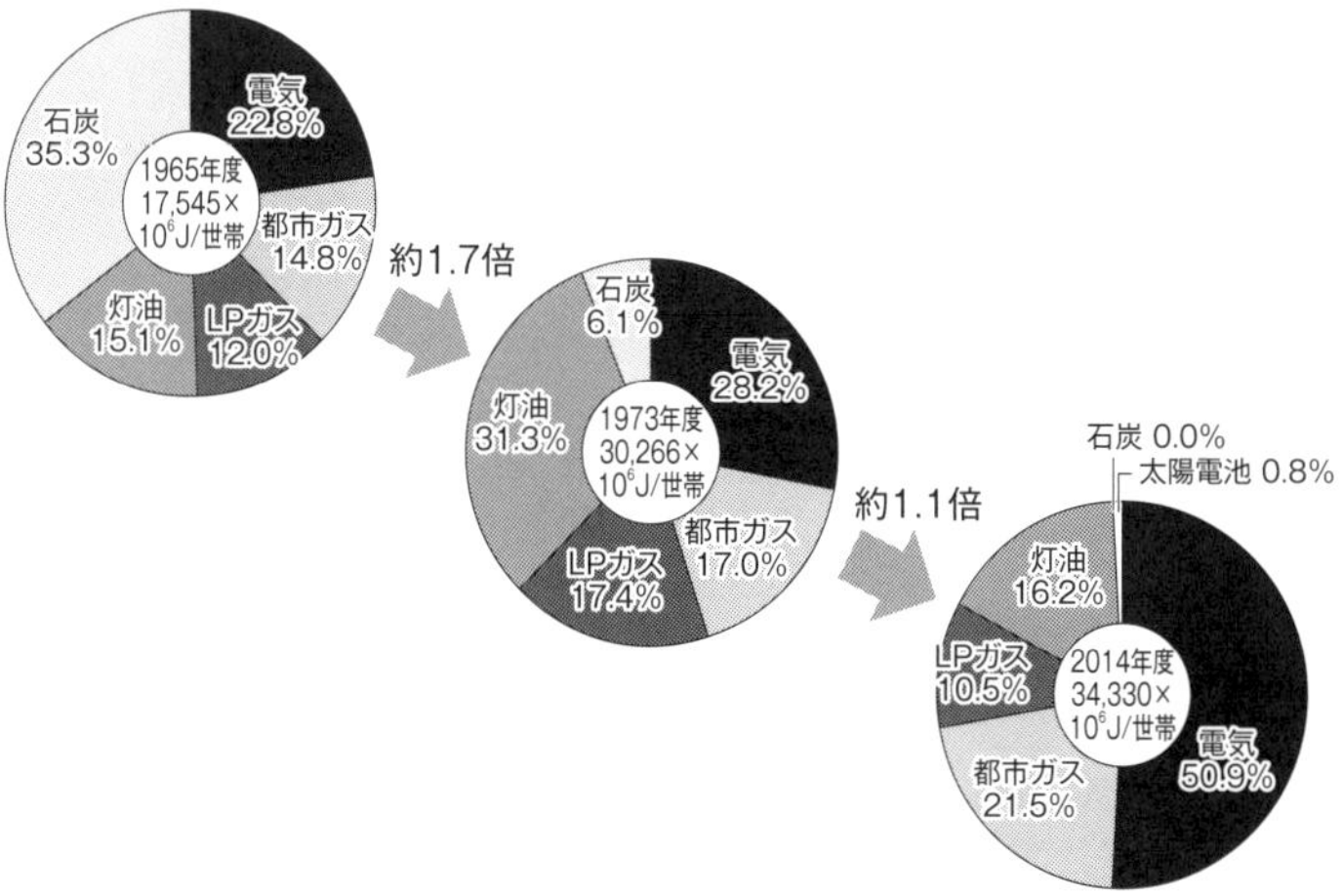

図3-5　家庭部門におけるエネルギー源別消費の推移
出所：エネルギー白書2016

る割合が一番大きく、これに電気、灯油、ガスが続いた。1970年代に入ると生活様式の近代化にともない、暖房や煮炊きに使っていた石炭の使用割合が急減。それに代わって大きく割合を増やしたのが灯油。電気とガスも割合が増えた。

2014年になると、灯油の割合が減り、電気が過半を占めるようになる。石炭や石油を直接燃焼するストーブから、ホットカーペットやエアコンなど電気を使う暖房器具へ、暖を取る手段は大きく変わった。厨房でもガスではなく、IHクッキングヒーターを使う家庭が増えている。

暖房の効率を化石資源の消費量から比較すると、効率が最も高いのはエアコンである。エアコンにはヒートポンプ技術が使われている。その仕組みは後で詳しく述べるが、ヒートポンプは消費する電気の6倍もの熱を室外からくみ上げて、室内に供給することができる。石油から電気への変換効率が40％ほどであることから、石油の燃焼熱の2倍以上の暖房効果があるのだ。

同じ電気を使う暖房器具に電気ヒーターがあるが、電気ヒーターは石油ストーブよりも効率が悪い。というのも、電気は発電所ですでに化石資源の60％を熱として捨てており、残りの40％を室内で直接熱にしてしまうからだ。ヒートポンプも電気を熱にするが、その何倍もの熱を汲み上げるので、効率が高い。しかも、エアコンは石油ストーブと比べて火災のリスクが低く、室内の空気も汚れないので、生活者にとって使い勝手がいい。

家庭部門で使用するエネルギーは今後ますます電気の割合が増えていくだろう。電気は石油からもガスからも作ることができるし、太陽光や風力といった再生可能エネルギーから作ることもできる。家庭・業務部門の低炭素化の推進は、使用するエネルギーが電気に集約されることを前提として考えていく。

エコハウスは住んでいる人にもやさしい

日本はさまざまな省エネ製品を生み出し、エネルギー効率を追求してきたが、建物について

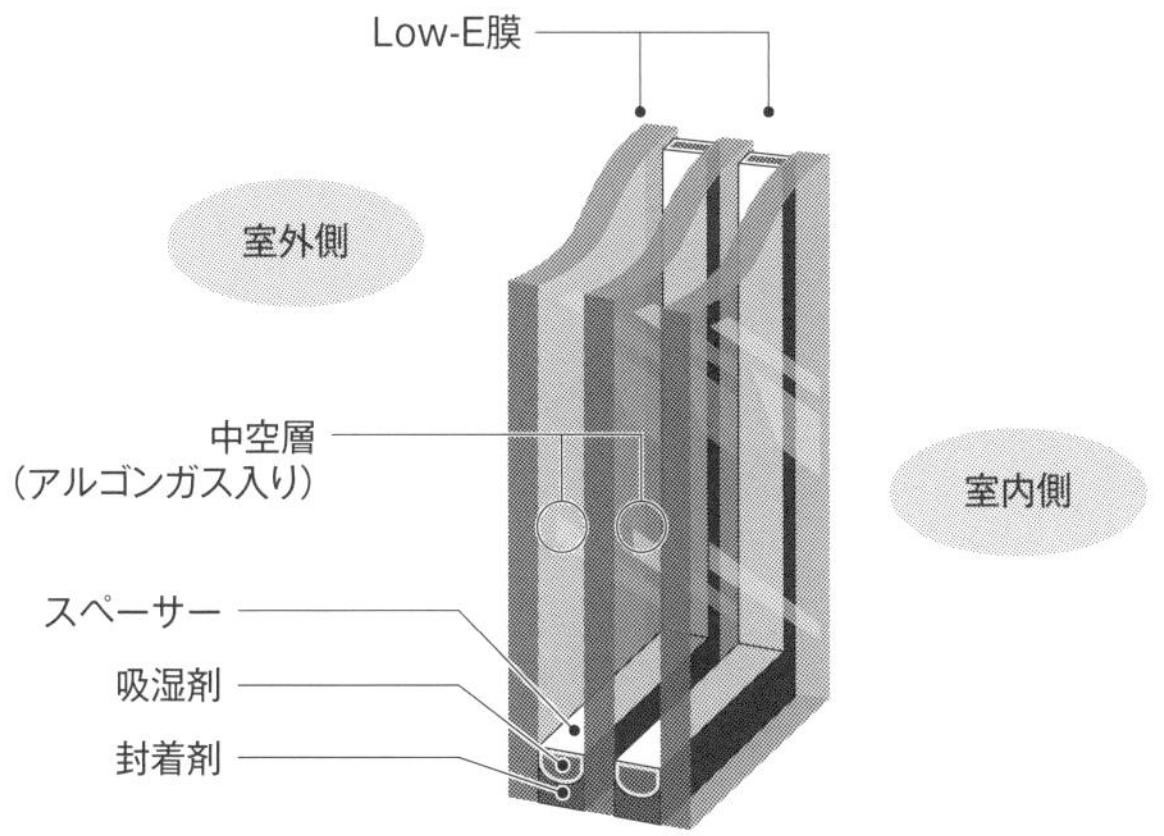

図3-6　トリプルガラスの構造（提供：AGC旭硝子）

写真上：東京大学「CITY ECOX」
（撮影：積水ハウス）
写真右：芝浦工業大学「母の家2030」
（撮影：芝浦工業大学）

写真3-5　トリプルガラスの事例
大学と企業が連携して「2030年の家」をテーマにモデルハウスを建築・展示する「エネマネハウス2014」出展作品。いずれもAGC旭硝子製 Low-Eガス入りトリプルガラスを採用している

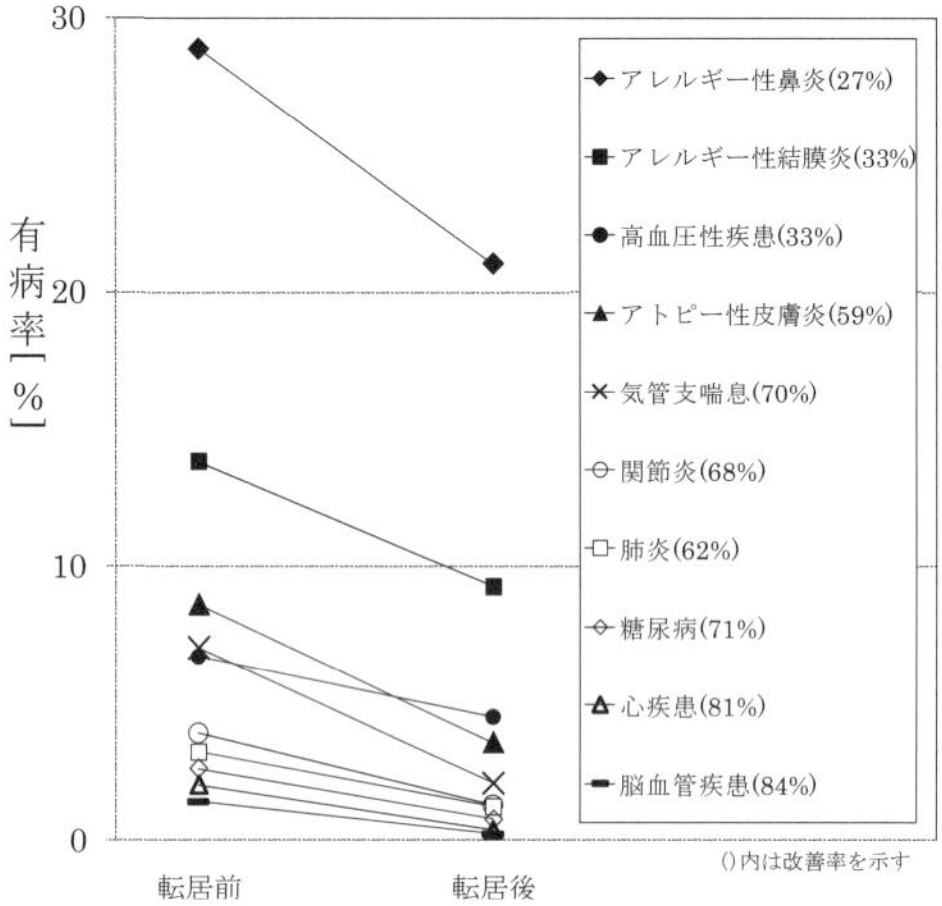

図3-7　断熱・気密性能の向上による疾病有病率の変化と改善率
出所：「健康維持がもたらす間接的便益(NEB)を考慮した住宅断熱の投資評価」（伊香賀俊治、江口里佳、村上周三、岩前篤、星旦二ほか／日本建築学会環境系論文集，Vol.76，No.666，2011.8）

は十分に省エネ対策が進んでいない。既存の建築物でも複層ガラスや断熱材を導入すれば断熱性や気密性が高まり、エネルギーの利用効率は格段に向上する。外部からエネルギーを投入しなくても快適なゼロエネ住宅はひとつの理想形だ。

ゼロエネ住宅の実現に欠かせない複層ガラスとは、ガラスを複数枚重ねたペアガラスのこと。建物用ではガラスの中空層側に銀の薄膜コーティングを施したＬｏｗ－Ｅ複層ガラスが注目されている。ＡＧＣ旭硝子ではＬｏｗ－Ｅ複層ガラスを複数ラインナップする。関東以西では銀の層を複数重ねて遮熱効果を高めた日射遮蔽型が、東北・北海道などでは銀を一層にして日射を程よく取り込む日射取得型が、それぞれ人気だという。熱の伝えやすさを評価する熱貫流率の値はどちらも同水準で、断熱効果には差がない。

国土の狭い日本は住宅がコンパクトで、多くの場合、窓は厚さ100ミリ程度に納まることが要求される。その薄さでも十分な断熱性を実現するには、ペアガラスの中空層を多層に仕切ること、中空層の空気対流を抑えることがポイントだ。図3―6に示すトリプルガラスはガラスを3枚使用し、中空層にアルゴンガスやクリプトンガスを封入することで断熱性を高めたもの。また、窓はガラスと枠（サッシ）からなるので、枠も性能を向上させなければならない。これからのゼロエネ住宅には、トリプルガラスに薄幅の高断熱樹脂サッシや樹脂複合サッシを組み合わせた窓が採用されていくものと思われる。

建物の断熱性はエネルギー問題だけでなく、住まい手の健康にも少なからぬ影響を及ぼす。国土交通省が厚生労働省や医療機関と連携して実施した、季節ごとの死因別死亡率や救急搬送された室内での事故原因の調査では、血管系・循環器系による死因や住宅内での死因には季節変動が見られた。浴室や脱衣室の温度差によって血圧が急激に変化するヒートショックは冬場に多い。温度差が大きい住宅ほど、発症リスクが高いというわけだ。

日本建築学会で発表された、慶應義塾大学の伊香賀俊治教授らによる報告書も非常に興味深い。高断熱・高気密住宅に住む5500軒、1万9000人を対象に実施したアンケートによれば、転居前と転居後の有病率には明確な差異があった。脳血管疾患で84％、心疾患で81％の改善が見られ、アレルギー性鼻炎やアトピー性皮膚炎など調査対象の10の疾病のすべてで改善傾向が見られたのだ。

断熱住宅は室内温度が均一なので、ヒートショックなどの血管系の疾患が起こりにくい。また、高断熱・高気密住宅はカビの原因となる結露が生じにくいので、アレルギーやアトピーなどの諸症状が改善したのだと考えられる。住宅の高断熱化と高気密化はクオリティ・オブ・ライフ向上にもつながっているのである。

最新ヒートポンプ事情

家庭のなかで特にエネルギー消費が多いのは給湯である。この分野の省エネ機器で、日本は世界の最先端を走っている。そのひとつが空気の熱でお湯を沸かす電気給湯器、エコキュートだ。エコキュートは温度差を利用してエネルギーを取り出す、ヒートポンプ技術が基盤になっている。

現在、日本における火力発電所の発電効率は平均で42％である。エコキュートでお湯を沸かすと約6倍のエネルギーを得ることができるので、42％×6で約2・5倍の熱を作ることができる計算だ。

エコキュートが市販されて15年以上が過ぎるが、この間にヒートポンプ技術は格段に進化し、価格も下がって普及が進んでいる。ヒートポンプ・蓄熱センターでは、図3―8にあるように、今後の家庭用ヒートポンプ給湯器の導入を推計している。低位は現在のトレンドのまま追加対策を行わない場合、中位は導入補助等の施策を講じた場合、高位はより強力な施策によって導入を加速した場合のこと。この推計によれば、２０４０年には現状の3倍から4倍のストックがあることになる。

ヒートポンプはエコキュートだけでなく、さまざまな家電製品に使われている。その代表格が家庭用エアコンだ。この20年間の技術的進展により、エアコンのエネルギー効率は約2倍に伸びている。冷凍冷蔵庫はほとんどがヒートポンプだし、温水床暖房や洗濯乾燥機、温水融雪システムなどでもヒートポンプ式製品が発売されている。

業務用の空調や冷凍冷蔵庫、給湯などにも、ヒートポンプ式は多い。最近では、ものづくりの現場でも導入事例が増えている。当初の技術では水を60度程度まで上げるのが精一杯だったため、産業用の用途は限られていたが、最近の技術では90度まで上げることが可能になった。そのくらいの沸き上げ温度を確保できると、食品の加温や乾燥にも活用できるし、化学工場や電子部品工場、医薬品工場などでも活用できる。

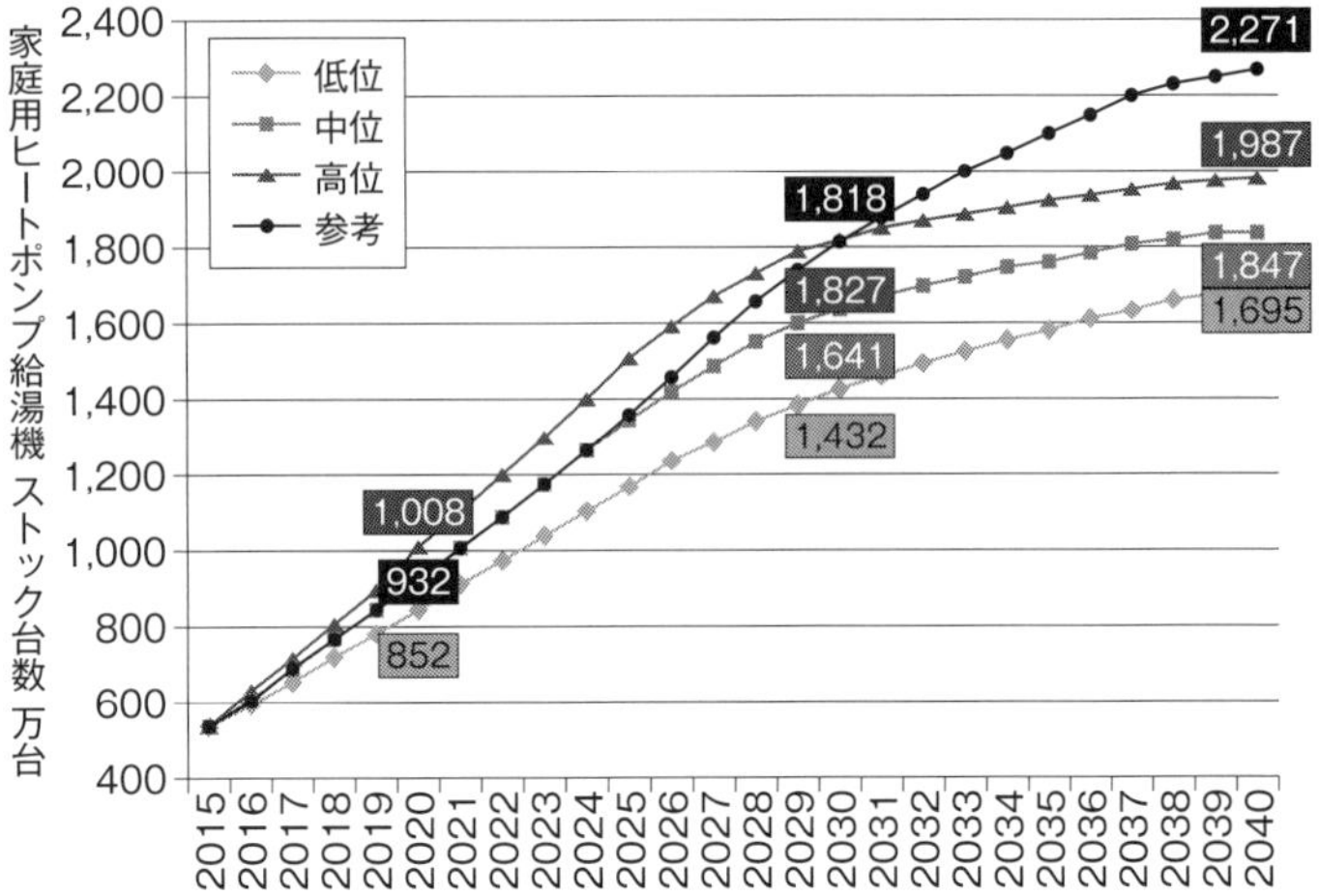

図3-8　家庭用ヒートポンプ給湯器導入台数推計
出所：ヒートポンプ・蓄熱センター「HP普及見通し調査」

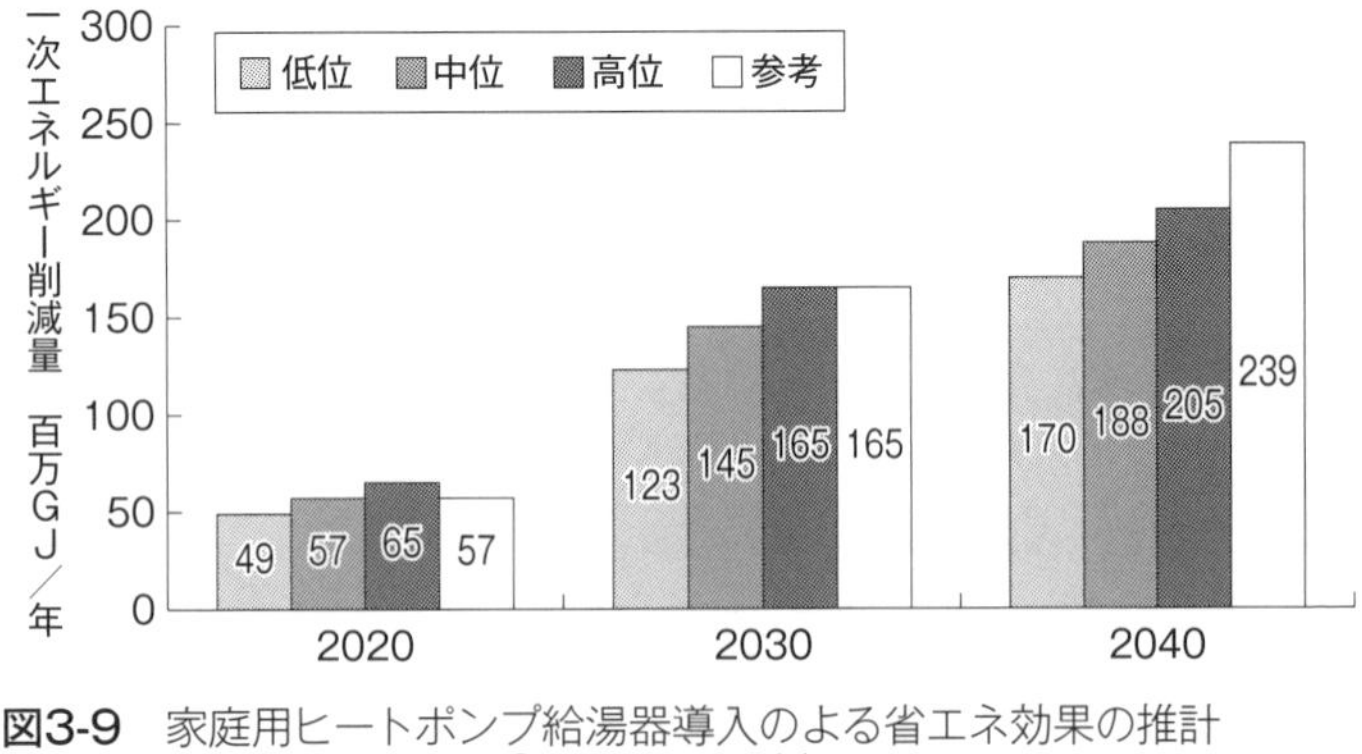

図3-9　家庭用ヒートポンプ給湯器導入のよる省エネ効果の推計
出所：ヒートポンプ・蓄熱センター「HP普及見通し調査」

日本のお家芸が詰まった家庭用燃料電池

電気給湯器エコキュートと並んで、家庭の給湯に使える省エネ機器として有望なのが家庭用燃料電池エネファームだ。電力、熱を供給する燃料電池として水素を使用する固体高分子形と都市ガスを直接使用する固体酸化物形の2種類がある。前者のエネファームは都市ガスやLPガス、灯油などから水素を取り出し、それを空気中の酸素と反応させて電気を作る製品を指す。投入されるガスや石油のエネルギーに対し、電気に変換されるのは約37％。その過程で出る熱エネルギーのうち、50％を使ってお湯を作る。合計で投入したエネルギーに対して87％が利用できる。ロスは13％に過ぎない。

集中型火力発電所から家庭に届く電力は効率37％程度であるから、家庭用燃料電池で作っている電気の量は、集中型火力発電の水準に達している。よって家庭用燃料電池の給湯を利用することは、集中型火力発電所であれば捨てていた排熱を利用するようなものだ。

エコキュートもエネファームも、日本の誇る省エネ技術の結晶である。エコキュートはほぼゼロから日本が作り出した製品だ。冷蔵庫やエアコンにはかつて冷媒としてフロンなどを使っていた。冷媒は熱を汲み上げたり汲み出したりするために欠かせないものだが、フロンはオゾン層破壊物質であるとして問題になった。それを日本はCO_2で代替することに成功したのである。

エネファームはさらに技術的に高度だ。ＬＰガスから水素を取り出す技術や燃料電池に欠かせないセラミクス技術などは日本のお家芸ともいえるもので、その要素技術は日々磨かれている。遠からず発電効率45％に近い製品が出てくるだろう。

固体酸化物形燃料電池を使用するエネファームは７００度程度の高温で発電するために発電効率は高く、大阪ガスの製品では52％にもなっている。この方式の燃料電池はセラミクスが使われており、日本の得意な技術が生かされている。

エコキュートもエネファームも熱を給湯に使用する。日本製の貯湯タンクは海外製品と比べて性能が高い。アメリカでも同種の製品があるが、タンクの断熱性能が低いために最終的なエネルギー効率では劣り、普及は進んでいない。給湯は家庭・業務部門のエネルギー消費の３割弱を占める。世界全体で見ても、シャワーやお風呂に入るためのお湯の需要は極めて大きい。このエネルギー消費の削減はエネルギー効率の向上と、低炭素化に大きく貢献する。

日本発の環境技術をグローバル化

空調や給湯分野におけるヒートポンプ技術で世界をリードしている日本は、この高い技術力をもって世界の低炭素化に貢献していくべきだし、それは同時に日本の経済成長にもつながるはずだ。その急先鋒、空調分野で世界トップシェアを誇るダイキン工業は日本企業のなかでも、いち早くグローバル戦略を経営の柱に据えている。同社の成功のポイントは以下の3点に集約できる。

（1）「技術のオープン戦略」〜インバータによる省エネ空調機の普及戦略〜

同社技術の要であるインバータ技術を中国最大のシェアを持つ格力電器に供与し、インバータエアコン市場全体の拡大を図る「技術のオープン戦略」を展開。これにより中国の空調市場ではノンインバータ機に比べて約30％の省エネになるインバータ比率が急拡大し、インバータ化の波はアジア全体に広がりつつある。

（2）冷媒とエアコンの同時開発〜スピードある環境対応〜

ダイキン工業はエアコンと冷媒を同時に製造・販売する世界で唯一のメーカーである。世界の環境規制がより厳しくなるなかで、冷媒の性質にあった冷媒制御をいち早く取り入れることで省エネと環境性能の両立を図った。その結果、温暖化係数を既存冷媒の約３分の１に抑えた新冷媒「R32」が誕生。これを採用したルームエアコンを世界で初めて開発し、２０１５年３

月時点、43カ国で販売している。

（3）個別分散空調～きめ細かな冷媒制御技術～

室外機1台で複数の室内機を個別に制御して冷暖房を使い分ける「マルチ技術」は、ダイキンの冷媒制御技術により実現した。同社はビル用マルチを1980年代に日本で開発・販売開始し施工の融通性や設計・工事のパッケージ化を実現。国内での成功をもとにそのビジネスモデルを欧州、アジア、中国で展開し日本式の空調文化を浸透させている。

ダイキン工業だけでなく、東芝や日立製作所、三菱電機など日本の他の主要空調メーカーも外国企業との提携等により急速にグローバル化を進めている。

一方、2001年に世界初の商品化に成功したエコキュートは2016年3月末で普及台数が500万台を超えたものの、グローバル展開は遅れている。

韓国や中国も環境問題への対応を迫られ、給湯・暖房のボイラからヒートポンプへの転換を目指しており、日本のヒートポンプ給湯機も、空調のようにグローバル展開に舵を切らないとガラパゴス化も懸念される。

そうしたなかで、パナソニックはドイツのアーヘン工科大学と「ヒートポンプ温水暖房システム向け電力マネジメント技術」で共同研究を開始した。また、三菱電機は欧州で販売するヒートポンプ式暖房機の設計・開発を英国の子会社に移管し、新機種の投入の迅速化とコストダウンによりシェア拡大を目指すなどグローバル化の動きも出てきている。

今後、巨大市場である中国でヒートポンプ給湯機が一気に開花することも予想され、ローカル企業や外国企業との技術・販売提携なども含めた、日本企業のグローバル戦略が一層試されることになる。

3章◆4　ものづくりの低炭素技術

高炉から電炉への転換

農林漁業などは太陽エネルギーによる生物資源を利用するのに対して、ものづくりは自然界の循環には存在しなかった地下資源を使って、さまざまな人工物を生産する活動である。ここでは、ものづくりのなかでも最もエネルギー消費量が多い鉄鋼を取り上げたい。

鉄鋼を生産するには高炉転炉法（以下高炉法とする）と電炉法がある。高炉法は天然資源である鉄鉱石を使う。鉄鉱石とは酸化鉄のことで、炭素を主成分とするコークスと一緒に高炉へ投ずると、酸化鉄から酸素が奪われて銑鉄が生成される。この銑鉄を加工して、さまざまな鉄鋼製品が作られる。

鉄1トンの生成に使われるコークス（炭素）はおよそ600キロ。理論上、必要な炭素量は202キロなので、3分の2が使われていない計算だ。製鉄行程全体では技術開発による効率化が進んでいるが、加工・成型プロセスが多段階であるため、各段階でわずかに生じるロスが蓄積されると、大きなロスになってしまう。今後、どこまで効率化を図れるかは投資にもよるが、600キロを400キロにすることは容易ではない。

一方、社会にある橋やビル、線路、自動車などに使われている鉄は製品としての寿命がつきたらスクラップとして回収され、電炉で溶かして成型して再び鉄鋼製品として活用される。電炉法で使われているエネルギーを、鉄1トン生成時の炭素量に換算すると、およそ300キロ。高炉法の半分程度だ。

電炉法の場合でも加工・成型に要するエネルギーは大きく減らせないが、全体のエネルギー消費量削減の方向性は見えている。現在はスクラップを融解するために電気を使っている。化石資源を燃焼させて熱を電気に変換し、その電気を再び熱に変えて鉄を溶かしているのだ。化石資源で直接、鉄を溶かせば、鉄1トンあたりに使う炭素量は150キロ程度まで低減することができる。

エネルギーとして考えると、鉄鉱石を採掘して高炉で生成するよりも、スクラップを生かして電炉で生成する方が、エネルギー消費量が圧倒的に少ない。また、電炉法はエネルギー消費量を抑える技術開発の方向性も見えている。これは鉄だけでなく、セメントやアルミニウムなどについても共通する話だ。都市鉱山に眠る資源を回収し、再利用する社会システムが構築できれば、ものづくり部門でも大幅な低炭素化が可能である。

アルミニウムはリサイクルの優等生

アルミニウムはアルミニウム水酸化物を主成分（アルミニウム含量25％程度）とするボーキサイトという鉱石から作られる。製品製造に際して使用されるエネルギーをプロセスで分解すると、採掘（輸送）、ボーキサイトからの酸化アルミニウム製造、還元（電気分解）、成型である。

輸送については前述のとおり、理論エネルギーはゼロだ。成型や加工についても同じくゼロである。物質を融点近くまで加熱すれば、軟化して簡単に成型ができ、冷やす時に熱を回収すれば、その熱は加熱に要した熱と同じ量となる。その回収熱を次の薄板の加熱に用いて、同じことを繰り返していけば新たなエネルギーはいらない。

加工のひとつに切断もあるが、これは溶かして分けて固めれば、エネルギーとしては溶かす熱だけが必要で、その熱を回収しさえすればエネルギーは必要ない。厚板を薄板に加工したり、切断や切削したり、成型・加工の理論エネルギーはゼロである。

アルミニウム1トンを製造するエネルギーは、ボーキサイトから酸化アルミニウムを製造する工程で20GJが必要。その還元（電気分解）では消耗する炭素電極を使用するため、電力と合わせて60GJを使う。この合計で80GJになる。これは理論エネルギーの4倍という高い数値だ。

アルミニウムのリサイクルもよく行われている。日本アルミニウム協会によれば、スクラップ等をリサイクルして作られる再生塊の製造エネルギーはボーキサイトから作る新地金の約3%である。鉱石を使うよりもスクラップの方が格段に効率的で、エネルギー消費の観点でも優れた資源だと言える。

希少金属の物質循環を実現する

ものづくりの低炭素化において、都市鉱山の存在は極めて重要だ。都市鉱山は30年以上前に提唱された概念だが、一般に知られるようになったのは携帯電話やパソコンなどの電子機器類に欠かせない希少金属の価格が高騰した10年ほど前からであろう。

希少金属は文字通り、希少性が高く、採掘地が偏在しているものが多い。たとえば、ハイブリッド車や電気自動車のモーターに使用されるネオジム磁石は熱による磁力低下を防ぐために、ジスプロシウムを少量添加する。ジスプロシウムは地球上のほぼ全量が中国にあり、もしも輸入が止まれば、ハイブリッド車も電気自動車も製造できなくなってしまう。都市鉱山は低炭素化だけでなく、資源セキュリティの観点からも重要な存在なのである。

電子機器が普及する日本には幸いなことに、大量の希少金属が眠っており、不要な製品をすべて回収できれば、国内の需要を都市鉱山だけで賄えるとも言われる。そのためにはやはり物質循環の仕組みを確立しなければならない。

２０１３年4月に小型家電リサイクル法が施行されたのはそのためだ。従前はパソコンや携帯電話、スマートフォン、デジタルカメラ、ゲーム機などの小型家電はリサイクル法の適用外で、不燃ごみなどに分類されていたが、きちんとリサイクルの仕組みをつくることで、資源化しようというわけだ。

同法の認定事業者であるリネットジャパンはインターネットと宅配便を活用して、パソコンやスマートフォンなどの小型家電を回収し、再資源化処理するサービスを提供している。特徴

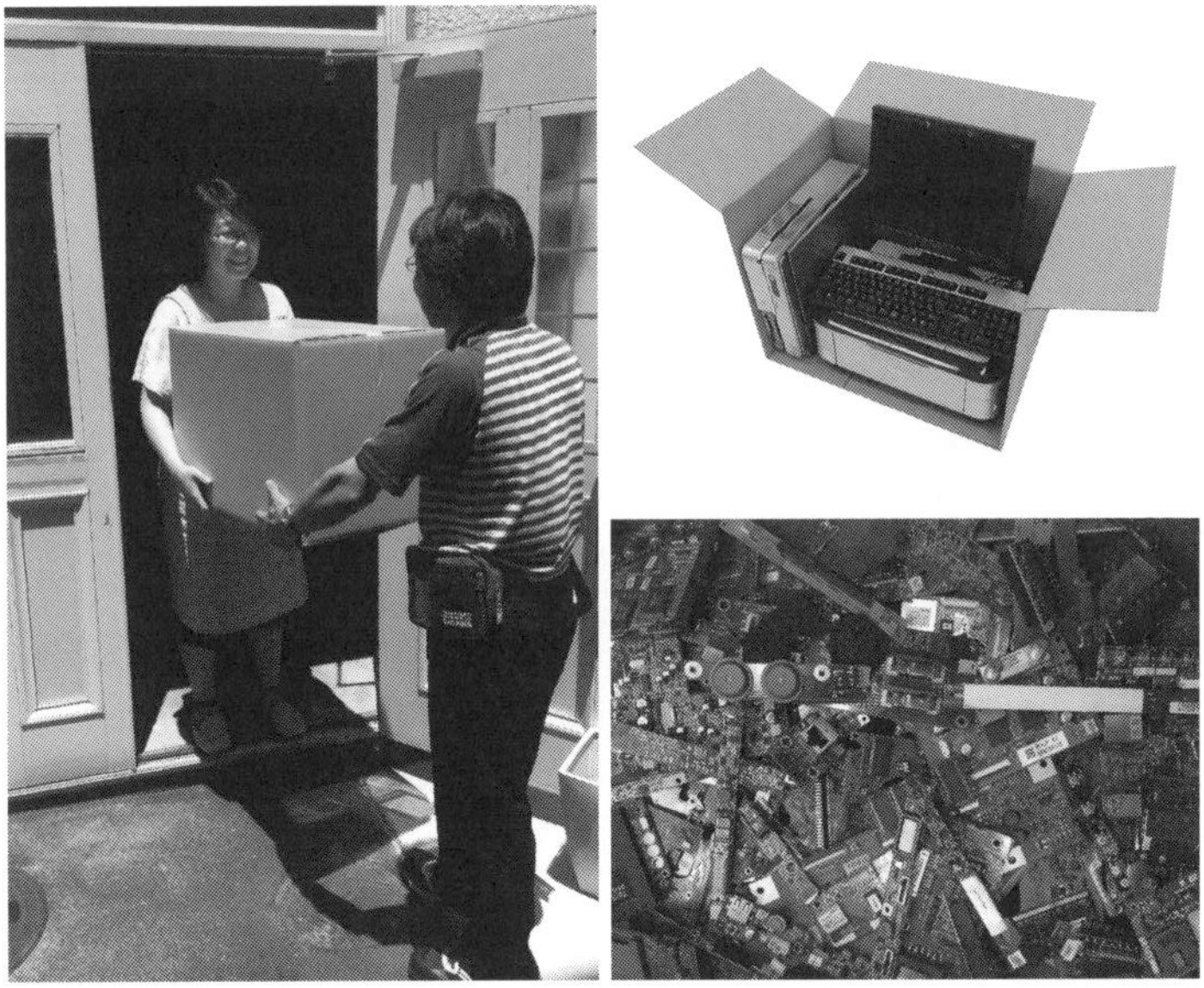

1）事前にインターネットで申し込み、宅配便にて回収する
2）料金は段ボール箱1つ880円（税抜き）。ここに小型家電を何点でも入れることができる
3）回収した小型家電は同社提携の中間処理会社（認定事業者）にて適正に処理され、パーツごとに分類、リサイクルされる

写真3-6　宅配便を活用した小型家電回収サービス（提供：リネットジャパン）

は、消費者は24時間いつでも自宅から申し込むことができて、宅配会社は365日いつでも自宅まで回収に行くという便利さと、消費者が安心して依頼できるようにデータセキュリティ、つまり記憶されている情報の完全な消去を徹底している点にある。

　リネットジャパンはサービス開始から2年で約100自治体と提携した。住民に対しては提携自治体から、同社の宅配回収サービスが行政サービスの一環として告知される。京都市ではわずか2カ月間でパソコン約1万台を回収することができた。

小型家電リサイクル法は罰則規定のない促進法ということもあり、回収が十分に進んでいない地域もあるという。いくら行政サービスでも、利用方法が面倒だったり、データの扱いに不安が残ったりするようでは住民の協力を得られないだろう。こういう領域こそ民間ならではのサービス発想を生かすべきである。

産業用ヒートポンプ普及に期待

ものづくりの現場において、加熱が必要なプロセスでは一般にボイラが使われている。そのうち、給湯、洗浄、乾燥、低温加熱（発酵熟成等）といった用途は100℃未満でよく、ヒートポンプに代替できる可能性がある。従来は大型ボイラなどの大規模集中型の設備を使っていたところを、産業用ヒートポンプなどの分散型の設備に代替することで、配管ロスやドレンロスなどの無駄を減少させ、大幅な省エネルギーを達成できる可能性がある。

図3―10にヒートポンプ応用先を示す。従来のヒートポンプで対応できたのは60℃程度までであったが、高温型ヒートポンプが開発されたことで、食品分野での活用が格段に広がった。また、医薬や化学などでも利用可能なプロセスが増えている。

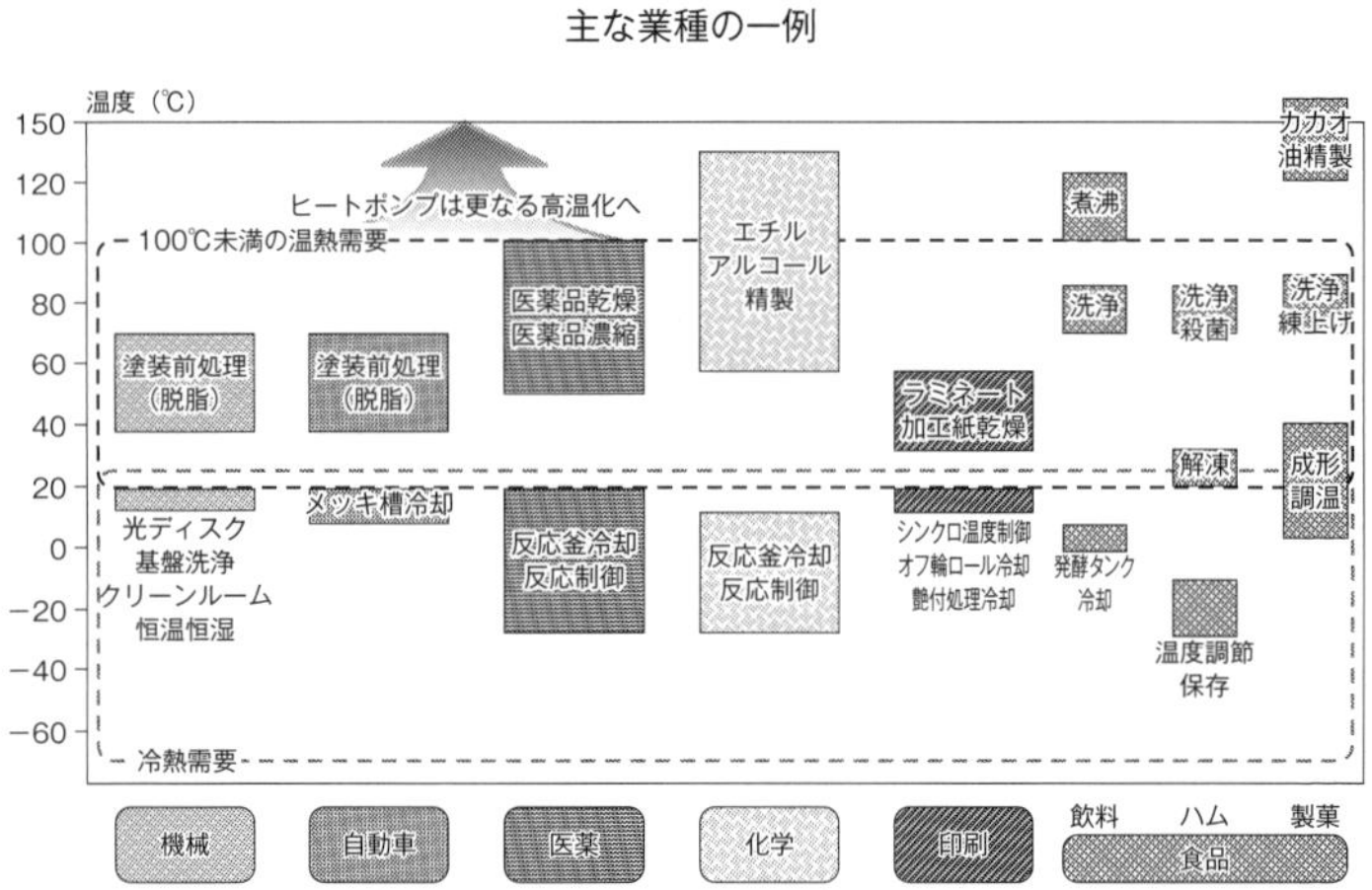

図3-10 ヒートポンプの応用先
出所：ヒートポンプ・蓄熱センター

産業用ヒートポンプは利用する熱の位置づけによって、2種類に大別できる。

ひとつは捨てていた熱を有効活用する排熱回収型ヒートポンプ。ものづくりの現場ではさまざまなところで排熱を回収して活用しているが、一部に回収しきれず熱として大気中に放出されているものもある。ヒートポンプは数十度程度の利用困難な温度帯の排熱も熱源として有効利用できる。熱が発生するタイミングと、熱を使用するタイミングに時間のずれがある場合には、作った熱を貯めておく蓄熱槽を設けておけば、エネルギーを無駄なく利用できる。

もうひとつは、冷却と加熱を同時に行う冷温同時取り出しヒートポンプだ。食品工場などでは冷却と加熱の工程が両方存在する場合

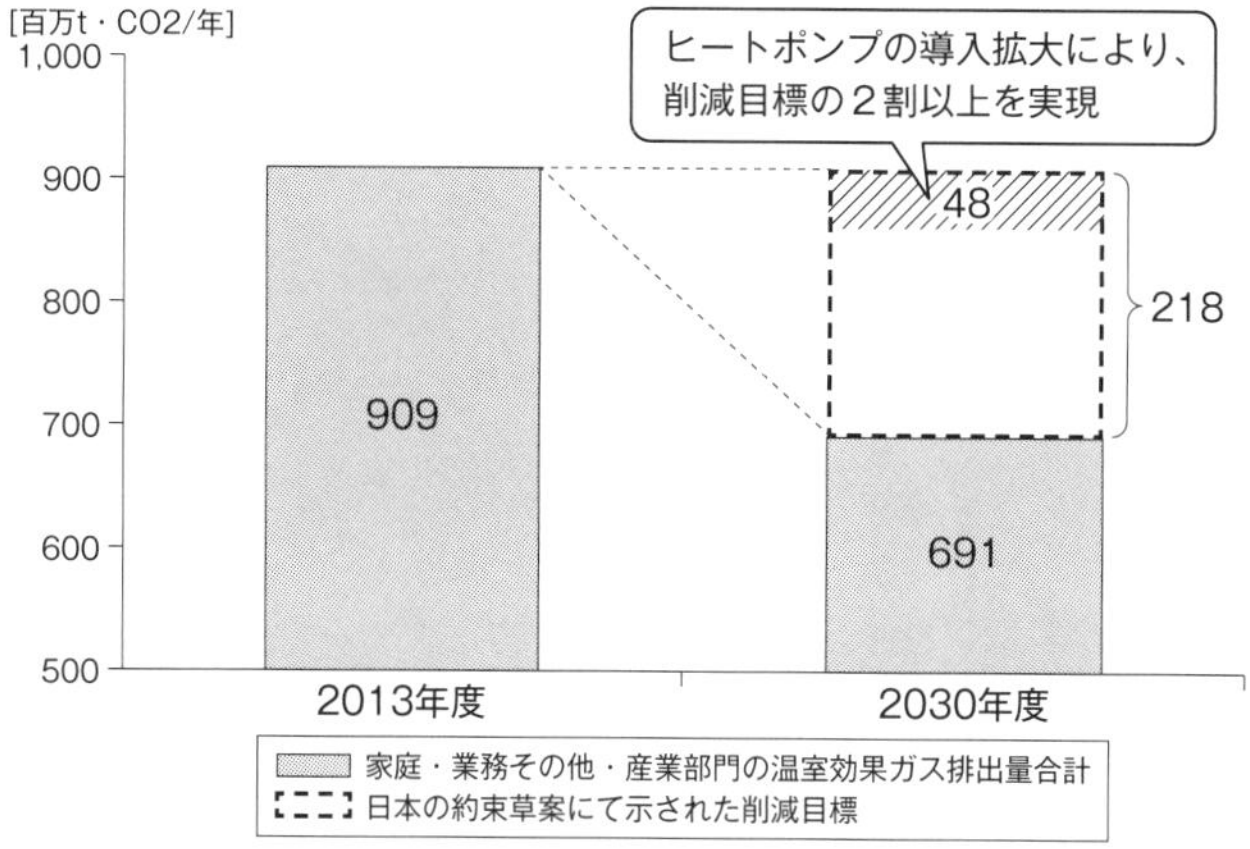

図3-11　ヒートポンプ導入によるCO_2削減効果
出所：ヒートポンプ・蓄熱センター

が少なくないが、ヒートポンプはそもそも一方の熱を汲み出して他方に逃す技術であり、熱を汲み出した側は冷やされ、汲み出された側は熱せられる。冷温を別に行うのではなく、それらを同時に行うことで、エネルギー効率は従来の2倍近くに達し、工場全体の省エネルギー化につながる。

たとえば、製麺工場では麺を茹でる際にボイラで湯を沸かす。茹でた麺はチラーで低温にした水で冷却する。この2工程の間にヒートポンプを置き、一方は熱を集めて高温の水をつくり、もう一方は熱を奪って冷水をつくる。ある工場ではCO_2排出量31%削減、エネルギー消費量35%削減に成功した。

日本は2020年以降の温室効果ガス削減に向けた約束草案を2015年に策定している。目標は2030年度に2013年度比マイナス26・0

%（2005年度比マイナス25・4%）の水準（約10億4200万トン—CO_2）とすることだ。ヒートポンプ・蓄熱センターでは、家庭用から産業用までヒートポンプの普及見通しを立てており、その中位ケースの場合のエネルギー削減効果と、約束草案の削減目標へ与える影響を試算している（図3—11）。それによると、ヒートポンプの導入拡大により目標の2割以上を実現できるという。

理論的には環境から熱をくみ上げて、そのエネルギーを利用するヒートポンプが正しいことはわかっていた。給湯のような低い温度を確保するために化石燃料を燃やすことは非効率だからだ。資源を直接燃やすところはこれからますます減っていくだろう。

第4章

低炭素社会を支える技術

(エネルギーを生かす)

◆ ◆ ◆

これからエネルギー効率はますます高まり、エネルギー消費量は減っていく。しかし、どこまで減らしてもゼロにはできない。ビジョン2050は低炭素社会の実現と質的豊かさを両立する概念である。そのためにはやはりエネルギーが欠かせない。問題はエネルギーの素性だ。

ビジョン2050では再生可能エネルギー2倍を目標に掲げた。IEAは2040年までの電源投資の6割が再生可能エネルギーだと予測している。これから数十年間は確実に成長が見込める市場だけに、ビジネスチャンスも多いだろう。

太陽光か、水力か、はたまたバイオマスか。未来の再生可能エネルギーを考えてみよう。

4章◆1　再生可能エネルギーの将来像

改めて考える再生可能エネルギーの価値

第3章まではエネルギー効率を高めて投下するエネルギーを最小に、得られる効果を最大にする技術を見てきた。しかし、いくら効率化を図っても、エネルギー消費はゼロにならないので、何らかの形で環境負荷の低いエネルギー資源を確保しなければならない。

そもそもエネルギー資源とは、ひとことでいえば「それ以外からはエネルギーを手に入れるすべはないエネルギーのもと」である。それらは地下に埋まっている、陸に生えている、空から降ってくるといったように、自然から手に入れることのできるものでなければならない。

この定義に照らし合わせると、化石資源や太陽光、水力、風力、地熱、バイオマスなどはエネルギー資源であるが、水素や電気はそうではない。水素や電気は自然から手に入れることはできないからだ。

しかし、水素は誤解されやすく、「水素がエネルギー問題を解決する」「水素立国」などといわれることがある。その主張の背景には「水素は無尽蔵にある水を電気分解して得られるので、水素でエネルギーをまかなうことができれば、エネルギー問題が解決する」「水素は火力発電にも燃料電池にも使えて、電気のもとになるから資源とみなせる」といったロジックがあるようだ。確かに水は無尽蔵にあるし、水素は発電にも使える。しかし、水素を作るためには別の資源が必要だ。したがって、水素はエネルギー資源ではない。

エネルギー資源の使用量を見ると、依然として化石資源の使用比率が圧倒的に大きく、非化石資源が占める割合は世界で24％、日本では7％である。しかし、低炭素社会を人類の豊かさとともに実現するためには、非化石資源の割合を増やしていかなければならない。そのためには、太陽光や風力、バイオマスといった再生可能エネルギーの利活用を拡大する必要がある。

第2章で述べたように、1995年以降の進展を考えると、ビジョン2050で提唱した「再生可能エネルギー2倍」は「全エネルギーの2分の1」と上方修正すべきである。そのための具体策をみていこう。

太陽電池と蓄電池の将来像を考える

長い目でみると、電源の主役は化石燃料から再生可能エネルギーになっていく。再生可能エネルギーとしては水力、風力、地熱、バイオマスなど多くの種類があるが、そのなかでも太陽光はエネルギー賦存量が膨大であり、また、これからの技術開発によるコスト低減の余地も大きいことから、利用拡大に期待が寄せられている。

しかし、太陽光は自然のものゆえに、発電量にばらつきが出る。夏と冬では日照時間や日照強度が違うし、天候は日々変わる。また、発電は日中に限られるが、使用は昼夜を問わないので、電力需給のタイミングにはズレが出る。これを補うために、蓄電池との併用が必要になる。よって将来の電源構成を検討、設計するためには太陽光発電システムだけでなく、蓄電池の今後の動向も明確にしなければならない。

コスト分析に関する研究および報告書としては、過去のトレンド分析、協会や行政が発表する展望やシナリオ、技術ロードマップ、市場調査と経済性分析など、さまざまなものがある。しかし、これらは経験曲線（ラーニングカーブ）に基づく経済性の評価が主である。将来の技術開発に伴う原料やプロセス、生産規模等の変化が十分に検討されておらず、製造コストの将来像を明らかにすることはできない。

我々の手法は現在そして将来のコストを算出するために、具体的な技術内容を明らかにすることを重視する。そのうえで製造プロセス設計を行い、その結果に基づいて製品やシステムの経済性、環境性の定量的評価を行っていく。また、技術と共に生産規模のコストに与える影響が大きいことから、その関係も明らかにする。将来の技術進展速度については関連技術の進展から予測を行う。

この評価方法は製品製造プラントへの投資時期、生産規模の計画を立てる際にも有用である。

将来コストと投資のバランスが重要

まずは太陽光発電システムの評価結果からみていこう。

２０１２年を基準年とし、２０２０年、２０３０年の姿を予測したものを図４―１に示す。現在の主流である単結晶シリコン太陽電池（単結晶Ｓｉ）はモジュール変換効率が17％、市場が拡大し始めている化合物薄膜太陽電池（ＣＩＧＳ）は同15％であるが、２０２０年にはＣＩＧＳの技術が向上し、発電効率は18％に上がり年間生産量が拡大し、製造コストなどは削減できると見込む。また、ＣＩＧＳとは別に、新しいタイプの薄膜太陽電池も登場して、これの変換効率を15％程度と予測する。

２０３０年には単結晶Ｓｉの厚みが現状の３分の１以下に抑えられ、発電効率は25％にまで高まるだろう。また、複数のＣＩＧＳを重ねた層状構造のＣＩＧＳタンデムは変換効率30％という性能を武器に、市場を拡大していくと見ている。

システム全体の製造コストはモジュールの製造コストとＢＯＳ（Balance of system：周辺機器、工事を含む）の合計で表される。２０１５年の1ワット（Ｗ）当たりの製造コストは１２６円であった。５年後の２０２０年には97～１００円、15年後の２０３０年には57～64円まで下がると予測する。

次に発電コストを考えてみる。２０１５年の単結晶Ｓｉの製造コストは１２６円／Ｗである。このシステムを運営するのに必要な年間経費率を製造コストの10％とすると、年間経費は12・6円／Ｗとなる。１Ｗのシステムの年間発電量は年間日照量が１０００時間（ｈ）なら１Ｗ×１０００ｈ＝１０００Ｗｈ（１ｋＷｈ）であるから、発電コストは１ｋＷｈ当たり12・6円となる。

世界では発電コストとしていろいろな値が報告されており、12・6円／ｋＷｈよりも低い値も存在する。たとえば、ドバイや米国など日照条件の良いところでは３～５円／ｋＷｈといった報告が多い。こうした地域では年間日照量が多く、発電量が日本の2倍以上になるので、年間経費率を製造コストの７％にすると、発電コストは５円／ｋＷｈ以下になる。我々のコスト計算結果は世界の報告ともピタリと一致するのである。

図４—２に太陽光発電モジュール・システム製造コストの推移を、日本と中国のモジュール売価と共に示す。１９９１年のコスト計算値は著者らが計算したもの、２０１５年の値は低炭

素社会戦略センター（ＬＣＳ）が計算したもの。２０１０年以降は市場の拡大と競争激化により、モジュール価格が急激に下がり、コスト計算値に接近している。特に中国製のモジュールは為替、国策の影響もあるが、売価がコストを下回っている。２０１２年に米国を先頭に欧州でも、中国製太陽電池パネルに対する反ダンピング・反補助金課税が課せられることになったが、筆者らによるコスト計算と照らし合わせれば、その論理的根拠はあるように思われる。

企業にとってはこれだけ売価が下がると、相当に厳しい。図４―３は海外の太陽電池製造企業の現在の収益状況である。ほとんどの企業が赤字で損失状態に陥っている。

以上のことから、企業が投資するうえで重要なことが見えてくる。技術が進展して市場が拡大し、生産量が増えれば、製造コストは下がる。しかし、それは競合他社も同じだ。価格競争が激化して、売価がコストを下回れば、赤字が累積していくだけである。

だからこそ、企業の経営判断においては、将来的な技術進歩や適切な生産規模などを考慮したうえで、将来のコストを検討することが重要なのだ。将来の市場規模に、現在の製造コストを組み合わせて事業計画を立てても意味を成さない。新工場の技術選択、規模、時期などを適正に決定するには、将来のコストを見極めることが重要である。また、反ダンピング課税といった対外政策を論じるに当たってもこうしたコスト評価が不可欠なのである

図4-1　太陽光発電システムコストの内訳

技術レベル		現状2015		2020		2030	
太陽電池		単結晶Si 150μm厚	CIGS	CIGS	新規薄膜	単結晶Si 50μm厚	新CIGS タンデム
モジュール変換効率		20%	15%	18%	15%	25%	30%
年間生産量（GW/年）		1	1	5	1	5	5
製造コスト	変動費（原材料費）	56	51	40	34	35	29
製造コスト	変動費（用役費）	4	2	1	2	1	1
製造コスト	固定費（設備費・人件費）	14	14	9	12	6	7
モジュール小計（円/W）		74	67	50	48	42	37
BOS	架台（工事費含む）	22	29	27	32	12	10
BOS	パワーコンディショナ	30	30	20	20	10	10
BOS小計（円/W）		52	59	47	52	22	20
システム（円/W）		126	126	97	100	64	57

出所：科学技術振興機構 低炭素社会戦略センターの資料を基に作成

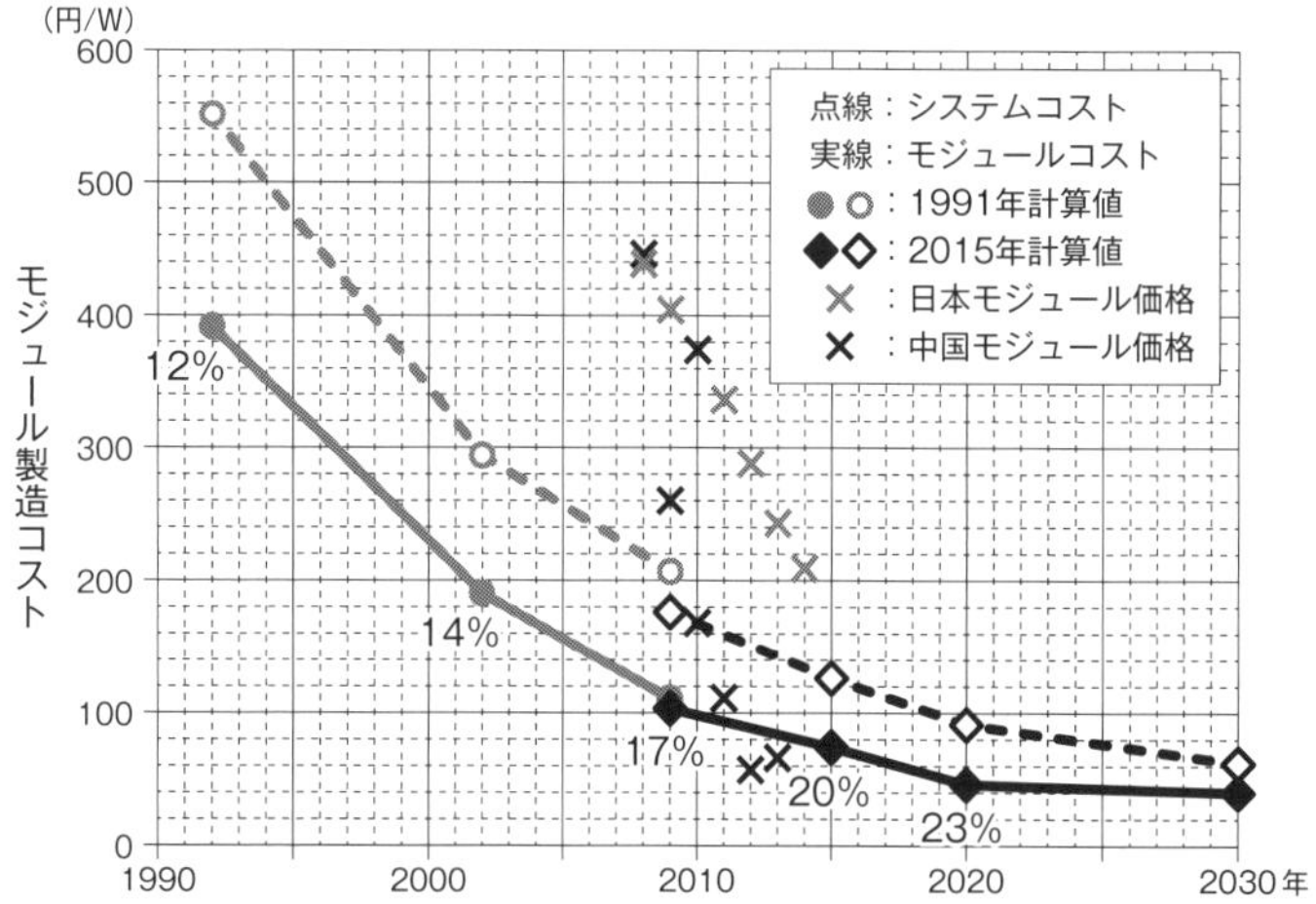

図4-2　太陽光発電モジュール・システム製造コスト
出所：科学技術振興機構 低炭素社会戦略センターの資料を基に作成

図4-3　太陽電池モジュールメーカーの収益

企業	2015年モジュール出荷量[*1]	2015年純損失(Net income)[*2]	純損失の原価への影響[*3]（純損失÷出荷量）	備考
	GW	M$	¢/W-module	
SunPower	1.3	**-42**	**-3.2**	米、n-type
JA Solar	3.1	**-39**	**-1.3**	中
Jinko	3.5	**-60**	**-1.7**	中
Trina Solar	4.5	**-49**	**-1.1**	中
Canadian Solar	4.1	**-37**	**-0.9**	加
Yingli	3.6	**-155**	**-4.3**	中 defaulted
First Solar	2.5	16	0.6	米

（※ 先端工場製造コスト 約60¢/W）
*1）出荷量：富士総研データ、*2）純損失：First Solar 発表資料@PVSEC2016（ソースは各社Annual Report）
*3）各社はセルのみの販売もしているため、ワット当たりの数値は参考値
出所：科学技術振興機構 低炭素社会戦略センターの資料を基に作成

2050年に主役となる蓄電池とは?

リチウムイオン電池はパソコンやスマートフォンにも使われており、私たちの生活にもっとも身近な蓄電池のひとつだと言える。リチウムイオン電池の基本構造は、リチウム金属酸化物を主成分とする正極と、黒鉛(グラファイト)等からなる負極が、両極を区切るセパレータとともに電解液に浸っているというもの。電気が流れると、正極のリチウムイオンが電解液中に溶け出し、セパレータを通りぬけて負極側に移動して黒鉛層の間にとどまる。これが充電した状態。放電するときは、黒鉛層からリチウムイオンが溶け出して、正極側に移動する。

太陽光発電と組み合わせる定置利用の蓄電池には、大量導入に耐え得る安定性と経済性が要求される。リチウムイオン電池は鉛蓄電池やニッケル水素電池など従来の蓄電池と比べてエネルギー密度が高く、寿命が長く、充放電効率も90%と高い。材料開発、製造技術が進歩し、普及期に入って価格も下がっているため、導入しやすい蓄電池だと言える。

現在の家庭用蓄電池の価格を図4―4に示す。日本企業の売価は図4―5に示す製造コスト13・9円/Whの10倍程度だが、米国テスラの売価は3倍程度である。これから市場が発展するほどに、生産規模の拡大や製品歩留まりの向上、新製品開発などにより、厳しい価格競争が始まるであろう。

すでに一定量が普及するリチウムイオン電池に対して、将来の普及に期待がかかるのがNAS電池である。この電池は負極にナトリウム（Na）、正極に硫黄（S）が使われることから「NAS（ナス）」と命名された。正極と負極の間には固体電解質のファインセラミックスが使われる。電池反応は負極から溶け出したナトリウムイオンが、正極で硫黄と結合して多硫化ナトリウムを生じることで起こる。充電のときは、この多硫化ナトリウムの結合が解かれて、ナトリウムイオンが正極へと移動する。充放電効率は80％程度である。

NAS電池の特徴は高エネルギー密度を誇る大容量電池であること。同じ容量ならば鉛蓄電池の約3分の1のサイズでよい。大量に並べればメガワット級の電力貯蔵に対応可能で、大規模ソーラーシステムにも適している。

もうひとつ、注目したいのがレドックスフロー電池である。この電池は正極と負極に電位差のある電解液を入れたタンクを使用する。両極の間には電解セルがあり、それらは配管とポンプで接続されている。電極に使用する活物質は、歴史的にはさまざまあるが、現在もっとも有力なのは正極にも負極にもバナジウムを使用したものだ。

ほかの蓄電池は電極で異なるイオンを授受して充放電するが、レドックスフロー電池は電解液の酸化還元反応で充放電するため、電池容量がほとんど低下しない。つまり、性能を維持したまま長期使用が可能なのだ。ただし、充放電効率は75％、エネルギー密度も高くない。その

図4-4　家庭用蓄電システムのメーカーと価格

（2015年5月時点）

メーカー	製品型番	容量[kWh]	価格[万円]	単価[円/Wh]	実質価格（補助金入り）[円/Wh]
シャープ	JH-WBP07A	4.4	107	240	150
パナソニック	PLJ-25522K	5.6	119	210	135
エリーパワー	EPS-11	6.2	131	210	130
NEC	ESS-H-002006B2A	5.53	123	220	140
テスラ	Powerwall	10	41	41	—

テスラ製品のLCSコスト計算値：15円/Wh（電池 13, BOS 2）
出所：科学技術振興機構 低炭素社会戦略センターの資料を基に作成

図4-5　リチウムイオン電池の現状と将来シナリオ

			現状	2020年	2030年
			Ni系電池	Ni系電池	Li_2O系
生産規模[GWh/y]			1（10）	10	10
収率[%]			66（90）	90	90
エネルギー密度[Wh/kg]			250	340	500
活物質（正極/負極）			$LiNi_{0.85}Co_{0.12}Al_{0.03}O_2$/黒鉛	$LiNi_{0.85}Co_{0.12}Al_{0.03}O_2$/黒鉛	Co-Li_2O/SiO
正/負極容量密度[mAh/g]			200/300	270/380	440/2000
正/負極の実容量対理論値の比			0.71/0.78	0.97/0.99	0.75/0.75
製造コスト[円/Wh]	変動費	原材料費	10.2（7.5）	4.8	2.8
		用役費	0.5（0.4）	0.4	0.3
	固定費		3.2（1.7）	1.4	2.1
	合計		13.9（9.6）	6.6	5.2

出所：科学技術振興機構 低炭素社会戦略センターの資料を基に作成

ため、小型化には不向きだが、熱暴走や発火のリスクがないという優れた特徴を持ち合わせている。

さまざまな用途が考えられる明るい市場

３種類の蓄電池を紹介したが、ここからは最も充放電効率に優れたリチウム系の蓄電池の将来展望を考えてみたい。図４―５はリチウムイオン電池の現状と将来シナリオである。現状は１キログラム当たりのエネルギー密度２５０Ｗｈのニッケル系（Ｎｉ系）電池を13・９円／Ｗｈで製造している。２０２０年には技術が進展し、エネルギー密度は３４０Ｗｈ／キログラム、製造コストは６・６円／Ｗｈになっていると予測する。２０３０年には従来のリチウムイオン電池の活物質が改良され、製造コストは５・２円／Ｗｈまで下がるだろう。

リチウム空気電池は従来のリチウムイオン電池と異なり金属化合物を使わず、金属リチウムと空気中の酸素を反応させて発電する。エネルギー密度が高いため、小型軽量化が可能になるとして自動車業界も注目している。日産のＥＶ「リーフ」は車体重量の20％に相当する約３００キログラムのリチウムイオン電池を搭載しており、重量的にもコスト的にも効率が良くない。ＥＶには現在のエネルギー密度の３倍程度の電池が必要だ。図４―５に示したように２０

30年時点では要求水準に到達しないが、2050年までにエネルギー密度が700Wh／キログラムを超える可能性はある。そのとき日本で200万台のEVが走っていれば、EVだけで100GWh程度の大きな蓄電池市場が存在することになる。

一方、家庭用蓄電池や電源用蓄電池は自動車用ほど物性に対する要求がシビアではない。電源用蓄電池は将来的に400〜700と、EV市場よりも数倍大きい市場に発展すると考えられる。その他にもロボットなど多くの用途が考えられることから、蓄電池市場はとりわけ明るい分野だと言える。

以上、太陽電池、蓄電池の現状と今後の展望を含めて定量的な計算結果を述べてきた。市場拡大には経済性が必要であり、そのためには高効率化と高性能化が欠かせない。研究・開発の課題は明確で、世界各国で多数の研究者、技術者が取り組んでいる。企業間の競争は激化するが、これから数十年以上は伸び続ける市場である。

ここでコモディティ、つまり汎用品に関する興味深い企業戦略を紹介しよう。巨大な石油化学企業であったダウ・ケミカルはコモディティ分野も得意としてきた。その戦略の骨子は次の通りである。

1. ナンバーワン、少なくも3位以内のシェアを確保し続けろ
2. わずかでも良いから、他社より品質、製造コストで優位に立て

3．上記のために、経済環境がどんなに悪くても投資を続けろ
4．その上で失敗した人を責めるな

こうしてダウはコモディティ分野で優位を築いていった。太陽電池も蓄電池も、かつては高機能品に分類されたのかもしれないが、今後はコモディティである。技術開発は不可欠だが、ダウのような経営戦略もまた不可欠だ。日本企業のいくつかがこの分野で勝ち残ることを期待したい。さらにまた、本書の予測を上回る技術の誕生を願っている。

地域に合った水力発電が普及の兆し

日本は少資源国だと言われながらも、水資源については１００％自給できるほど豊富である。水力発電は化石燃料を使用しない再生可能エネルギーだが、現在主流の大規模開発を伴うような水力発電施設は日本の場合、これ以上の新設が難しい。

しかし、小水力発電は大いに開発の余地がある。出力規模1万ｋＷ以下に限っても、そのポテンシャルは全国で約１０００万ｋＷと試算される。これは一般電気事業者の全発電設備容量2億４３６０万ｋＷ（２０１０年）の約４％、大規模水力発電量の約80％、原子力発電所の10基分に相当する。

小水力発電は水位の落差があるところにプロペラを設置し、その推力で発電する。発電可能な場所としては一定以上の流量で水が流れる上下水道管や河川、農業用水路など。これまでも小水力発電の可能性は指摘されていたが、十分に普及が進んでいないのはコストの問題だ。さまざまな場所で発電できることは小水力発電のメリットだが、デメリットでもある。場所によって水の流量や流路、周辺環境などの条件が変わるため、その都度、プロペラの形状やサイズ等を変えなければならない。10kW程度の発電所のために設備を手作りしても採算が合わないのだ。

逆に考えれば、設置環境が似たところに、汎用化したプロペラを設置すれば、採算がとれる可能性が出てくる。

実はすでに新たな動きが起きている。ゲームコンテンツの開発で知られるイマジニアが土地改良区と連携して、農業用水路に小水力発電を広げる計画を進めている。同社CEOの神藏孝之氏によれば、宮城県で実証実験を行っており、富山県では当面500〜1000kW規模の導入が検討されている。

農業用水路はある程度形状が似ているので、プロペラを3つか4つ作っておけば、多くのスポットに配備できるという。ただし、プロペラで起こした交流の電力を直流に変換してからもう一度交流に変換し、系統連携するため、技術的なハードルは低くない。効率向上に向けて、

写真4-1　農業用水を使用した小水力発電（提供：イマジニア）

安川電機や大学との共同研究が進んでいる。

小水力発電を広げていくためには、こうした技術的なハードルと併せて、制度や規制のハードルも乗り越えなければならない。農業用水路はそもそも農業のために設置されているもので、水利関係者が多い。発電に使うとなれば、農業に影響が出ると反対意見も出てくる。

神藏氏のプロジェクトは土地改良区と連携しているところがポイントだ。地域の人々とも、自治体や農業関係団体とも普段から関わりを持っているので、地域の理解を得やすい。しかも、発電設備の保守管理は土地改良区に委託する。発電設備は、普段は無線で管理をしているが、何かしらエラーがでたときは土地改良区の職員が現場にかけつけるというわけだ。

小水力発電は技術と制度の改良で実現でき、エネルギーの地産地消にも貢献する。小さな一歩でも、実績を積み重ねていくことが、社会を動かすことへとつながっていくのである。

バイオマスのポテンシャル

バイオマスも水資源同様に高い自給率を実現できる可能性がある。

ビジョン2050を提唱した1999年当時、世間ではバイオマスプランテーションが注目されていた。最近ではさっぱり聞かれないが、その原因は経済合理性にある。建築用の木材は1立方メートル当たり5万円であるのに対して、燃料用の木材は石炭と同水準の1立方メートル当たり5000円程度と、およそ10分の1になってしまう。バイオマスのためだけに大規模農場を運営しても経済的に合わないのだ。

それゆえバイオマスにはさほど期待できないと考えていたのだが、ここへきて新たな可能性が浮上してきた。日本の場合は林業の再生と合わせて考えることで、バイオマスの利活用は拡大しそうなのだ。

現状、日本の林業は海外との価格競争に負けて弱体化している。主生産物は建築用木材だ

写真4-2　スウェーデンの大規模林業に学ぶ

が、それは森林資源の2割程度を使っているに過ぎず、残る8割は十分に活用できていない。そこで注目したのが建築用木材を生産する際に発生する端材だ。もともとは余りものゆえ、原価は低い。これをバイオマス資源とすれば、石炭と同水準の価格でも経済的に成立する可能性がある。

　端材をバイオマスに使うアイデア自体は目新しいものではない。しかし、燃料に加工して出荷するには相応の設備投資が必要で、効率的なバリューチェーンを構築しなければ採算が取れないのが実情だ。

林業全体としてはスウェーデンやオーストリアにおけるサプライチェーン構築などの成功事例に学ぶことができる。プラチナ構想ネットワークではスマート林業ワーキンググループを設置し、木材利用のサプライチェーン構築など、林業再生に向けた議論を交わしている。第6章で述べるように林業は国土強靭化や自然共生の観点からも極めて重要な産業だ。すっかり弱体化した産業を再生させるのは容易ではないが、林業再生は資源問題と環境問題を同時に解決するテーマとして、国を挙げて取り組むべきである。

再生可能エネルギーのパートナーとしての水素

太陽光、水力、バイオマスなどの再生可能エネルギーはそのほとんどが電気に変換されて、日々のくらしやものづくりの現場に届けられる。電気はエネルギー資源ではないが、人間にとって活用しやすい形態であり、これからますますその重要性が増していくだろう。

水素も電気と同じくエネルギー資源ではないが、エネルギーの媒介としては使い勝手がいい。たとえば、太陽光発電のような発電量にバラつきがある発電方式と組み合わせて、発電量が多いときに水を電気分解して水素を作る。蓄電池のように、水素に電気エネルギーを貯めておくイメージだ。

写真4-3　オーストラリア褐炭採掘場と、若い石炭である褐炭（提供：川崎重工業）

水素を入れておくガスボンベは蓄電池ほど重量がなく、運搬・保管ができるので、発電する場所（水素を製造する場所）と使用する場所が離れていても問題はない。水素は燃料電池を動かすこともできるし、天然ガスと混ぜればガス火力発電に使うこともできる。

最近では未利用化石燃料資源の褐炭を水素に改質する試みも始まっている。褐炭は数千万年から1億年前の植物が炭化したもの。石炭は3億年前の植物なので、褐炭は若い石炭とも言えるのだが、石炭ほど使い勝手がよくない。褐炭は水分含有量が多くて重く、輸送するにはコストが合わない。しかも、物性が不安定で、乾燥すると自然発火してしまう。

そこで考えられたのが、採掘地のそばで化学反応（ガス化技術）を利用して褐炭から水素を取り出す方式だ。この行程ではCO_2が発生するため、それを回収して地下に貯留するCCSと組み合わせる。川崎重工業はオーストラリアのビクトリア州ラトロフバレーから褐炭由来の水素を輸送するプロジェクトを推進している。採掘地の近郊には枯れかけのガス田があり、ここをCCSに利用するという。低品位の石炭からCO_2フリーで水素が得られるという構想である。

このプロジェクトと並行して、同社は水素専焼ガスタービン火力発電設備の開発にも取り組む。水素の燃焼では水しか発生しないので、褐炭から始まる一連のサプライチェーンは実質上、ゼロエミッションを実現できる。

4章◆2 理論とITから生まれるイノベーション

極限まで効率を追求

全体としてはビジョン2050の示す方向に進んでいるものの、エネルギー効率3倍や再生可能エネルギー2倍、物質循環システムの確立という3つの目標は、このまま安穏と待っていて実現できるほど簡単なものではなく、技術的なイノベーションが必要不可欠である。科学者も技術者も真面目に研究し、技術開発に取り組んでいるからこそ「これ以上の効率化はできない」「最善を尽くしている」という。しかし、先人たちはその〝壁〟を乗り越えることで、新しい世界を切り開いてきた。

好事例のひとつが公害対策だ。１９５０年代以降の経済発展にともなって公害が蔓延したことを受けて、日本やドイツでは厳しい環境規制が敷かれた。その規制に従えば工場の生産性が落ち、経済的に成立しないとの声も上がった。確かに現状技術の延長線上で乗り切ることは難しかっただろう。しかし、公害を食い止めるというビジョンに向かって、バックキャストで研究開発に取り組んだ結果、いくつもの革新的な発想が生まれ、環境規制をクリアするだけでなく、以前よりも生産性を高めることに成功。それが企業の競争力につながった。

１９７８年には、自動車の排気ガスによる大気汚染が深刻化したため、NO_x排出量を9割削減するという日本版マスキー法が施行される。このときも、あまりに高い目標値に実現は無理だと言われたが、日本メーカー各社は真摯に取り組み、これを実現。後々、世界中で環境規制が高まっていくなかで、日本の技術力は大いにアドバンテージとなった。

イノベーションは無理だと思えるほど高い目標を達成するときに起こる。その目標設定において大切なことは一見すると無理でも、無謀ではないことだ。

物理現象には必ず理論値が存在する。

筆者らの研究チームでは１９９０年にエアコンの技術予測を行った。エアコンは室内と屋外の気温差に抗して熱を出し入れするヒートポンプの技術を使っている。そのエネルギー効率は成績係数という数値で表され、1990年以前は1kWの電気で3kWの暖房ないし冷房ができるということで、成績係数は3であった。

成績係数の理論的限界は「室内温度／温度差」で計算される。ここでいう温度は摂氏に273を加えた絶対温度だ。室内の温度が28度、外気を35度だとすると、成績係数は（273＋28）／（35－28）＝43となる。つまり、消費する電気エネルギーの43倍の熱を室内からくみ出せるということ。この43が理論値で、1990年以前の3と比べると、大きな開きがある。ここにイノベーションの余地がある。

1990年、我々のチームは2050年の成績係数を12と予測した。成績係数が4倍になるということは効率が4倍になるということ。いくらなんでも無理だとメーカーの技術者たちは猛反発したし、当時の通産省（現・経済産業省）の委員会ではまったく無視された。しかし、我々には自信があった。予測に当たってはエアコンのコンプレッサに使われるモーターの磁石の効率改善までも検討した。当時のコンプレッサは理論量の2倍の電気を消費しており、効率のよい磁石を使えば解決できると考えた。ほかにも、流体力学の技術や潤滑油の技術など、細かな要素技術を検討し、理論値43に対して12は実現可能だと判断した。

その見立てはおおむね合っていた。成績係数が3だった1990年時点ではビジョン205

図4-6　暖房エネルギーは12分の1に

エアコンの成績係数

1990以前	1997	2004	2006	2010	ビジョン2050	理論
3	4	5	6	7	12	43

出所：『日本再創造』

0の12という数値が途方もなく高い目標に思えただろうが、2010年には7まで伸び、その後も着実に進化している。この流れを受けて、経済産業省も2050年の目標値を12に引き上げたのである。こうした経緯を見ても、単なる過去の延長的な予測ではなく、理論と、俯瞰的で現実的な技術予測の重要性は明らかだ。

イノベーションを誘発するためには、高いが合理的な目標設定が必要なのである。

エネルギーマネジメントシステムで効率化を図る

2016年春、電力小売りの全面自由化が始まった。電力会社を切り替えるには通信機能を備えたスマートメーターを導入している必要があり、従来の電力メーターとの交換が進んでいる。経済産業省は2020年代には全世帯に導入する方針を打ち出しているので、今後も普及が進むだろう。

スマートメーターは30分ごとに電気の使用量を計測し、通信機能を使ってデータを送信することができる。電力会社は検針作業が不要になるほか、ビッグデータを生かして多様な料金体系の開発や価格設定による需給調整に活用できる。

需要家のメリットはリアルタイムでエネルギー消費動向を把握できること。スマートメーターの情報はＨＥＭＳ（Home Energy Management System、家庭用エネルギーマネジメントシステム）と連動させることが可能だ。ＨＥＭＳは照明器具や空調機器、太陽光発電システム、家庭用燃料電池、給湯器、電気自動車など、家庭内の電気にかかわるすべての機器を接続し、エネルギー消費の最適化を図る仕組みのこと。情報を可視化することで「ほかの家庭と比べて、電力消費量が多い」「思ったよりもこの時間帯の消費量が多い」といったことが分かるので、各家庭で省エネ意識が高まると期待される。この情報は料金プラン選択にも役立つ。

また、ＨＥＭＳは機器類の制御ができることも大きな特徴だ。快適環境を維持できるように照明や空調をバランスよく運用したり、蓄電残量から電力消費の多い家電をエコ運転に切り替えたり、全体最適を図ることができる。太陽光発電でエコキュートを動かして湯と電気を同時に獲得し、エネルギー消費をマネジメントして省エネを図るという使い方も可能だ。

ＨＥＭＳと同じく系内のエネルギー使用を最適化するシステムで、ビル用のものはＢＥＭＳ（Building Energy Management System）、工場用のものはＦＥＭＳ（Factory Energy Management System）と呼ぶ。さらに、ＨＥＭＳ／ＢＥＭＳ／ＦＥＭＳが集積する地域ではＣＥＭＳ

(Cluster/Community Energy Management System）も成立する。

これらシステムを普及させるには、乗り越えるべきいくつもの課題がある。なかでも最大の問題は価格だろう。

愛知県豊田市が経済産業省の次世代エネルギー・社会システム実証地域の指定を受けて実施したプロジェクトでは、エネルギー自給率について注目すべき結果が出ている。市内の住宅地区にスマートハウスを新築分譲し、創エネ（3・6kWの太陽光発電）、省エネ、蓄エネ機器（EVを含む）の装備、HEMSによる制御の結果、家庭とEVの消費エネルギーの約70％を自給できたという。つまり、家庭と輸送のエネルギーの自給は視野に入ったわけだ。

HEMSの市場価格は20万円前後が相場。付随する機能によって多少の前後はあるものの、安いものでも10万円は超える。パソコンやタブレット機器が数万円程度でも購入できることを考えると、HEMSはあまりに高い。

これは企業が、普及の初期段階で開発費を回収しようとするためである。

一方で、ヒートテック商品のように、ユニクロと東レが提携して、最初から市場への大量普及を前提とした価格設定を行うことで、商品普及のスピードアップを実現し、実際に大ヒットしている例もある。これは、低コストを実現する大規模生産プロセスと、低価格で大規模な販売網との連携によって可能となったのだ。

ＨＥＭＳの普及は低炭素社会づくりのカギの一つである。

企業は、最初から大量普及することを前提として供給体制や価格設定を考える、という勇気を持つべきだろう。

日本が勝負すべきは高付加価値品

製品やサービスの普及のカギを握るコストについて、別の角度からも考えてみたい。

図4―7に日常使用されている製品の重量当たりの売価と一部コストを示す。ほとんどの製品は鉄鋼、アルミニウム、ガラス、プラスチック等の基礎材料が重量の大部分を占める。素材のコストは1グラム当たり、およそ0・1円から0・2円だ。扇風機や洗濯機、冷蔵庫といった大量生産されている家電の売価は、素材のコストの5倍から10倍程度である。軽自動車やトラックも素材の5倍から10倍に過ぎない。

素材のコストと売価が近しいほど、付加価値が低いことを意味する。価格競争も激しい。この観点で見ると、太陽電池モジュールは扇風機やトラックと同じようなコモディティ商品になっていることがよく分かる。

リチウムイオン電池も、ほかの蓄電池と比べると高価なイメージがあるが、重量単価でみれば、乾電池と大きな差はない。ソニーや日産自動車はリチウムイオン電池事業からの撤退を決めた。もはや自社専用品の研究開発に投資せずとも、市場から汎用品を調達すればよいとの判断だ。しかし、蓄電池市場にはいまだ技術開発の余地が十分にある。この状況を理解し、的確な経営判断をすれば、産業拡大も可能であろう。

一方、製品重量当たりの売価がコストよりも格段に大きな、高付加価値品の例としては大型ガスタービンが挙げられる。ガスタービンは製品設計、材料開発、製造技術が高度で、素材の１００倍以上の価格になっている。それ以上に複雑なシステムを持つ航空機はさらに桁がひとつ多い。

将来の低炭素社会ではロボット、センサ、コンピュータ、医療機器などハード製品産業と共に、それらを自在に使いこなすためのサービス産業の進展が期待できる。これからの日本はこうした高付加価値の領域で勝負すべきだと考える。

ＨＥＭＳでいえば、基本のシステムは大量普及を前提とした価格を設定し、各社はＨＥＭＳのデータを生かした高付加価値サービスで勝負するようなモデルにはできないだろうか。たとえば、初期の携帯電話市場はハードを値下げすることで製品を行きわたらせ、使用料で収益を上げるモデルであった。ＨＥＭＳのデータからは起床や就寝の時間がわかるし、料理や入浴、

図4-7　製品重量当たり売価、コスト

製品	売価（円/g）
携帯電話	100〜600
ジェット機（B787）	100
時計	50〜3,000〜
大型ガスタービン	15〜30
パソコン	10〜30
リチウムイオン電池	6
テレビ	4〜10
乗用車	1（軽）〜6（レクサス）
冷蔵庫	1
トラック	0.8〜2
洗濯機	0.8
乾電池	0.7〜4
扇風機	0.7〜3
太陽電池モジュール	0.7〜2

出所：科学技術振興機構 低炭素社会戦略センターの資料を基に作成

趣味など、電気の使用に紐づく行動が見えてくる。個人情報の問題はあるにせよ、極めてパーソナルなデータだからこそ、コモディティではない高付加価値のサービスを構築することができるのである。

ビッグデータ活用による需要予測の高度化

日本には約3億トンの化石資源が輸入されている。ざっくり分けると、製油所に60％、発電所に25％、ガス会社に5％、残りは製鉄用の石炭である。製油所も発電所もガス会社も自身がエネルギーを消費することを目的としていない。実

際にエネルギーを消費するのは先に述べた「日々のくらし（運輸・家庭・業務）」と「ものづくり」だ。製油所や発電所、ガス会社などは消費者が使いやすいようにエネルギーの形を変換しているので、エネルギー変換部門と呼ばれる。

エネルギー変換部門で化石資源を１００％変換できれば良いのだが、一部はここで消費されている。火力発電の場合、燃料を燃やして発生する水蒸気の力でタービンを回すのだが、一方を低圧にしないと水蒸気が流れないため、復水器で水蒸気を液化する工程を挟む。ここでエネルギーの約60％が海や大気に放出されている。日本の火力発電は世界トップの効率を誇るが、それでもロスは少なくない。火力発電以外でもロスは生じており、発電ロスと、日々のくらしと、ものづくりはおよそ3分の1ずつのエネルギーを消費している。

発電ロスを減らすためには、発電効率を向上させるほかに、消費電力予測も重要である。電力会社は過去の電力消費状況や気象予測（気温予測）などをもとに、消費電力を予測して発送電量を調整している。消費量よりも発電量が多ければ、使い切れなかった電力を無駄に捨てることになるが、消費量よりも発電量が少なければ供給不足に陥って社会が混乱する。そのため電力会社は常に消費電力の予測よりも多めに発電せざるを得ない。一旦発電した電力は貯め置けないのがやっかいだ。

我々の研究チームで、東京電力管内の消費電力予測と気象台の天気予報データを検証したと

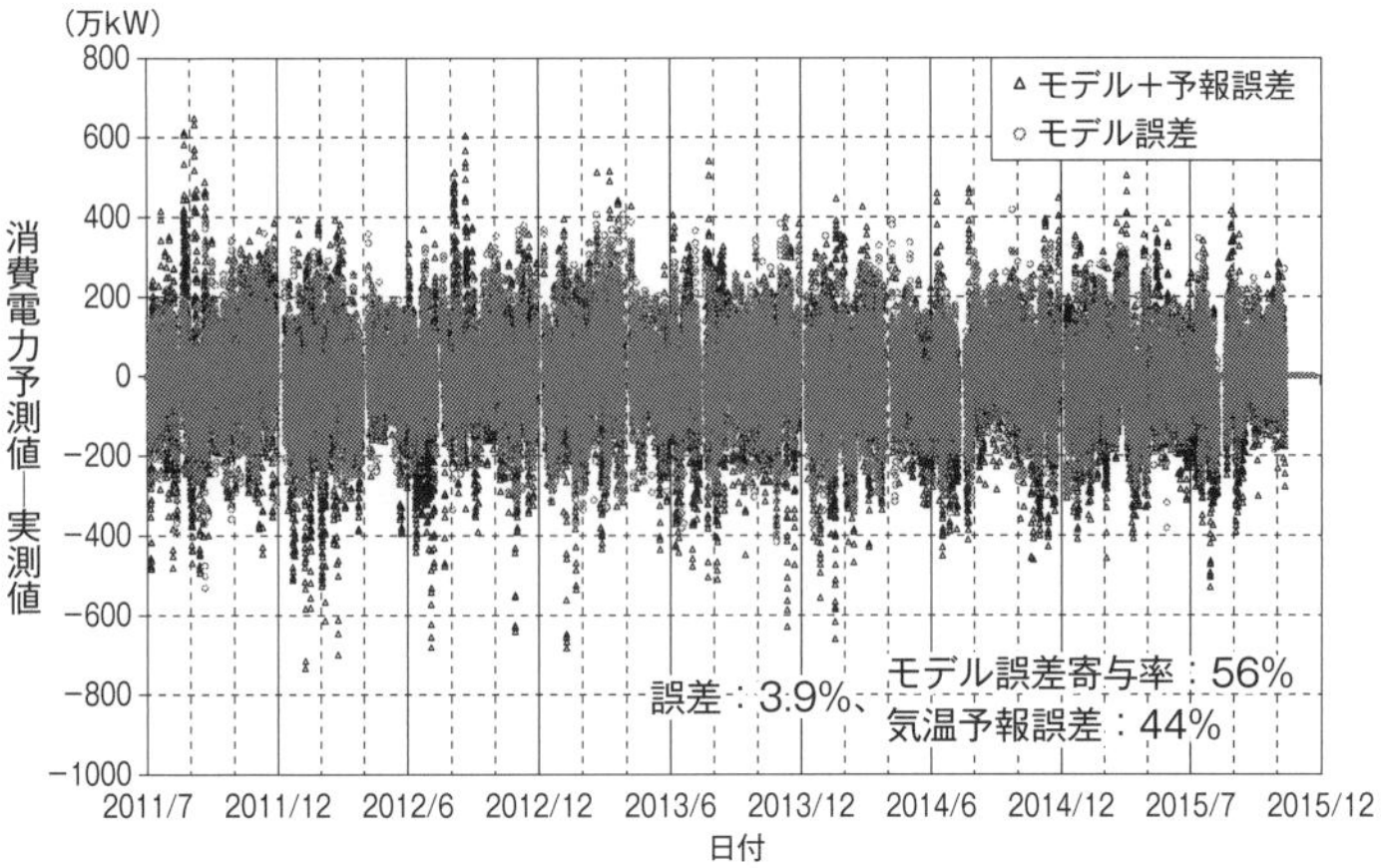

1時間データ、特異日除く（12/28－1/4、4/29－5/6、8/10－18、祝祭日等）

図4-8　東電管内消費電力予測値誤差

出所：科学技術振興機構 低炭素社会戦略センターの資料を基に作成

ころ、数%の誤差があることがわかった。この誤差をなくすためには気象予測モデルと、消費電力予測モデルの双方の精度を上げなければならない。気象予測モデルが向上すれば発電計画が立てやすくなるし、需要予測の精度が上がれば送電をコントロールしやすくなる。予測精度が向上すれば、エネルギーロスの低減と数千億円単位のコスト削減が期待できるので、人工知能（AI）やビッグデータを活用して高精度の予測モデルを開発すべきである。

カーボンプライシングの可能性

座礁資産という言葉がある。社会環境が変化することにより、価値が減じてしまう資産である。２０１３年に非営利シンクタンクのカーボン・トラッカー・イニシアチブとロンドン・スクール・オブ・エコノミクスから概念が発表され、化石燃料資源が座礁資産とされた。石炭・石油・天然ガスの開発には企業から年間６７４０億ドルが投資され、10年間で6兆ドル以上のお金が費やされている。地球の平均気温の上昇を産業革命前の2度以内に抑えるには、これら化石燃料資源の可採埋蔵量の60～80％を利用することができず、大部分が無駄な投資になってしまう。つまりは座礁資産というわけだ。

今年5月、オックスフォード大学は日本国内の石炭火力発電所の多くが座礁資産となる可能性を示した。他電源との競合や既設石炭火力の更新量を考慮すると、過剰な建設予定があることが理由である。座礁資産となる発電所の価値は7兆～9兆円。石炭火力が座礁資産となれば、電力会社は経営上の意思決定で誤りを犯したことになる。

問題は、企業の意思決定にCO_2排出コストが考慮されていないことにある。カーボンプライシング、すなわち排出されるCO_2の価格を決めた上で、どういった発電所を建設するのかという意思決定をすべきである。CO_2価格の適切な設定はすぐには難しい。しかしながら、低炭素社会の実現に重要な視点である。

ビジョン２０５０は技術の進歩で自ずと低炭素化が進むことを目指しているが、低炭素が価値を持つような仕組みがあれば、変化の速度は上げられる。ハイブリッド車は低炭素が価値を持った製品の代表例だ。購入者は車体価格が高いにもかかわらず、燃料代も含めて考えれば総合的に得だと判断しているのである。

炭素税（CO_2排出に対して課税する）ならば、できる限りヤマ元がいい。石炭は3倍、石油は2倍、ガスは1・2倍という具合に、排出量に応じた税率を設定しやすいからだ。あるいはGDPへの貢献度で税率を変えるという手もある。すでに世界38カ国が何らかの形でカーボンプライシングを導入しており、日本は多くの事例に学ぶことができる。

第5章 2050年の低炭素社会

◆ ◆ ◆

前章までにエネルギーに関係する主要な活動の技術的可能性、量的可能性、価格競争力などについて、個別に検討した。これらを統合して、低炭素化社会を実現し、同時に経済成長を果たすことが可能なのかどうかを検討する必要がある。

本章では個別に検討した結果を用いて、日本の低炭素化とGDPを両立させるべくシミュレーションを行った。

5章◆1　2050年の低炭素電源システム

低炭素化を実現する手段

日本はCOP21において、2050年には2013年比でCO_2排出量を80％削減するという長期目標を掲げている。第4章までに見てきたように、あらゆる観点から低炭素化を図るわけだが、80％減という高い目標を達成するためには発電に利用する電源の構成も最適化していかなければならない。

電源からのCO_2排出量を大幅に削減するには次に挙げるような方法が考えられる。

①発電量を下げる
②発電効率を上げる
③発熱量当たりのCO_2排出量の低い天然ガス燃料による発電比率を高める
④化石燃料発電にCO_2回収・貯留プロセス（CCS）を付加する
⑤再生可能エネルギーによる発電比率を上げる

⑥原子力発電の比率を上げる

順番にみていこう。

①の発電量については東日本大震災以降、高効率電化製品への切り替えなどが進み、すでに10％程度低下している。年間の発電電力量は1000TWh以内に収まっており、今後もこの傾向が続くだろう。仮に年率1％の低下ならば、2050年には電力の消費量が年間650TWh程度と、現在より30％低くなる。自動車や温水供給など、化石燃料の熱や成分を直接使用する分野では、省エネルギー化のために電力への置換が進み、需要が増えるが、年間の発電電力量が800TWhを超えることはないと考える。

②の発電効率について、将来大量に使用されるようになる太陽光発電は現在値の1・5倍の30％を見込む。天然ガス発電でも燃料電池を組み合わせたコンバインド発電により、発電効率は現在値の1・2倍以上の70％近くになる可能性がある。③について、天然ガスは石炭に比べてCO_2排出量が50％程度と低く、使用比率を上げる余地はあるが、CO_2排出量80％削減を実現する社会では主電源にならないだろう。④のCCSは、経済性や立地条件の制約などの難しさがあるが、将来実施される可能性はあり、検討する価値はある。⑥は現状では主電源になる状況ではない。

以上のことを考慮すると、やはり将来的にも有望なのはビジョン2050でも明白にうたっている⑤再生可能エネルギーである。次項では再生可能エネルギーを大量に取り込んだ電源を中心に話を進めていこう。

80％削減と発電コスト

図5―1は2050年に普及するシステムの発電コストとCO_2排出量原単位を一覧にしたものだ。2050年の再生可能エネルギーの値は、それらの普及速度を考慮し、第4章で述べた2030年の技術水準の値を使用した。2050年の電源では太陽光発電と風力発電が大量に導入される。ただし、太陽光も風力も天候によって発電量が変動するため、電力の需給バランスをとるには蓄電システムが必要になる。

特に変動の大きい夏季平日について、電力需給バランス例を図5―2に示す。10分オーダーの電力需給バランスをとるためだけならば、蓄電池を導入すればよい。しかし、数10ミリ秒オーダーでの周波数制御、緊急停電への対応を考慮すると、タービンなど回転機を使った電源が50％は必要だ（新エネルギー・産業技術総合開発機構，「NEDO再生可能エネルギー技術白書 再生可能エネルギー普及拡大にむけて克服すべき課題と処方箋 第2版」，2014，pp635，森北出版）。電力グリッド設計や新しい制御システムの開発によっては50％以下になる

図5-1　発電コスト（円／kWh）とCO_2排出量原単位（g-CO_2／kWh）

	2013		2030		2050	
	コスト	CO_2	コスト	CO_2	コスト	CO_2
原子力	8.8	20	8.8	20	8.8	20
一般水力	10.8	11	10.8	11	10.8	11
石炭	7.7	943	7.8	881	7.8	881
LNG	10.8	473	11.4	430	11.8	430
石油	16.7	738	17.9	738	18.9	738
太陽光	16.0	38	9.5	15	5.7	15
風力	14.1	25	10.2	25	10.2	25
地熱	12.5	15	12.5	15	8.0	15
バイオマス	33.6	5	10.9	5	10.9	5

出所：科学技術振興機構 低炭素社会戦略センターの資料を基に作成

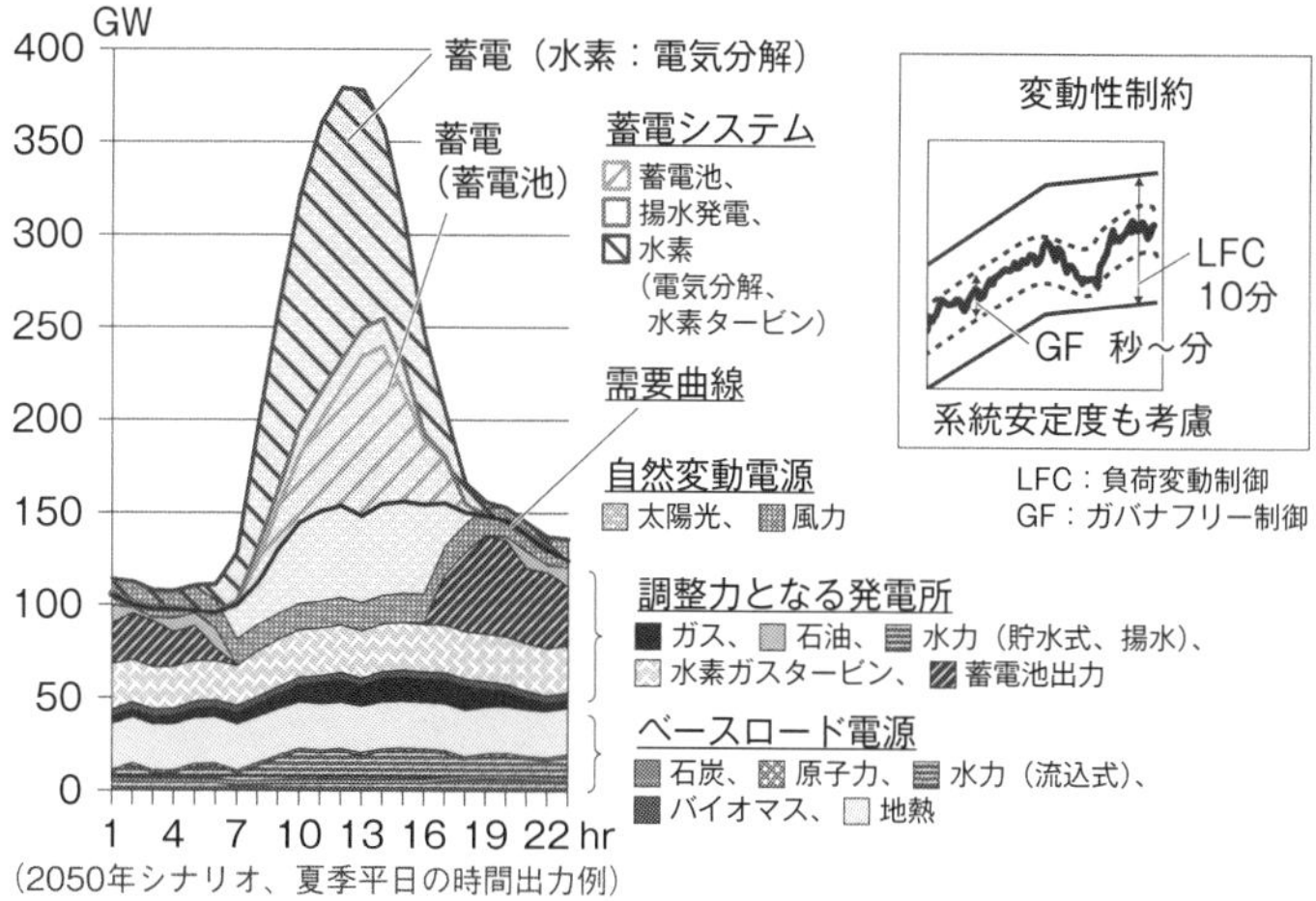

図5-2　夏季電力需給蓄電 モデル
出所：科学技術振興機構 低炭素社会戦略センターの資料を基に作成

可能性もあるが、ここでは回転式発電システムが50％以上になる電源について考えることにした。

回転式の発電ができる安定電源は主に火力、水力、原子力、地熱、バイオマス発電である。このうち地熱発電は比較的浅い地下にある地熱貯留層の熱を利用する方法が一般的だが、温泉地への影響が懸念されることから地下深くの高温岩体の活用に注目が集まっている。高温岩体発電は電力コスト低減にも有効だとして、米国でも開発が進んでいる。技術的にはそう難しくないが、実用化にはもう少し調査研究が必要だ。日本では２０５０年までに年間１００ＴＷｈ（13ＧＷ）の発電システムを完成させることは可能であろう。

一方、原子力発電は２０５０年の利用状況が見通せない状況である。つまり、安定電源のうち原子力と地熱は不確定要素が大きい。よって、ここでは年間全発電量を６００－１２００ＴＷｈと変えて、そこに発電量がどの程度になると原子力・地熱発電が必要になるかも検討した。そして、CO_2排出量80％削減を達成したときのコストの最小化を考えてみたい。原子力と高温岩体の単位発電量当たりのコストやCO_2排出量はほぼ等しいので、どちらの電源割合を変えても、それらの発電合計値を用いて全電源コストへの影響を見ることができる。

ベストな電源構成を考える

図５―３は年間発電量、電源構成、CO_2削減率を変えて計算した発電コストの比較である。前項で述べた通り、２０５０年には電力消費量が年間６５０ＴＷｈ程度を見込めることから、図５―３では実現可能性が高い数値として、年間電力需要量７００ＴＷｈを基準値として設定する。さらに、その基準値よりもやや少ない６００ＴＷｈから基準値を上回る１２００ＴＷｈまで、さまざまなパターンを設定して発電コストを計算した。

ケース１、２、４は年間電力需要量をそれぞれ６００～１０００ＴＷｈと設定して、CO_2排出量を80％削減した場合の例示である。これらケースでは原子力発電や高温岩体発電を入れていないが、８００ＴＷｈ以下の需要なら、いずれも11円／ｋＷｈ程度であった。現状より需要が少し減少すれば、原子力発電や高温岩体発電がなくても、電力コストを現在の12円／ｋＷｈよりも安くすることはできる。

これに対してケース５のように需要が１０００ＴＷｈになると、コストは18円／ｋＷｈと急上昇する。20％程度の省電力でも、コストおよびCO_2排出量削減には効果があるということだ。

ケース３はケース２と同じ電力需要だが、CO_2排出量の削減目標を90％に引き上げている。

図5-3　2050年の電源構成別コストおよびCO_2削減率

ケース		1	2	3	4	5	6	7
電力需要（TWh）		600	700	700	800	1,000	1,000	1,200
年間発電電力量（TWh）	原子力	0	0	0	0	0	0	0
	水力	130	130	130	130	130	130	130
	石炭	100	28	0	0	0	14	0
	LNG	19	166	97	224	211	190	330
	太陽光	373	398	544	494	746	500	746
	風力	8	8	7	9	38	24	124
	地熱	12	12	12	12	12	12	12
	地熱（高温岩体）	0	0	0	0	0	200	0
	バイオマス	30	31	31	31	31	22	31
	合計	672	772	822	900	1,169	1,092	1,373
蓄電池容量（GWh）		423	466	666	631	780	621	795
水素利用量（TWh）		0	0	53	0	118	0	119
発電コスト（円/kWh）		10.8	10.8	16.1	11.0	18.4	9.9	17.3
年間CO_2（Mt-CO_2）113		113	113	57	113	113	113	170
CO2削減率（2013年比）		80%	80%	90%	80%	80%	80%	70%

出所：科学技術振興機構 低炭素社会戦略センターの資料を基に作成

このとき電力コストは16円／kWhと高くなる。

ケース6はケース5と電力需要もCO_2排出削減目標も同じだが、異なるのは高温岩体発電を200TWh入れている点だ。安定な再生可能エネルギーを増やしたことにより、石炭火力（CO_2排出量はLNGよりも多いが、発電コストは安い）の比率を高めることができたので、発電コストは最も安くなっている。

また、ケース7のように、電力需要が1200TWhと多い場合、CO_2削減割合を70％に下げても、発電コストは一気に膨らむ。

なお、電力需要より発電量合計値が大きいのはコストが最小になるように計算しているためである。余剰発電分を0にするために蓄電池や水素発電を併用するが、それらは高コストで、余剰分を廃棄する方が安い。水素の製造に使う太陽光や風力発電は0円でも、電解装置や輸送に費用がかかる。ケース3、5、7は発電コストが高額だったが、これらには全て安定電源としての水素発電が含まれている。

以上のことから、ケース1、2、4のような電源構成であれば、原子力や高温岩体を導入することなく、そして発電コストを高めることなく、2050年にCO_2排出量80％削減という目標を達成できることが明らかになった。

5章◆2　主要分野の低炭素化

付加価値と低炭素

CO_2排出量80％削減を実現した低炭素電力を使い、いかにして明るい低炭素社会（プラチナ社会）を作っていけばよいのだろうか。COP21での日本のCO_2排出量基準年である2013年データを用いて考えてみよう。

2050年のCO_2排出量は80％減るので、12億5400万トンから10億3300万トンを減らして、2億5000万トンとなる。またGDPは年間経済成長率を0・4％とすると、現在よりも約80兆円増加した600兆円を見込む。GDP1兆円当たりのCO_2排出量に換算すると、現在の240万トンから42万トンへ、大幅に削減しなければならない。

図5―4に2013年の産業部門別のCO_2排出量、付加価値、付加価値1兆円当たりのCO_2排出量の値を示す。CO_2排出量が多いのは電力部門で、全排出量の45％を占める。量では5億6700万トンだが、排出量の大部分は各産業部門に割り振られているのでこの図には表

れていない。ただし、前節で示した通り、電力部門からの排出量を80％（4億5400万トン）削減することは可能である。

需要部門では家庭が全体の18％に相当する2億2400万トンを排出している。家庭での省エネルギーと新しい電源構成により、CO_2排出量の80％に当たる1億7900万トン（電力分は1億2900万トン）は削減可能と見込む。運輸部門も80％に当たる1億9600万トン（電力分は8800万トン）を削減できるため、合計3億7500万トンは削減可能である。よって、他の産業部門の電力（3億1700万トン削減可）以外の削減すべきCO_2排出量は3億1100万トンとなる。

鉄鋼産業のあるべき姿

産業部門で最もCO_2排出量が大きいのは鉄鋼部門である。第2章で述べたように、世界的には今後400億〜700億トンの新鋼材が必要だ。その新鋼材の一部は日本製鋼材の品質の高さ、高水準の省エネルギー技術を考えると、2050年においても日本で製造される可能性がある。輸出用鉄鋼を製造することで、CO_2排出量は増加するが、それを鉄鋼消費国に負担してもらうことは困難だろう。2050年のCO_2排出量80％削減は、輸出で増加する分も含

図5-4　産業部門別CO_2排出量（2013年）

産業、家庭	CO_2排出量（百万t）	付加価値額（兆円）	付加価値10億円当たりCO_2排出量（t）
農林水産業	4.2	6.45	654
鉱業他	2.5	0.35	7,164
建設業	12.3	31.48	390
食品飲料製造業	21.1	15.39	1,369
繊維工業	12.2	2.26	5,396
木製品・家具他工業	2.6	0.70	3,658
パルプ・紙・紙加工品製造業	23.7	2.37	10,013
印刷・同関連業	2.8	2.68	1,048
化学工業	82.0	8.00	10,248
石油製品・石炭製品製造業	3.0	4.37	683
プラスチック・ゴム・皮革製品製造業	10.0	1.46	6,850
セメント・板ガラス・石灰製造業	45.7	3.10	14,765
鉄鋼業	199.8	5.95	33,578
非鉄金属製造業	8.0	1.60	5,004
金属製品製造業	7.3	5.46	1,333
汎用機械器具製造業	2.3	11.23	205
生産機械器具製造業	4.0	2.85	1,411
業務用機械器具製造業	4.0	1.51	2,675
電子部品デバイス電子回路製造業	10.4	5.60	1,865
情報通信機械器具製造業	2.3	1.28	1,818
輸送用機械器具製造業	14.8	13.00	1,140
機械製造業　他製品	4.0	1.93	2,082
他製造業	1.5	5.26	292
電気ガス熱供給水道業	10.6	9.12	1,167
情報通信業	20.6	28.83	716
運輸業・郵便業（除く自家用車）	259.2	26.55	9,760

産業、家庭	CO_2排出量（百万t）	付加価値額（兆円）	付加価値10億円当たり CO_2排出量（t）
卸売業・小売業	63.3	70.97	893
金融業・保険業	2.5	23.48	107
不動産業・物品賃貸業	18.5	66.35	279
学術研究・専門・技術サービス業	5.6	0.28	20,263
宿泊業・飲食サービス業	48.8	14.08	3,470
生活関連サービス業・娯楽業	33.1	13.59	2,439
教育・学習支援業	17.8	0.68	26,121
医療・福祉	29.1	36.79	790
複合サービス事業	0.6	27.06	23
他サービス業	35.0	11.20	3,126
公務	4.5	59.83	76
家庭	224.1	0	－
合計	1,254	523	2,400

出所：科学技術振興機構 低炭素社会戦略センターの資料を基に作成

めて考慮する必要がある。

２０１３年の鉄鋼部門からのCO_2排出量は年間2億トンなので、２０５０年に80％削減を達成した場合の排出量は４０００万トンとなる。現在のCO_2排出量のうち、電力に起因する排出量は５１００万トンで、この分は将来の低炭素電源を使えば80％削減は可能だ。そのほかの排出量をどのようにして削減するかが課題となる。

このように大幅な削減をした場合の鉄鋼産業の２０５０年の姿の例を以下に示す。

鉄鋼生産方法は主に鉄鉱石を原料とする高炉転炉法（以下高炉法とする）と、鉄スクラップを原料とする電炉法の２つがある。図5―5は、2013年および2050年の鉄鋼業界をシミュレーションしたものだ。それぞれの製法による鉄鋼の需要と供給、そして供給に伴って排出されるCO_2量が一覧になっている。

2050年は次に挙げる5点を前提とする。

①CO_2排出量を80％削減した将来電力を使用
②リサイクル鉄鋼の増加で、電炉法の生産量が現在の2倍
③電炉法は20％の省エネルギー化を実現
④高炉生産量を大幅減少
⑤鋼材輸出量を大幅削減

以上を踏まえて、2つのケースを計算した。なお、現状の電炉法で製造した鉄鋼は自動車用薄板や大口径パイプなどには使用できない。目的に合った物性の鉄鋼材を製造できるように、現在開発が進められている。

ケース1では国内需要の減少と鋼材輸出を将来の高付加価値品に絞ることを前提に、全供給量を約30％削減した8000万トンと設定。また、電炉法による鉄鋼生産量を2倍の5000万トンにしている。電炉法は省エネルギー率20％だ。この場合の全CO_2排出量は6400万トンで、2013年比80％削減という目標には到達しない。

図5-5　現在、将来鉄鋼需給、CO_2排出量例

		2013年（CO_2排出190Mt）	2050年（CO_2排出80％で40Mｔ）	
			ケース1	ケース2
		鉄鋼（CO_2排出量）	鉄鋼（CO_2排出量）	鉄鋼（CO_2排出量）
供給		121（200）	80（64）	67（40）
内訳	高炉法	86（185）	30（54）	17（30）
	電炉法	25（15）	50（10）	50（10）
	輸入	10	0	0
需要		121	80	67
内訳	国内	58	40	37
	鋼材等輸出	42	20	10
	製品輸出	21	20	20

単位：百万t
出所：科学技術振興機構 低炭素社会戦略センターの資料を基に作成

ケース2では需要側の鋼材輸出量をさらに引き下げた。高炉法の鉄鋼生産量を1700万トンにして、全生産量を6700万トンとした。それによりCO_2排出量は4000万トンとなり、2013年比80％削減が達成できる。

ケース1の条件で80％削減を達成するには、CO_2排出量をさらに2400万トン削減しなければならない。そのための方法としては高炉法にCO_2分離回収・貯留法（CCS）を組み合わせることが考えられる。CCSコストを4000円／トン-CO_2とすると、年間費用は約960億円となり、高炉法全体に割り振った場合の鉄鋼の1トン当たりのコスト上昇は約5万6000円になる。これだけのコスト増加に見合う高付加価値鉄鋼を製造できればいいが、それは容易なことではない。

よって、現実的なのはケース2、リサイクル鉄鋼を使う電炉法を倍増するとともに、高炉法の鉄鋼生産量を約80％削減するというシナリオだ。このように製鉄構造を変化させることができれば、CO_2排出量80％削減は不可能ではない。

なお、このケースでは高炉法の電力由来以外のCO_2排出量原単位は現在と同じとしている。製造工程改良が進めば、それに見合った高炉法鉄鋼生産量を増やすことができるだろう。

5章◆3 日本全体でCO_2排出量80％削減

2050年の部門別低炭素化

家庭および運輸、鉄鋼の3部門でのCO_2排出量80％削減は容易でないが、実現可能性はある。これらの排出量は日本全体の53％で、それ以外の部門からのCO_2排出量もまた80％削減を図らなければならない。

図5―6に、基準年の2013年と、CO_2排出量80％削減を達成した2050年における部門別CO_2排出量を例示する。他部門での全排出量（5億8600万トン‐CO_2／年）のう

図5-6　2013年と80％削減を実現した2050年における3部門（家庭、鉄鋼、運輸）と他部門のCO_2排出量

		CO2排出量（百万トン）		
		電力	電力以外	合計
3部門	2013年	216	452	668
	2050年	43	90	133
他部門	2013年	351	235	586
	2050年	70	47	117
合計	2013年	567	687	1,254
	2050年	113	137	250

出所：科学技術振興機構 低炭素社会戦略センターの資料を基に作成

ち、60％は電力由来なので、これは将来80％削減が可能である。焦点は残りの40％。化石燃料の使用で排出されている2億3500万トンを、4700万トンに削減することだ。これは省エネルギーと電力使用比率の増加で実現できるだろう。経済活動の拡大を図りつつ、低炭素技術・システムの促進と、イノベーションによる産業構造の変化を進めることが必要だ。

全体を俯瞰でとらえるために、3つの図表（図5―7―a／b／c）を用意した。これをもとに日本の2013年の産業部門別CO_2排出量と付加価値を考えてみよう。

図5―7―aは産業部門別の付加価値額と割合である。上位5位までの産業の付加価値額を合計すると、GDPの51％を占めるが、これら産業によるCO_2排出量合計は10％に過ぎない。一方、CO2排出量の多い順に並べ替えた図5―7―bを見ると、上位5位までの排出量合計は全排出量の52％を占めるが、付加価値合計はGDPの24％と非

図5-7-a　部門別の付加価値額と割合（2013年）

順位	産業など	付加価値額（兆円）	割合（%）	CO_2排出量（kt）	割合（%）	付加価値10億円当たりCO_2排出量（t）
1	卸売業・小売業	70.97	13.6%	63,346	5.1%	893
2	不動産業・物品賃貸業	66.35	12.7%	18,513	1.5%	279
3	公務	59.83	11.4%	4,546	0.4%	76
4	医療・福祉	36.79	7.0%	29,060	2.3%	790
5	建設業	31.48	6.0%	12,264	1.0%	390
6	情報通信業	28.83	5.5%	20,629	1.6%	716
7	複合サービス事業	27.06	5.2%	626	0.0%	23
8	運輸業・郵便業＋運輸燃料	26.55	5.1%	259,183	20.7%	9,760
9	金融業・保険業	23.48	4.5%	2,507	0.2%	107
10	食品飲料製造業	15.39	2.9%	21,076	1.7%	1,369
11	宿泊業・飲食サービス業	14.08	2.7%	48,847	3.9%	3,470
12	生活関連サービス業・娯楽業	13.59	2.6%	33,145	2.6%	2,439
13	輸送用機械器具製造業	13.00	2.5%	14,823	1.2%	1,140
14	汎用機械器具製造業	11.23	2.1%	2,299	0.2%	205
15	他サービス業	11.20	2.1%	35,030	2.8%	3,126
16	電気ガス熱供給水道業	9.12	1.7%	10,640	0.8%	1,167
17	化学工業	8.00	1.5%	82,018	6.5%	10,248
18	農林水産業	6.45	1.2%	4,219	0.3%	654
19	鉄鋼業	5.95	1.1%	199,814	15.9%	33,578
20	電子部品デバイス電子回路製造業	5.60	1.1%	10,448	0.8%	1,865
21	金属製品製造業	5.46	1.0%	7,280	0.6%	1,333
22	他製造業	5.26	1.0%	1,535	0.1%	292
23	石油製品・石炭製品製造業	4.37	0.8%	2,982	0.2%	683
24	セメント・板ガラス・石灰製造業	3.10	0.6%	45,741	3.6%	14,765
25	生産機械器具製造業	2.85	0.5%	4,026	0.3%	1,411
26	印刷・同関連業	2.68	0.5%	2,805	0.2%	1,048
27	パルプ・紙・紙加工品製造業	2.37	0.5%	23,718	1.9%	10,013
28	繊維工業	2.26	0.4%	12,185	1.0%	5,396
29	機械製造業他製品	1.93	0.4%	4,014	0.3%	2,082
30	非鉄金属製造業	1.60	0.3%	8,016	0.6%	5,004

順位	産業など	付加価値額(兆円)	割合(%)	CO_2排出量(kt)	割合(%)	付加価値10億円当たりCO_2排出量(t)
31	業務用機械器具製造業	1.51	0.3%	4,035	0.3%	2,675
32	プラスチック・ゴム・皮革製品製造業	1.46	0.3%	10,000	0.8%	6,850
33	情報通信機械器具製造業	1.28	0.2%	2,319	0.2%	1,818
34	木製品・家具他工業	0.70	0.1%	2,563	0.2%	3,658
35	教育・学習支援業	0.68	0.1%	17,772	1.4%	26,121
36	鉱業他	0.35	0.1%	2,489	0.2%	7,164
37	学術研究・専門・技術サービス業	0.28	0.1%	5,591	0.4%	20,263
38	家庭（全エネルギー）			224,098	17.9%	
合計		523.08		1,254,201	100.0%	2,398

図5-7-b　部門別のCO_2排出量（2013年）

順位	産業など	CO_2排出量(kt)	割合(%)	付加価値額(兆円)	割合(%)	付加価値10億円当たりCO_2排出量(t)
1	運輸業・郵便業＋運輸燃料	259,183	20.7%	26.55	5.1%	9,760
2	鉄鋼業	199,814	15.9%	5.95	1.1%	33,578
3	化学工業	82,018	6.5%	8.00	1.5%	10,248
4	卸売業・小売業	63,346	5.1%	70.97	13.6%	893
5	宿泊業・飲食サービス業	48,847	3.9%	14.08	2.7%	3,470
6	セメント・板ガラス・石灰製造業	45,741	3.6%	3.10	0.6%	14,765
7	他サービス業	35,030	2.8%	11.20	2.1%	3,126
8	生活関連サービス業・娯楽業	33,145	2.6%	13.59	2.6%	2,439
9	医療・福祉	29,060	2.3%	36.79	7.0%	790
10	パルプ・紙・紙加工品製造業	23,718	1.9%	2.37	0.5%	10,013
11	食品飲料製造業	21,076	1.7%	15.39	2.9%	1,369
12	情報通信業	20,629	1.6%	28.83	5.5%	716
13	不動産業・物品賃貸業	18,513	1.5%	66.35	12.7%	279
14	教育・学習支援業	17,772	1.4%	0.68	0.1%	26,121
15	輸送用機械器具製造業	14,823	1.2%	13.00	2.5%	1,140
16	建設業	12,264	1.0%	31.48	6.0%	390
17	繊維工業	12,185	1.0%	2.26	0.4%	5,396

順位	産業など	CO_2 排出量 (kt)	割合 (%)	付加価値額 (兆円)	割合 (%)	付加価値10億円当たりCO_2排出量（t）
18	電気ガス熱供給水道業	10,640	0.8%	9.12	1.7%	1,167
19	電子部品デバイス電子回路製造業	10,448	0.8%	5.60	1.1%	1,865
20	プラスチック・ゴム・皮革製品製造業	10,000	0.8%	1.46	0.3%	6,850
21	非鉄金属製造業	8,016	0.6%	1.60	0.3%	5,004
22	金属製品製造業	7,280	0.6%	5.46	1.0%	1,333
23	学術研究・専門・技術サービス業	5,591	0.4%	0.28	0.1%	20,263
24	公務	4,546	0.4%	59.83	11.4%	76
25	農林水産業	4,219	0.3%	6.45	1.2%	654
26	業務用機械器具製造業	4,035	0.3%	1.51	0.3%	2,675
27	生産機械器具製造業	4,026	0.3%	2.85	0.5%	1,411
28	機械製造業他製品	4,014	0.3%	1.93	0.4%	2,082
29	石油製品・石炭製品製造業	2,982	0.2%	4.37	0.8%	683
30	印刷・同関連業	2,805	0.2%	2.68	0.5%	1,048
31	木製品・家具他工業	2,563	0.2%	0.70	0.1%	3,658
32	金融業・保険業	2,507	0.2%	23.48	4.5%	107
33	鉱業他	2,489	0.2%	0.35	0.1%	7,164
34	情報通信機械器具製造業	2,319	0.2%	1.28	0.2%	1,818
35	汎用機械器具製造業	2,299	0.2%	11.23	2.1%	205
36	他製造業	1,535	0.1%	5.26	1.0%	292
37	複合サービス事業	626	0.0%	27.06	5.2%	23
38	家庭（全エネルギー）	224,098	17.9%			
合計		1,254,201	100.0%	523.08		2,398

図5-7-c 部門別の付加価値当たりのCO_2排出量（2013年）

順位	産業など	付加価値10億円当たりCO_2排出量（t）	付加価値額 (兆円)	割合 (%)	CO_2 排出量 (kt)	割合 (%)
1	鉄鋼業	33,578	5.95	1.1%	199,814	15.9%
2	教育・学習支援業	26,121	0.68	0.1%	17,772	1.4%
3	学術研究・専門・技術サービス業	20,263	0.28	0.1%	5,591	0.4%

順位	産業など	付加価値10億円当たりCO_2排出量（t）	付加価値額（兆円）	割合(%)	CO_2排出量（kt）	割合(%)
4	セメント・板ガラス・石灰製造業	14,765	3.10	0.6%	45,741	3.6%
5	化学工業	10,248	8.00	1.5%	82,018	6.5%
6	パルプ・紙・紙加工品製造業	10,013	2.37	0.5%	23,718	1.9%
7	運輸業・郵便業＋運輸燃料	9,760	26.55	5.1%	259,183	20.7%
8	鉱業他	7,164	0.35	0.1%	2,489	0.2%
9	プラスチック・ゴム・皮革製品製造業	6,850	1.46	0.3%	10,000	0.8%
10	繊維工業	5,396	2.26	0.4%	12,185	1.0%
11	非鉄金属製造業	5,004	1.60	0.3%	8,016	0.6%
12	木製品・家具他工業	3,658	0.70	0.1%	2,563	0.2%
13	宿泊業・飲食サービス業	3,470	14.08	2.7%	48,847	3.9%
14	他サービス業	3,126	11.20	2.1%	35,030	2.8%
15	業務用機械器具製造業	2,675	1.51	0.3%	4,035	0.3%
16	生活関連サービス業・娯楽業	2,439	13.59	2.6%	33,145	2.6%
17	機械製造業他製品	2,082	1.93	0.4%	4,014	0.3%
18	電子部品デバイス電子回路製造業	1,865	5.60	1.1%	10,448	0.8%
19	情報通信機械器具製造業	1,818	1.28	0.2%	2,319	0.2%
20	生産機械器具製造業	1,411	2.85	0.5%	4,026	0.3%
21	食品飲料製造業	1,369	15.39	2.9%	21,076	1.7%
22	金属製品製造業	1,333	5.46	1.0%	7,280	0.6%
23	電気ガス熱供給水道業	1,167	9.12	1.7%	10,640	0.8%
24	輸送用機械器具製造業	1,140	13.00	2.5%	14,823	1.2%
25	印刷・同関連業	1,048	2.68	0.5%	2,805	0.2%
26	卸売業・小売業	893	70.97	13.6%	63,346	5.1%
27	医療・福祉	790	36.79	7.0%	29,060	2.3%
28	情報通信業	716	28.83	5.5%	20,629	1.6%
29	石油製品・石炭製品製造業	683	4.37	0.8%	2,982	0.2%
30	農林水産業	654	6.45	1.2%	4,219	0.3%
31	建設業	390	31.48	6.0%	12,264	1.0%
32	他製造業	292	5.26	1.0%	1,535	0.1%
33	不動産業・物品賃貸業	279	66.35	12.7%	18,513	1.5%

順位	産業など	付加価値10億円当たりCO_2排出量（t）	付加価値額（兆円）	割合（%）	CO_2排出量（kt）	割合（%）
34	汎用機械器具製造業	205	11.23	2.1%	2,299	0.2%
35	金融業・保険業	107	23.48	4.5%	2,507	0.2%
36	公務	76	59.83	11.4%	4,546	0.4%
37	複合サービス事業	23	27.06	5.2%	626	0.0%
38	家庭（全エネルギー）				224,098	17.9%
合計		2,398	523.08		1,254,201	100.0%

出所：科学技術振興機構 低炭素社会戦略センターの資料を基に作成

常に低い。さらに、付加価値額1兆円当たりのCO_2排出量で並べ替えた図5―7―cによれば、付加価値当たり排出量が少ない下位37位から26位までの産業の付加価値額合計はGDPの71％と高いが、CO_2排出量合計は全体の13％にとどまる。

付加価値が大きいからといってCO_2排出量が多いわけではないし、CO_2を多く排出する産業がGDPへの貢献度が大きいわけではない。いうまでもなく、最良は付加価値が大きく、CO_2排出量が少ないことである。そのうえで取り組むべき主な課題は次に挙げる通り。

①付加価値当たりのCO_2排出量が低いサービス産業への産業構造変化とさらなるCO_2排出量削減

②高排出産業である鉄鋼業で例示したようにリサイクル製品を中心にした産業内システム変化

③全産業分野での省エネルギー推進

④再生可能エネルギー大量導入による低炭素電源システム導入

⑤低炭素新産業の創出
⑥以上の変革を支える新機能材料開発など

2050年の産業別付加価値とCO_2排出量

ここまで見てきたように、総CO_2排出量81％を占める電力と3部門（家庭、鉄鋼、運輸）において、2050年までに80％削減できる見通しは立った。残る総CO_2排出量19％についても80％削減できれば、2050年に全体で80％削減を達成できる。現段階でここまで見通せるので、その数値を関連産業に用いた。残りの分は少ないので、各産業の状況を考慮して大まかに50～90％（平均80％）削減の排出量を決めた。

2050年の産業分野ごとの付加価値、産業構造がどうなるかを定量的に見通すことはCO_2排出量を予想するより難しい。ここでは、付加価値として2050年のGDPを600兆円に設定し、各産業の状況を考慮したうえで割り振った。

その前提として以下のように考えた。供給側では従来製品の技術進歩以外に人工知能（AI）、センサ、ロボット、コンピュータなどの技術進歩、それらを使いこなすシステムの高度化などにより労働生産性が向上する。また、新材料の開発による低炭素化高機能製品、新プロセスの実装が進み、新しい材料や部品、構造材の生産も拡大する。一方、需要側でも新しいニーズが生まれる。情報・通信、医療・福祉、宿泊・飲食、教育、卸売・小売、金融・保険などのサービス産業には内容が変わるものもあるが、全体としては拡大するだろう。

全体としては低炭素化のための技術革新が進み、経済活動拡大を伴う産業構造の変化が起きる。図5―8に、今後の成長・拡大が期待される産業の現状（2013年）と将来像（2050年）を示した。情報・通信や医療・福祉、宿泊・飲食など、サービス産業を中心とする7つの産業において、付加価値は190兆円から262兆円に拡大し、CO_2排出量は2億万トンから5500万トンに減少すると試算している。これらの産業はエネルギーの大部分を電力でまかなっており、電力消費の割合をさらに高めることも可能である。そのため、いわゆる製造業などと比べれば、低炭素化を促進しやすいと言える。

CO_2排出量80％削減を実現した2050年の日本では、総CO_2排出量が2億5000万トン、GDPが600兆円。付加価値10億円当たりのCO_2排出量（以下「付加価値当たりCO_2排出量」とする）は、現在2400トンから大幅に減少した420トンを見込む。図5―8に示した産業の付加価値当たり排出量の平均値は現状の1160トンから210トンに減少する計算だ。

個別にみていこう。「情報・通信」の付加価値は現在の1・7倍に増加にしているが、この

図5-8　2050年までに拡大可能な産業例

		付加価値（兆円）		CO_2排出量（百万t）		付加価値10億円当たりCO_2排出量（t）	
		2013年	2050年	2013年	2050年	2013年	2050年
1	情報・通信	29	50	21	10	720	200
2	医療・福祉	37	52	29	8	780	150
3	宿泊・飲食サービス	14	25	49	12	3,500	480
4	卸売・小売	71	80	63	7	890	90
5	金融・保険	24	30	2.5	0.3	100	9
6	生活関連・サービス・娯楽	14	20	33	10	2,360	500
7	教育・研究技術サービス等	1	5	23	8	23,000	1,600
合計		190	262	221	55	（平均1,160）	（平均210）

出所：科学技術振興機構 低炭素社会戦略センターの資料を基に作成

シミュレーションでは年平均成長率を1・5％と低めに見積もっているため、さらに拡大する可能性がある。

「医療・福祉」においても、最近の医療機器や医療技術、治療法の進歩等の状況、および、高齢層が有する資金量を考慮すると、高い費用を支払ってでも治療を受けたいという人は増えるであろう。日本の医療技術の高さに居心地のよい病院環境を整えれば、国外からの需要も増えて、現在の付加価値が倍増してもおかしくない。日本の最先端医療システムが常に取り込まれ、自由な経営が可能になれば、さらにこの数値は大きくなる。

医療分野では電力の使用割合が大きいので、電力の低炭素化だけでもかなりの低炭素産業になるが、病院建物の高断熱化や各種医療機器の一層の低炭素化も必要不可欠である。がん治療に使用される重粒子線治療器の必要電力は1台で3000kWと非常に高い。電気代は全治療費（1人300万円）の数分の1を占めるほどで、CO_2排出量も多いが、原理的には大幅な省電力化が可能だ。重粒子線治療器に限らず、医療・福祉分野の低炭素化のためには多くの高機能材料を使用したシステムの開発が重要だ。この分野は日本の強みを生かすのに適した分野でもある。

このように具体的なテーマに落とし込み、それぞれ解決に向けて取り組んでいくことで、経済活動拡大と低炭素化の両立は実現できる。とりわけ「教育・研究技術サービス等」の部門については今後の社会の加速度的な変化を考えると、その充実は極めて重要なテーマだと考える。変化し続ける社会に対応していくためには、一人ひとりが新しい知識や考え方を身につけ、学び続けられる教育システムが必要だ。それは必然的に産業として伸びていく。またその社会変化を駆動し、新しい社会の種を見つけるための社会と工学・科学などの研究サービス部門の拡大も同様に進むであろう。ここでの付加価値額も試算以上に伸びる可能性がある。

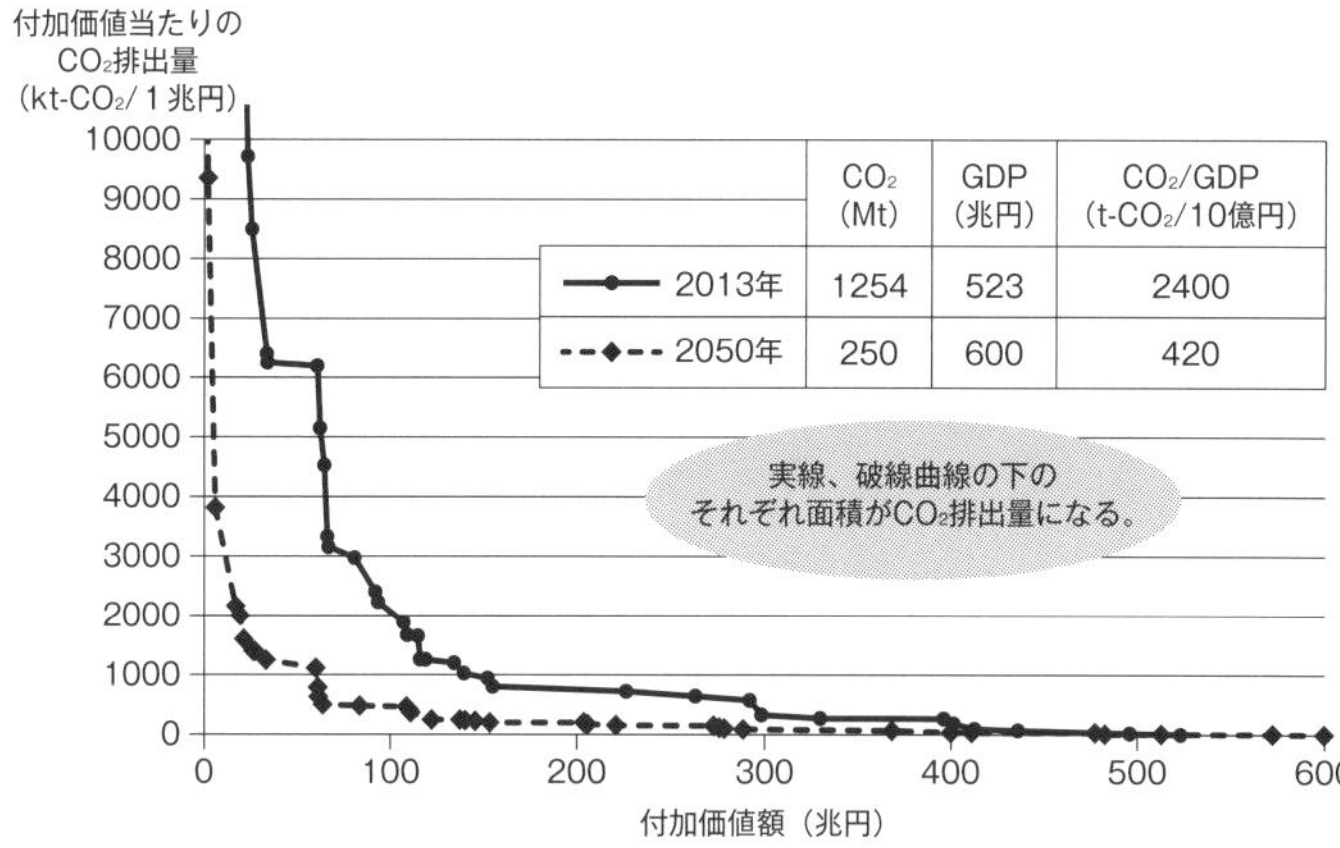

図5-9　産業別CO_2排出量と付加価値
出所：科学技術振興機構 低炭素社会戦略センターの資料を基に作成

CO_2排出量とGDPの変化の姿

最後に全産業の低炭素化を考えてみよう。２０１３年と２０５０年の付加価値当たりのCO_2排出量データを点綴し、グラフ化した図序—13を再掲する（図５—９）。縦軸は単位付加価値当たりのCO_2排出量、横軸は付加価値である。

図の見方はこうだ。２０１３年の場合、横軸の付加価値（ＧＤＰ）が５２３兆円と最も高く、縦軸の単位付加価値当たりCO_2排出量は20万９０００トン／兆円と最も低いところにあるプロットが、サービス産業である。図５—７—ｃでいえば、一番下の37番目だ。サービス産業の付加価値額27兆円をＧＤＰから差し引くと４９６兆円。図５—９の横軸４

96兆円、縦軸69万5000トン／兆円のところにあるプロットは公務部門である。

プロットをつないだ線の下の面積が全CO_2排出量なので、低炭素化とはこの面積を最小化することを意味する。よって明るい低炭素社会を作るには付加価値額を上げて、付加価値当たりのCO_2排出量を下げることが重要なのである。

第6章

プラチナ産業と新しい社会

◆ ◆ ◆

量的な豊かさを求めて駆け抜けた20世紀から、質的な豊かさを求める成熟した社会へ、いま大きなパラダイム転換が起ころうとしている。エコ（グリーン）、健康（シルバー）、ＩＴ（スカーレット）など、さまざまな輝きを持ったプラチナ社会は21世紀にこそふさわしい。それは痩せ我慢でもなく、忍耐でもない。誰もがクオリティ・オブ・ライフ（QOL）を追求できる明るい未来社会である。

その実現に向けて、私たちはこれからさまざまな課題を解決することになるだろう。課題先進国の日本だからこそ、課題解決先進国にもなれる。新ビジョン2050をもって、課題解決モデルを世界に示そうではないか。

6章◆1　プラチナ社会とは何か

1人当たりGDPと平均寿命

いま私たちが直面している先進国的な課題は20世紀の急激な進展によって引き起こされたものだ。序章で示した図（図序―1　20世紀に急拡大した人類発展の軌跡）の通り、世界の平均寿命と1人当たりGDPはまったく同じ弧を描き、その変化の様子から、20世紀がいかに激動だったのかを実感することができる。

産業革命の前までは平均寿命も1人あたりGDPも上昇が緩やかだった。しかし、20世紀に入ると、いずれも急カーブを描き、わずか100年間で1人あたりGDPは6倍にも達する。また、世界の平均寿命はあっという間に70歳を超えて、日本などの長寿国家では80歳時代に突入している。これだけ平均寿命が延びたのは農業や産業が発展して食を得るに事欠かない人が増えたからだ。それどころか、先進国では飽食や肥満が社会問題になり、認知症など長寿命化ゆえの疾病が増加している。

先進国的な課題とは突き詰めると、地球温暖化と社会の高齢化に集約される。20世紀に急拡大した物質文明はエネルギー消費量の増大を招き、CO_2排出量を増大させ、地球温暖化を引き起こした。その結果としての気候変動は確実に起こる。

また、社会構造も大きく変わった。前述のとおり、世界の平均寿命は70歳超。先進国は年金や医療費、認知症など新たな課題を抱えている。日本では年金や医療費を社会保障費として賄ってきたが、高齢化で支出過多になることは自明。さらに、人工物の飽和によって、新規需要が失われて更新需要が中心になり、経済成長は一層鈍化する。従来のフレームで考えていてはもはや立ち行かない。

しかし、高齢化は長寿を実現した結果とも言える。20世紀初頭の平均寿命は31歳に過ぎなかった。人類は１００年をかけて寿命を倍以上に延ばすことに成功し、長寿という夢をかなえたのだ。高齢者には要介護者もいるが、健常者もいる。わずかな支援があれば、自立的に活動し、社会で活躍できる人も多い。長年かけて培った高齢者の経験と知識は教育の分野に生かせる。介護を遠ざけるための予防医療も、新たな産業になり得るだろう。社会の高齢化はリスク一辺倒ではなく、チャンスに変えることもできるのだ。

こうした課題は日本をはじめとする先進国に共通しており、途上国もいずれは抱えることになる。課題先進国の日本が率先して課題に向き合い、解決の端緒をつかむことができれば、日

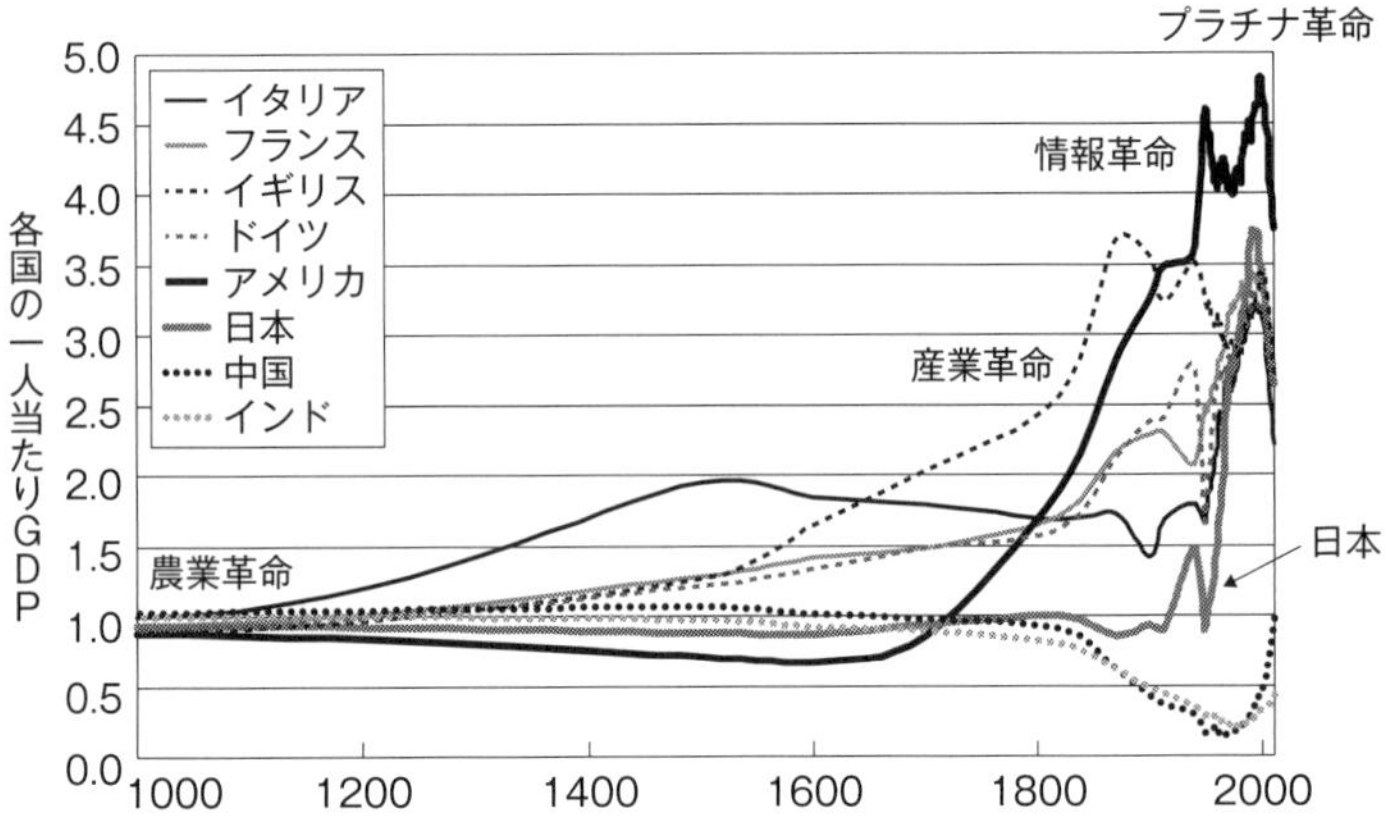

図6-1　世界の1人当たりGDPを基準とした主要国の1人当たりGDPの推移

出　所：Angus Maddison：Statistics on World Population, GDP and Per Capita GDP, 1-2008 Conference Board Total Economy Database™, January 2012, http://www.conference-board.org/data/economydatabase/を基に作成

本は「課題解決先進国」になれる。

図6―1に、世界の1人あたりGDPを基準とした主要国の1人あたりGDPの推移を示す。農業革命、産業革命、情報革命と、人類はこれまで大きな転換点を乗り越えて、その都度、経済的な成長を果たしてきた。すなわち、日本にはいま新しい社会モデルを構築するチャンスが訪れているのである。

量的充足から質的充足へ

20世紀の人類は物質的な豊かさと健康長寿を目指して、ひた走ってきた。物質文明の行き詰まりや高齢化社会は現代の課題であるが、これらは人類が長年の夢をかなえたがゆえに生じた悩みでもある。

これからはその次の豊かさとして、量ではなく質を求めるべきだろう。私は２０１０年から「量的に充足した市民が求める質の高い社会」として「プラチナ社会」を提唱している。「プラチナ」には、エコ（グリーン）、健康（シルバー）、ＩＴ（スカーレット）など、さまざまな輝きをもったワンランク上の暮らしという意味をこめた。20世紀が量的充足を求め、科学技術の進歩がそれを可能にした人類にとっての黄金の世紀、すなわちギラギラ輝くゴールデンエイジであるとすれば、21世紀はさらに質的充足を得て、誇りをもって輝くプラチナの世紀であろう。つまり、プラチナ社会は成熟社会における成長の一つのモデルであり、序章に述べた通り、次のような世界観を持つ。

①資源やエネルギーなどの不安のないこと
②公害はなく地球環境の持続性が保たれていること
③多様で美しい自然との共生
④健康と自立が長く実現できること
⑤生涯社会参加の機会があること
⑥生涯成長し続けられること
⑦雇用があること
⑧文化的にも物質的にも豊かであること

これは日本をはじめとする先進国だけが取り組むものではなく、世界のすべての国々に通用する先駆的なモデルである。先進国は量的充足を追い求める過程で、公害や生活習慣病といった負の側面を産み落とした。途上国は先進国と同じパスをたどる必要はない。最初からプラチナ社会を目指すべきである。

プラチナ社会は先に触れた低炭素社会やビジョン２０５０と矛盾するものではない。

私が発起人代表を務める「プラチナ構想ネットワーク」では毎年、日本全国の優れた取り組みに対してプラチナ大賞を贈っている。その記念すべき第１回の優秀賞を受賞したのが、葉っぱビジネスこと「彩事業」で知られる徳島県上勝町であった。

上勝町はもともとみかんの産地だったが、１９８１年の異常寒波で壊滅的被害を受け、経済的に立ち直るべく、山間部に自生する葉っぱや花を料理のツマとして出荷する事業を興した。当初は何かと苦労したが、市場調査や顧客ニーズ分析、商品開発などの努力を重ねるとともに、ＩＴ化を推進し、事業は大成功を納めた。

いまでは、ごく普通のおばあちゃんがパソコンを使って、都会の飲食店にインターネットで卸している。日々生きがいをもって仕事をしていることで、上勝町の高齢者はみな元気だ。寝たきりの高齢者はほとんどいない。

こうした地域の基盤の上に、上勝町では「ゼロ・ウェイスト政策から考えるサニテーション

写真6-1　彩事業で知られる上勝町が第1回プラチナ大賞を受賞

システム」を始めた。彩事業で成功したとはいえ、人口１７００人弱の自治体の財政にゆとりはない。そこで、町民一体となって34品目のごみ分別に取り組んで資源化を徹底し、ごみ処理費用の圧縮を図った。さらに、ＬＩＸＩＬと共同で新たな排水浄化システムの実証を推進。環境保全にも一役かっている。

　一連の上勝町の取り組みに、いま先進国が抱えている数々の課題を解決するためのヒントが潜んでいる。

少子化の時代に学級増を実現した島（海士町）

　島根県隠岐諸島にある島前地区もまた、課題を克服した地域である。

島前では超少子化・超高齢化が進んでいる。２００７年には島前の15歳人口が最盛期の半分以下の51人に減少。島前の中核である海士町に位置する県立隠岐島前高等学校は２００８年には入学者数が28人にまで落ち込み、高校は存続の危機に瀕した。

そこで海士町の人々は「隠岐島前高校魅力化プロジェクト」を発足、島全体を魅力ある教育のフィールドとしてブランディングを図り、若者の流出抑止と全国の子育て世代のIターン・Uターンを呼び込む戦略をとった。

高校では地域創造コースを設置し、地域生活学や地元企業での職業体験、地域と連携した課題解決型学習など個性あるカリキュラムを用意した。地域は高校生を起点に、地域資源を生かしながら活性化を図っていく。島前高校の生徒が中心になって組み立てた観光プラン「ヒトツナギ」は高校生を対象にした全国観光プランコンテストで見事第1位を獲得した。

教育内容の充実を図るとともに、島外からの生徒を受け入れるための寮を整備し、「島留学」と称して生徒募集活動を推進した。キャッチーなネーミングはマスコミでも注目され、２０１２年には異例の学級増を果たせるほどの進学希望者を集めることに成功。いまでは新入生の半数近くが島外からの入学生だという。

海士町の試みは高校と地域を結びつけたところがユニークだ。人口減少対策では産業振興と雇用創出が定石だが、海士町は産業資源に乏しいこともあって、教育で特徴を打ち出そうと地域を挙げて取り組んだ。しかも、そこで育てるのは自ら課題を見つけて、さまざまな人とつながりながら解決方法を考えて実践していく人材だ。課題解決先進国に向けたひとづくりの一つのモデルと言える。

実は地域振興という視点から、この試みにはさらに大きな意義がある。地域に高等学校がなくなれば子供は中学卒業とともに地域を離れる。高等学校があっても卒業すれば離れるわけだが、多感な十代の３年間を島で過ごすかどうかで地域への思いや愛情の深まりには大きな差が出てくる。事実、島前高校の少なからぬ卒業生が、大学を出たら故郷へ戻ると言って島を出ていくそうである。現在日本各地で島前高校の成功を模した試みがなされているのは、まさに正鵠を射ているのである。

自らの経験をもとにアジアの低炭素化に貢献（北九州）

福岡県北九州市は製鉄所を中心とする重化学工業都市として発展した歴史を持つ。１９６０年代には深刻な公害問題が発生したが、市民の「青空を返せ」という声を受けて各種対策を講じた結果、１９９０年代初頭には公害問題を克服した。これは市民、市役所、企業、国といった様々なステークホルダーの連携によって実現したもので、北九州市の経験は同様の悩みを抱える国内外の都市から注目された。2002年のヨハネスブルグ・サミットの合意文書には世界の自治体が学ぶべき経験として「北九州イニシアチブ」が明記されたほか、2013年には経済協力開発機構（OECD）が北九州市をパリ、ストックホルム、シカゴとともにグリーン成長都市に選定している。

2010年、北九州市は「アジア低炭素化センター」を設立した。これは環境ビジネスで地域経済の活性化を図るとともに、アジアの環境保護と経済成長を両立させるグリーン・グロースに貢献するための中核施設という位置づけだ。また、これまでに蓄積した膨大な経験知を構造化して整理した「北九州モデル」を策定している。北九州モデルとは、廃棄物管理、上下水管理、エネルギー管理、環境保全、交通管理という、都市の環境に大きな影響を与える5分野からなり、それらを3つの主要な要素（役割、プロセス、成果物）で体系化・構造化してクラウドシステム上にデータベースとして整理したもの。当初から海外での活用を念頭に置いていたため、初めに英語版を策定し、それを日本語と中国語に翻訳した3カ国語対応になっている。ここには、過去から現在までの様々な取り組みが記されると共に、未来への教訓として過ちまでもきちんと整理されている。

アジア低炭素化センターはベトナム、インドネシア、カンボジア、タイなどを中心としたアジア諸国で、都市の環境問題の解決を支援している。環境モデル都市としての北九州市は、日北九州モデルは、まちづくりのグローバルスタンダードプラットフォームを土台としながらも、産業都市であり、また環境未来都市でもある北九州市の発展経緯を盛り込んだ『**アジアの産業都市に対応した都市環境化モデル**』である。
トップダウンのゾーニング政策を前提とした欧米型のモデルでは対応しきれない、アジア型のアプローチが可能。

アジア型のダイナミック且つ有機的な発展
＋
社会・技術・経済・環境・制度（STEEP）の視点を取り入れた
持続可能なまちづくり

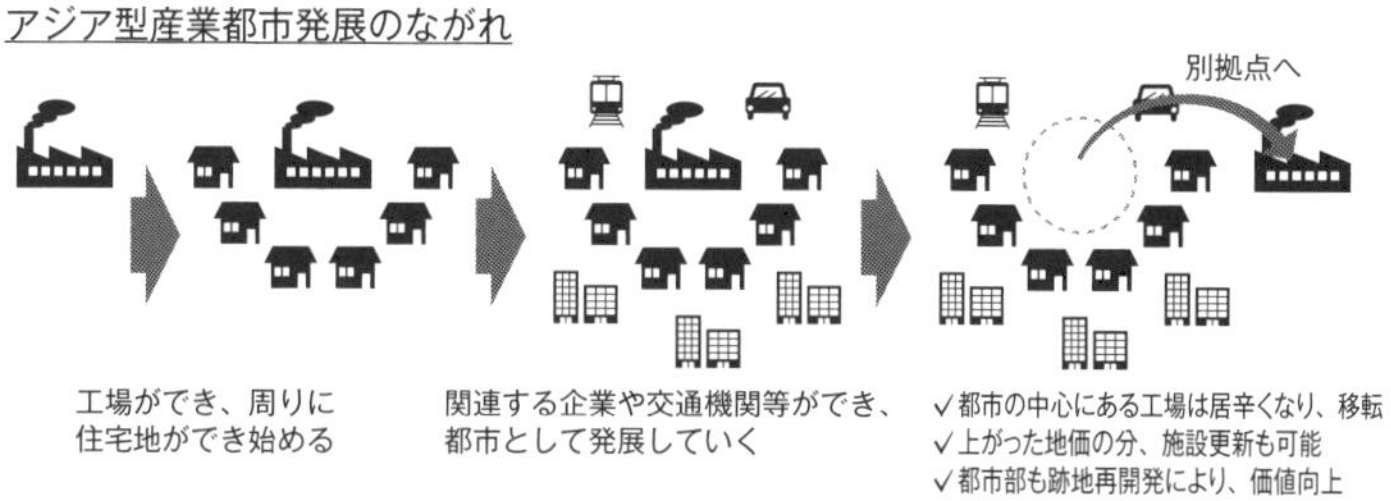

図6-2　北九州モデルの特徴：Asian Dynamism（提供：エム・アイ・コンサルティング）

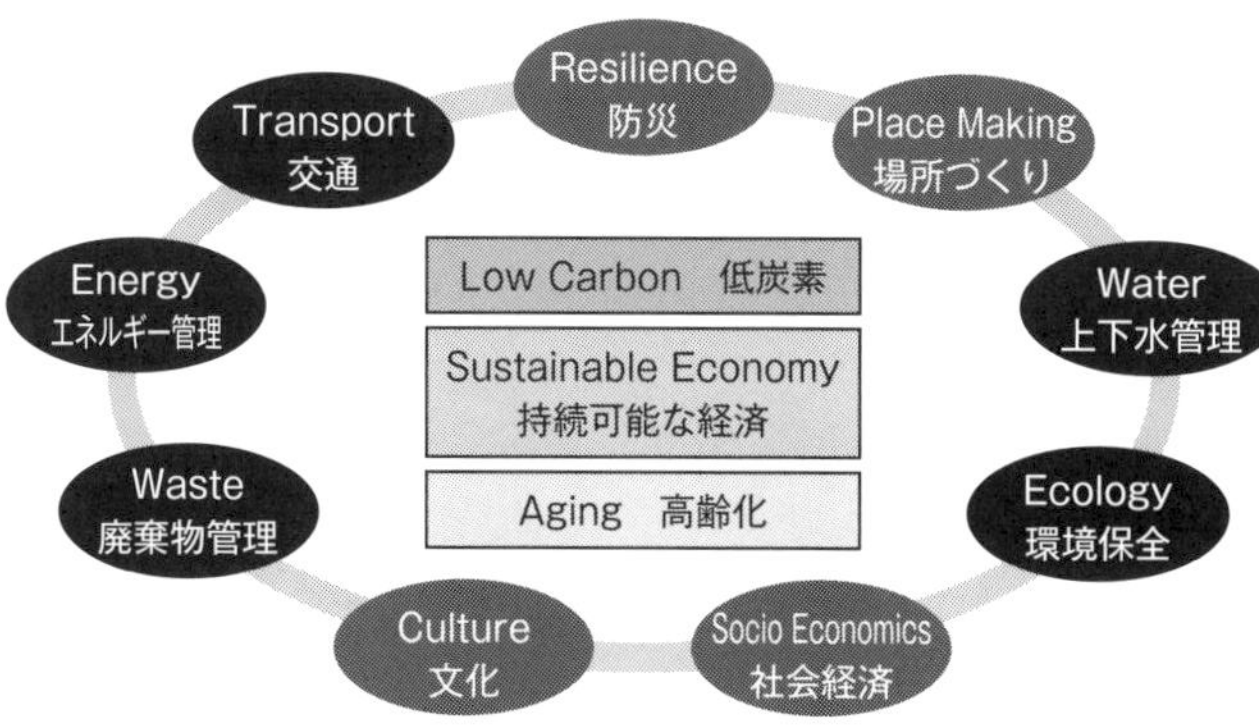

現在北九州モデルとして、廃棄物管理、上下水管理、エネルギー管理、環境保全の４分野についてとりまとめている。
今後さらに、包括的な持続可能なまちづくりのアプローチを行うため、下記のような要素を取り入れながら拡張していく予定。

図6-3　モデルの拡張性：持続可能性のテーマ（提供：エム・アイ・コンサルティング）

本国内よりもアジア諸国で知名度が高いかもしれない。今後、同センターは低炭素のみならず、持続可能な経済（サステナブル・エコノミー）や高齢化（エージング）に関してもカバーしていく予定だという。

奇跡を実現したリーダーシップ（やねだん）

それぞれの地域が抱える資源や解決すべき課題は一様ではない。大切なのはビジョンを掲げて、その実現に向けて進んでいくことだ。

鹿児島県鹿屋市の山間部にある柳谷地区は通称「やねだん」と呼ばれている。ここもまた高齢化と人口減少が進んでいる地域だが、やねだんの十数年にわたる地域再生の取り組みは「やねだんの奇跡」と称されるほどの成功を遂げた。その立役者は1996年に公民館長に就任した豊重哲郎氏。豊重氏は人口約300人、高齢化率4割、地域活動がほとんどなされていない現状に危機感を抱き、「行政に頼らず、自主財源を作り、地域再生を果たす」というビジョンを掲げて行動を開始する。

地域住民から提供された耕作放棄地を利用し、地元の若者たちの手をかりてサツマイモを栽培。それを原料にした独自ブランドの焼酎「やねだん」も開発した。トウガラシも栽培しており、韓国にも輸出。かくして自主財源を獲得できた。また、町有地を借り受けて、手作りの運動器具を設置した「わくわく運動遊園」を開いた。これが住民の健康増進に貢献し、75歳以上の医療費は鹿屋市内の他の集落より年間約4割以上少ないという。

再生までの歩みを牽引したのは一人のリーダーだが、いまでは住民一人ひとりがリーダーシップを発揮して積極的に地域の活動に参加するまでになった。豊重氏はこの経験をもとに、2007年、自治体職員など地域再生に携わるリーダー人材を育成するための「故郷（ふるさと）創世塾」を創設した。3年前には卒塾生を対象にした高度な地域再生リーダー養成「故郷創世スーパー塾」も開設し、その活動の幅は一層広がっている。

巨大都市におけるビジョンの実現（二子玉川）

地域再生の物語は過疎が進む地方都市に多くみられるが、都市には都市の課題がある。東急電鉄沿線の二子玉川は経済成長期に日本初の郊外型デパートとして開業した玉川髙島屋ショッピングセンターを中心に発展した人気の街だ。魅力ある街であり続けるためには常に進化し続けなければならないのが都市の宿命である。二子玉川の再開発計画は1982年に始まり、昨年ついに33年間にわたる大規模プロジェクトが完成した。

街づくりにはハードウェアの整備だけでなく、そこに息づくソフトウェアこそ欠かせない。そこで、2010年に発足したのが「クリエイティブ・シティ・コンソーシアム（以下、CCC）」である。幹事会員には東急電鉄のほか、人気商業施設を運営するカルチュア・コンビニエンス・クラブや、全国で地域再生活動を支援する大日本印刷などが名を連ねた。

CCCは、二子玉川をモデル地区として、複数の異業種企業やクリエイター、学識者等で構成され、業種の枠を超えて新しい都市の先進事例となる社会システムやワークスタイル、ライフスタイルを実現するための各種活動を展開している。強みは、参画企業等が持つ様々な知見やノウハウを融合する仕組みと、試験導入する際の適切な「場」があること。そして、地元企業や地域住民をはじめとするステークホルダーとWIN―WINの関係を築いていること。ここでは一部企業の〝良いとこどり〟を許さず、地域に根ざして活動する企業を歓迎する。参画企業には長期にわたって、この地のステークホルダーと付き合う覚悟が求められているのだ。

活動開始から5年が過ぎ、CCCは活動領域を二子玉川・渋谷・自由が丘の3拠点から成るプラチナトライアングルへと拡張した。プラチナトライアングルには数多くのクリエイティブ・クラス（価値を新しく創り出す人）と呼ばれる人々が住み、新しいイノベーションを生み出し、かつそれを受け入れることのできる巨大な消費市場が形成されている。これは自らのアイデアがビジネスへとつながり、このエリアから夢を実現できるチャンスがあることを意味している。

ＣＣＣの成果の一例に、都区内初のセグウェイの公道走行ツアー「セグウェイツアーｉｎ二子玉川」の実現が挙げられる。活動の中核は、ＣＣＣ内に立ち上がったモビリティをテーマとした「ＱＵＯＭＯ（クオモ）」プロジェクト。地域の交通安全マナー啓発を進める二子玉川地区交通環境浄化推進協議会および世田谷区の協力のもと、経済産業省の「企業実証特例制度」による規制の特例措置を受けて、２０１６年4月にツアーを実現させた。２０２０年の東京オリンピック・パラリンピック開催も視野に入れ、新しいテクノロジーや規制緩和などの手法を活用した実例を構築・発信し、次世代に向けたまちづくり活動も意識している。

今後、ＣＣＣは二子玉川からプラチナトライアングルへ、活動の「場」を広げていき、巨大都市東京における持続可能な新しいまちづくりに必要なイノベーションを創出していく。日本のイノベーションを牽引するのが東京であり、その成長エンジンとなることが期待されるのがプラチナトライアングルなのである。

私たちはいま多くの課題に直面している。しかし、先人の努力によって、モノと情報・移動手段を獲得し、長生きできる社会を実現したこともまた事実である。資源自給、低炭素化、公害克服と自然共生、健康と自立、生涯成長、多様な選択肢、自由な参加……それらを実現するプラチナ社会を目指していこうではないか。

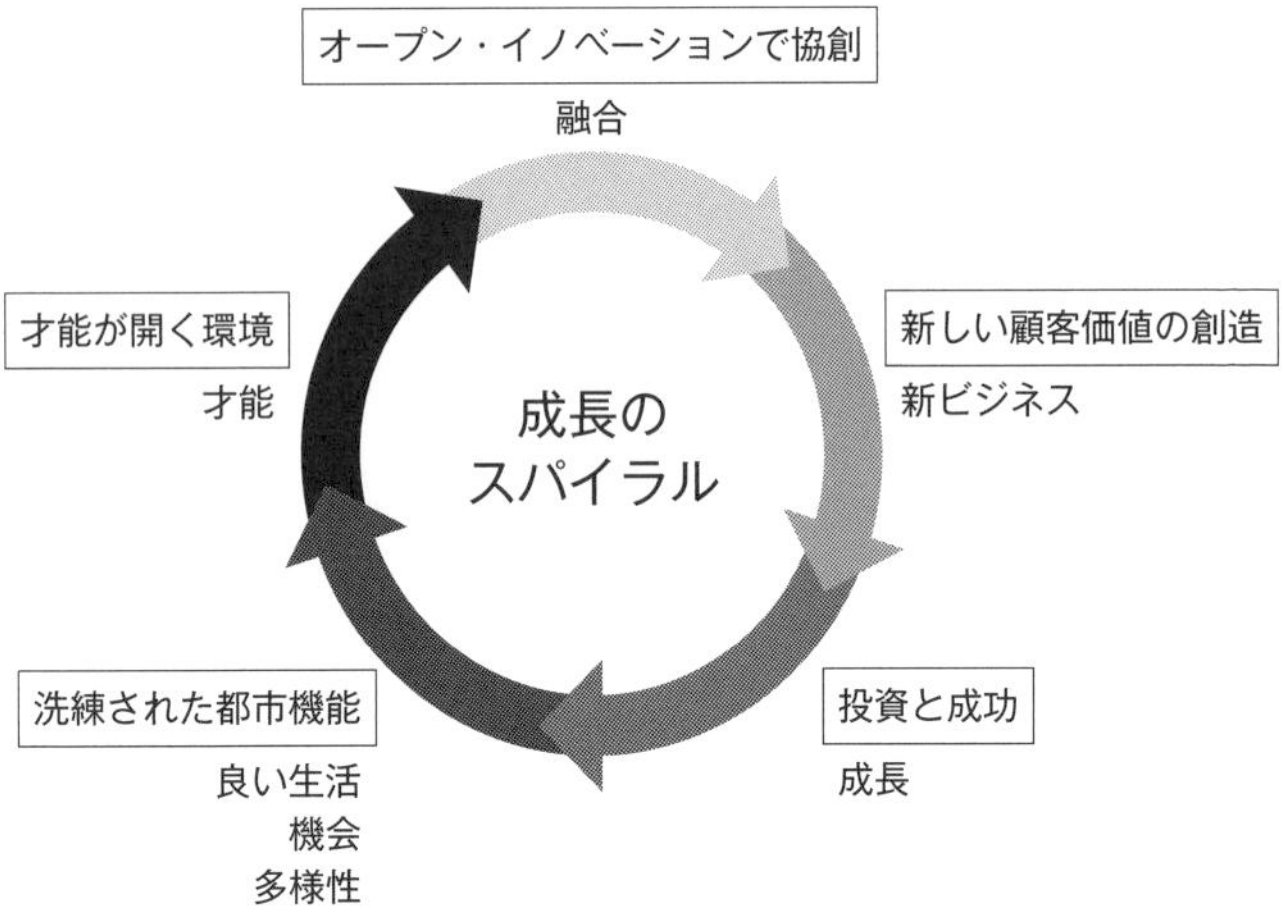

図6-4　クリエイティブ・シティの成長スパイラルイメージ（提供：東急電鉄）

写真6-2　セグウェイの公道走行ツアー（提供：東急電鉄）

6章◆2　資源自給国家を目指して

ビジョン2050で実現する自給率7割

プラチナ社会は物に加えて、質的にも豊かな社会、誇りをもって輝く生を可能にする社会のことを言う。

目指す具体像の一つの姿は「資源自給国家」だ。日本は資源に乏しい国だと言われる。確かにエネルギーの大半を輸入に頼り、鉱物などの資源を輸入しては加工し、輸出で外貨を稼いできた。しかし、そのモデルが限界にきている。

いままでは、人口ではわずか世界の10%の先進国が工業を独占し、残り90%の国は1次資源を売るしかなかった。先進国は1次資源を安く買って、世界に高く売ることで経済成長を遂げてきたのだ。しかし、その構図はすでに崩れつつある。1次資源の輸出に頼っていた国々でも工業が興り、製品は世界にあふれ、価格競争が起きて、資源と製品の差は狭まる一方だ。

産業革命が世界に飽和しつつある今、日本が目指すべきは「資源自給国家」である。理想は

１００％資源自給だが、現実には70％ぐらいでも十分だろう。

第１章で述べたように、エネルギー消費はこれから減っていく。ビジョン２０５０で提唱しているようにエネルギー利用効率を高めて、自然エネルギーを拡大していけば、２０５０年のエネルギー自給率は70％が可能だ。

また、人工物の飽和は見えている。リサイクルの技術を高め、物質循環システムの整備を推進していけば、鉄やセメント、レアメタルやレアアースなど、多くの資源を都市鉱山からリサイクルで得ることができる。鉱物資源も自給率70％を目指すことが可能だ。

食料はカロリーベースで現状40％だが、これも70％を目指したい。

水と木材については１００％自給可能だ。日本は水資源を豊富に有するし、国土の３分の２は森林で、木材資源のポテンシャルも高い。現状、木材資源の自給率は25％程度と低いが、林業が再生すれば5兆円規模の産業が生み出せる。

以上を積み上げることで、資源自給率は大幅にアップする。ビジョン２０５０と併せて、２０５０年の資源自給率70％の実現も可能なのである。

林業再生に向けたシナリオ

我が国は豊富な森林資源を有しているにもかかわらず、木材需要の75％を輸入に頼っている。戦後、復興のためにおよそ1000万ヘクタールもの植林を行ったのだが、経済成長期に若手人材が都市部に流出し、林業の担い手が不足した。そこへ、安価な輸入木材が持ち込まれ、国産木材は価格競争に翻弄される。経営合理化や規模拡大といった抜本的改革ができないままに林業従事者は高齢化するばかり。人手不足から森林が荒廃し、国土保全機能が低下して森林がますます荒むという悪循環に陥る。これを断ち切らなければならない。

オーストリアやドイツなど欧米の木材輸出国には経営の大規模化、機械化、サプライチェーン形成という共通項がある。それらの国々は伐採搬出コストが1平方メートル当たり約5000円であるのに対して、日本は9000円ほどかかる。また、日本の林道網の密度はオーストリアやドイツの約5分の1で、非常に効率が悪い。

そこで期待されるのが種々の課題をテクノロジーとビジネスモデルで克服する、スマート林業である。プラチナ構想ネットワークでは林業再生ワーキンググループを設置し、スマート林業として具体的に何をすべきかを検討している。

実は日本国内にも先進的な事例がいくつも生まれている。たとえば、群馬県では森林組合が

写真6-3　下川町における林業活性化の取り組み

連携して、渋川県産材センターを設立し、国内初の一括全量買い取り方式を展開している。このセンターがサプライチェーンの中核となることで、あらゆる品質の木材の受け入れが可能になった。また、町の9割が森という北海道下川町では、地域ぐるみで林業活性化に取り組む。持続可能な森林管理・森林経営の国際認証であるＦＳＣ認証を北海道で初めて取得して木材の付加価値を高めるとともに、製材工場で発生する木くずをバイオマスとして活用。公共施設に使うなどして、CO_2と経費を同時に下げる試みを推進している。

　サプライチェーンが形成されてバイオマスの利活用が広がれば、その収益を再びスマート林業に還元することができる。林業が活性化すれば、森林を荒廃させることなく、健全な自然環境を維持できるので、土砂災害の防止や土壌保全にもつながる。

バイオマス利用、CO_2削減、経済活性化、国土強靭化、環境と水源保全――。サプライチェーン化とスマート化による林業再生がもたらす果実は大きい。だからこそ、国や巨大資本を持つ企業群が積極的にかかわり、規模というレバレッジを利かせて、日本の林業を力強く再生に導いてもらいたい。

６章◆３　美しい自然と共生する

生きとし生けるものが住みよい世界

日本は課題解決先進国を目指すべきだと述べた。私は、日本にはその力があると信じている。事実、過去にいくつもの困難を乗り越えてきた。

工業化が加速した高度経済成長期には日本各地の環境が汚染され、水俣病やイタイイタイ病、四日市ぜんそくといった公害病が発生した。アメリカだろうがロシアだろうが、どの国でも工業地帯付近が汚染されやすいことに変わりはないが、日本は国土が狭いために、工場と住宅地が近く、人間が直接被害を受けてしまった。この事態を受けて、産業界は有害物質を除去する技術を発展させて公害問題を克服した。

自然環境に負荷をかければ、人間だけでなく、そこに生きとし生けるものすべてに影響が及ぶ。森林が枯れ、大地が細れば、地域と共にあった生物がすみかを失う。いくつも野生生物が絶滅の危機に瀕し、既に地球上から消え去った日本の固有種も存在する。

こうした自然の姿に胸を痛めた人々は昔ながらの風景を取り戻そうと、それぞれの地域で環境保全活動を始めた。努力の甲斐あって、新潟県佐渡市にはトキが、兵庫県豊岡市にはコウノトリが、静岡県三島市の源兵衛川にはホタルが、それぞれ生息できる環境が再び整いつつある。しかも、人々はこうした活動を地域の魅力づくりにつなげている。佐渡市では観光施設「トキの森公園」を整備し、トキの生態を学べる環境学習プログラム等を提供している。豊岡市ではコウノトリが生息できるくらい、美しい環境で育てたことを訴求するブランド米を開発。三島市はホタルまつりなどのイベントを展開し、観光活性化を実現している。

人類の繁栄は自然との共生の上に成り立つ。環境に負荷をかけながら、人類だけが発展する未来などあり得ない。「自然共生社会」はプラチナ社会を構成する重要な要素の一つなのである。

共生に向けた企業の取り組み

環境問題に注目が集まった１９９０年代、バブル期に流行した美術品などを扱うメセナに代わり、植樹や清掃などを行う環境保全活動に取り組む企業が増加した。現在に至るまでその活動を継続あるいは発展させている企業もあることは素晴らしいが、本業から離れた活動の場合は継続性に乏しい傾向にある。バブル期のメセナが経済の低迷でしぼんだように、収益構造が悪化すると余剰活動から撤退するのは当然のことである。

企業による環境保全活動は、傷んだ自然を救うボランティアではなく、企業活動とリンクする前向きな事業活動であることが望ましい。本業への還元があるからこそ、企業は必要なリソースを継続的に投ずることができる。

総合飲料メーカーである伊藤園は茶産地育成事業に取り組んでいる。対象となる土地は契約栽培６６８ヘクタールに新産地事業３６６ヘクタールを加えた合計１０３４ヘクタール（２０１５年度末）。前者の契約栽培とは農家に茶を栽培してもらい、伊藤園が全量を買い取る仕組み。後者の新産地事業とは大規模な茶園造成事業で、耕作放棄地の活用、農業者への技術供与、ＩＴの活用など、さまざまな支援を行う取り組みだ。

伊藤園にとって、茶産地の育成は単なる社会貢献活動ではなく、製品原料の安定的調達という本来の事業に直結するメリットがある。だからこそ継続的に取り組める。さらに、農家には全量買い取りや技術的支援による経営安定化が、地域社会には耕作放棄地の解消や雇用創出といった社会価値がそれぞれもたらされる三方よしの事業なのだ。伊藤園では大量の茶殻を堆肥や飼料に利用する活動なども展開しており、アメリカのビジネス誌『フォーチュン』の特集「世界を変える企業50社」で日本企業最高位の18位に選ばれた。

もう一つ、企業による農業の取り組みを紹介しよう。科学的根拠に則ったスマート農業を推進する２０１０年創業のベンチャー企業、ベジタリアである。

現在の農業は20世紀半ばに誕生した、高収量の種と化学肥料と農薬の３点セットからなる「緑の革命」に基づく。これにより生産量は激増したが、結果として環境破壊や耕作放棄地増加等の課題を生んだ。最大の問題は今なお半世紀以上も前の方法論を踏襲し、イノベーションが進んでいないことだ。近年は科学の進歩で、植物生育や病虫害発生のメカニズムが明らかになりつつある。環境に優しい生体調和型の農業生産は不可能ではない。

ベジタリア開発の「パディウォッチ（PaddyWatch）」は科学と技術を融合させた農業イノベーションにつながるツールだ。パディウォッチは水田にセンサを差し込み、水位・水温・温度・湿度データを計測。アプリを使ってスマホやタブレットにデータを送信し、遠隔管理を可能にする。稲作では水の管理が非常に重要だが、農作業時間の25％を占めると言われるほど負

大きめの茶筒のような本体（写真右）の下にはセンサが取り付けられており、水田の水位や水温を計測する。データは専用アプリで管理し、タブレット端末やスマートフォンでも閲覧できる（写真左上、左下）。

写真6-4　センシング技術を使った水田センサ「パディウォッチ」（提供：ベジタリア）

担も大きい。これをモニタリングできれば、作業効率が向上する。

しかも、データから農薬や肥料の効率的な散布時期がわかるので、就農経験が浅くても適切に作業を行うことができる。ベジタリア代表の小池聡氏は「農業生産は現状、熟練農家の経験と勘と匠の技に頼るところが大きいが、経験は植物科学の科学的根拠に、勘はＩｏＴセンサに、匠の技はデータサイエンスと人工知能に置き換えていける」と語る。

ベジタリアのメソッドは国家戦略特区に指定された新潟市の農業改革プロジェクトにも採用された。農業王国と言われる新潟でも農業の未来には強い危機感を持っている。農村の後継者不足と高齢化は深刻。高齢化して体力が衰えれば耕せる面積は減り、使わない農地が増える。肥沃だった農地は放置されるや、本来の大地の機能を失い、自然環境を荒廃させる。一度干上がった水田や荒れ果てた農地の再生には、農業を続ける以上の苦労があり、一朝一夕で解決できる問題ではない。林業の衰退と酷似した構図だ。

しかし、農業の場合は企業参入によって新たなフェーズを迎えている。伊藤園にしてもベジタリアにしても自社の企業活動が第一義であるが、健全な自然環境なくして彼らは存在し得ない。彼らの企業活動は環境保全や自然共生と同義であり、ビジネスと社会貢献活動が見事にリンクした好事例といえるだろう。

企業の参入を促進するには農業が採算のとれる産業でなければならない。そのためにはＩＣＴを使った農業の生産性向上が必須条件である。日本の農業は世界に比して効率面で優れているとは言い難い。特に主食のコメは厳しい。農地１ヘクタール当たりの生産額は野菜の約４３０万円に対して、コメは95万円程度と、野菜の４分の１以下だ。ここを改善していかなければならない。

生産性向上は農業振興と耕作放棄地の縮減に貢献し、地域の環境保全につながる。目の前の小さなセンサは地球環境を守るキーデバイスとなり得るのである。

6章◆4　人生を豊かにする健康と自立

アクティブシニアの知恵は社会資源

我々が目指すべきは量的豊かさを維持したうえで、もっと質の高い人生や生活、つまり、より良いクオリティ・オブ・ライフ（Quality Of Life、ＱＯＬ）を楽しめるような社会である。そのためには「生涯現役」を貫けることが重要だ。

多くの会社は60歳から65歳を定年としているが、いまの60代は昔と違う。大多数は健康で元気だし、脳の機能にも問題なく、仕事を続ける意欲もあるアクティブシニアだ。

産業用冷凍機で知られる前川製作所は１９７６年から「定年ゼロ」を掲げ、一風変わった雇用制度を設けている。本人の意欲と周囲のニーズがあれば、60歳になった後も１年単位の有期雇用契約で働き続けることができるのだ。勤務はフルタイム、保険も継続できるは半面、給与は定年前の６割程度になり、職域も変わる。

彼らに期待されているのは現役社員への知恵と技術の継承だ。現役世代は何かと忙しく、日々の業務に追われている。そこに経験と余裕をもったベテランが加わることで化学反応が起こり、新旧世代の協業によって世界トップクラスの製品が生まれているという。また、現役世代が壁にぶつかったとき、ベテランならではの勘で突破口を見出したり、的確に助言したりすることもできる。2016年8月時点、国内グループ社員のうち60歳以上が占める割合は1割以上。最高齢は84歳だが、過去には技術顧問として94歳まで在籍したケースもあった。

前川製作所では60歳以上の存在に大いなる意義を感じているからこそ、継続雇用制度を運用している。シニアにとっても、自分の経験を生かして働けることは張り合いになる。

経済学者ケインズは1930年執筆のエッセイ『孫の世代の経済的可能性』において、100年後、すなわち2030年には経済的な問題がほぼ解決し、人間は労働から解放されると記しているのだが、それでも1日3時間くらいは働く方がいいとも書き添えている。当時、富裕層の婦人には時間を持て余してノイローゼになる人が多かったという。仕事を通して社会に必要とされ、誰かの役に立っている実感を得られることは心身の健康を保つうえで不可欠なのだ。

内閣府「平成28年版高齢社会白書」によれば、2015年は高齢化率（65歳以上人口割合）が26・7％。高齢者1人を現役世代2・3人で支えている。2050年には高齢化率が38・8％に高まり、高齢者1人を現役世代1・3人で支えることになる。医療も介護も年金も、このままではすべてが行き詰まる。

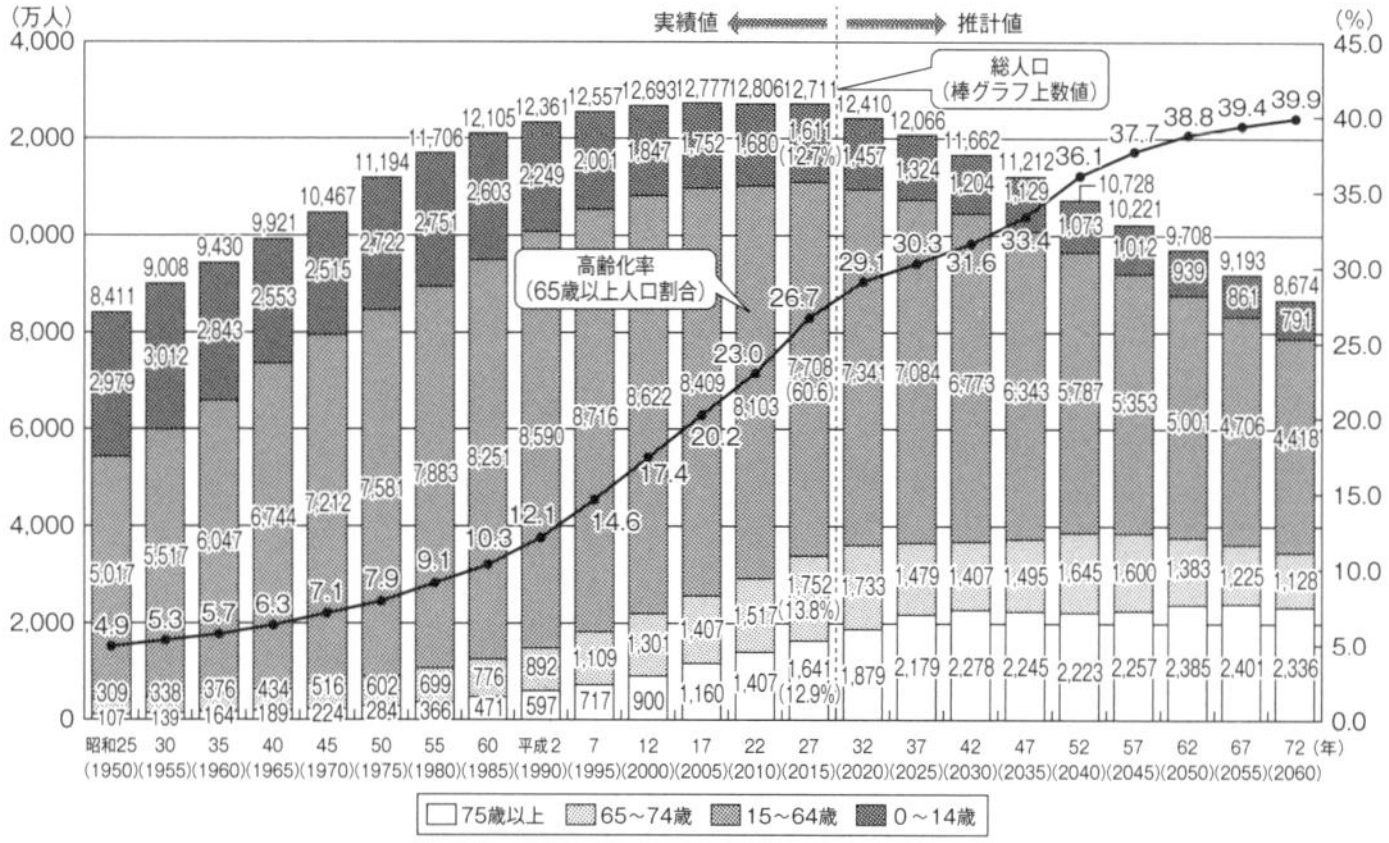

資料：2010年までは総務省「国勢調査」、2015年は総務省「人口推計（平成27年国勢調査人口速報
集計による人口を基準とした平成27年10月1日現在確定値）」、2020年以降は国立社会保障・人
口問題研究所「日本の将来推計人口（平成24年1月推計）」の出生中位・死亡中位仮定による推
計結果

（注）1950年～2010年の総数は年齢不詳を含む。高齢化率の算出には分母から年齢不詳を除いてい
る。

図6-5　高齢化の推移と将来推計

出所：内閣府「平成28年版高齢社会白書」

そもそも15歳から65歳を働き手とする考え方は経済成長期の工業生産をモデルにしたもので、現代社会には即していないのだ。ただでさえ少ない子供たちは大学進学率の向上で、半数は22歳まで仕事に就いていない。半面、65歳以上でもバリバリ働ける人がたくさんいる。

そんなアクティブシニアが自立した生活を送ることができれば、現役世代の負担が軽減されて、財政不安も緩和される。しかも、アクティブシニアの知識や技術はプラチナ社会を支える新産業の勃興に欠かせない。シニアの活躍に期待がかかるのはプラチナ社会にふさわしい教育だ。いわゆる学校教育だけでなく、前川製作所のように、若手社員の実地教育にこそ活躍の場が数多くあると考えている。いくら機械化や自動化が進んでも、依然として職人技は産業界に必要なのだ。生涯現役はシニア個人のＱＯＬを高めると同時に、プラチナ社会全体にとっても有意なキーワードだと言える。

シニアの知識や経験を次世代に生かす

アクティブシニアの知識や経験を広く教育の場に生かす試みも始まっている。

千葉県柏市は東京大学高齢社会総合研究機構およびＵＲ都市機構との三者で、長寿社会に向けたまちづくりを推進中だ。小学校３年生から中学校３年生を対象にした学び場「ネクスファ」はそのパートナー事業として稼働している。なかでもユニークなのはシニアスタッフが講師を務めるロボット・クラブだ。

ネクスファは企業や学校、地域住民を巻き込んだ活動をしており、企業を定年退職したアクティブシニアも講師として英会話や算数などを教えている。シニア講師の一人、三菱化学でエンジニアだった武藤達雄さんは英会話講師として参画していたが、やがて子供たちに生きた科学を教えたいと考えるようになり、ロボット教室を発案した。オリジナルの教材を開発してプログラミングなどを教えるクラスを始めたところ、瞬く間に満席になるほどの大好評。現在はクラスの数を増やして、複数のシニアが講師を務めている。

ＩＣＴの進展をうけて、既に中学校ではプログラミングが必須化され、２０２０年には小学校でも必須教科になる。そういった社会背景からプログラミングを学びたいというニーズはあり、ロボット教室は全国どこでも大盛況だが、それを教育できる人材は限られている。現役世代には本業以外に教育に参画するゆとりはない。やはりシニアの参画が必須だ。

武藤さんのようなアクティブシニアは実社会で培った知識や経験を豊富に持ち合わせており、子供たちに学校とも学習塾とも違う生きた学びを提供することができる。一方、シニアにとっても、自らの意志で社会に参画できることが生きがいとなる。心身健やかに生きていくには社会から必要とされ、社会とつながり続けることが大切だ。

そこで、プラチナ構想ネットワークでは「プラチナ未来スクール」を開講する。プラチナ未来スクールは、持続可能な社会づくりに向けたワクワクで上質なモノゴトを、プラチナマスターたるシニアと、好奇心に満ちた子供たちが下支えする、近未来型アクティブプラーニング・プラットフォームである。

スクールで教えるテーマはさまざま考えられるが、まずはロボット教室を開講する。シニア人材は自治体やシルバー人材センターなどと連携しながら、大学教員のＯＢ／ＯＧのネットワークも活用して募る予定だ。また、受講生から月謝を受け取り、それをシニアスタッフの給与に充てる。これにより参加する子供と保護者も、シニアスタッフも、仕事として取り組むことができるし、きちんとお金が回る仕組みを構築することで、一時的なボランティア活動ではなく、持続可能なスクールとして運営することができる。

最初は東京と長崎から始めるが、これをモデル化し、全国に展開する予定だ。また、科目もロボットだけでなく、英会話や環境問題など社会性の高いテーマに拡大したいと考えている。

6章◆5　多様な選択肢と自由な参加

いまなぜ「絆」が求められているのか

ライフスタイルとワークスタイルはますます多様化していく。これは社会と個人との関わり方の多様化でもある。農耕民族である日本人は古くから土地に縛られてきた。稲作を筆頭に仕事は地域に根差しており、地域の集団に属するほかに選択肢はなかった。その結束を乱せば村八分で、仕事も生活拠点も失うことになる。一昔前の企業文化もそれに近い。終身雇用が人生の基盤にあり、会社の宴席や運動会、社員旅行などは半ば強制参加であった。

　稲作でつながった地域社会や一昔前の会社は共同作業を通して絆を育む場でもあり、集団の結束力があったからこそ、豊かな社会を実現できたわけだが、豊かさを手にしたいま、その価値が薄れている。昨今、ことあるごとに絆の大切さが叫ばれているのはその消失に対する本能的な危機感からではないだろうか。

　絆は本気で共同作業に臨むからこそ生まれる。だとすれば、プラチナ社会づくりのための共同作業がその役割を担うことができるだろう。昨今は生活費を稼ぐためのライスワークとは別に生きがいとしてのライフワークを持ったり、職能を生かして社会貢献するプロボノに参加したり、仕事とも家庭とも趣味とも違う特定の価値を共有するコミュニティ（共同体）の活動に関心が寄せられている。

　技術的進展によって空間的な距離感が縮まった分、働き方も、生き方も、選択肢は格段に広がった。今までは会社など所属先の活動に強制参加させられていたが、これからはどのコミュニティの、どのような活動に加わるのかを自ら選ぶ「参加型」になる。参加するコミュニティを選ぶ自由もあれば、参加しないことを選ぶのもその人の自由なのだ。

移動の自由が働き方を変える

1964年の東京オリンピックに合わせて開業した東海道新幹線は東京と新大阪の間を4時間で駆け抜けた。翌年には3時間10分を達成。新幹線ができる前は6時間半かかっていたので、大幅な時間短縮になった。現在の所要時間は約2時間半。リニア中央新幹線が開通すれば1時間ほどで移動できるようになる。飛行機はすでに羽田と伊丹の間を1時間ほどで飛んでいる。また、東海道新幹線以外にも新幹線網が広がり、日帰りで行けるエリアは格段に広がった。

これからも移動のイノベーションは起こる。情報通信技術の進展によって、情報の移動にかかるコストはほぼゼロになった。人間の移動のコストでも価格破壊が起こる。飛行機の運賃はLCCの登場で下落し、従来の半分以下になった。ドローンの進化版のような飛行機が実用化されれば、コスト構造は一変するだろう。技術的には十分可能だ。エアバスは既に電気飛行機のテストフライトに成功し、シリアで爆撃しているアメリカの飛行機は無人である。無人だと事故の心配はあるが、人間の操縦士も間違いは犯す。いずれは何重にも安全対策を仕掛けた無人飛行機を選択することになるだろう。

移動の自由度が拡大する一方で、移動しない自由も生まれている。以前は会社に集まって膝詰めで会議をし、回覧される紙書類に目を通してハンコをつくことが当たり前だったが、いまは大抵のデスクワークがパソコンで完結する。ビデオ会議システムも普及し、全員が一堂に会する機会は格段に減っているのではないか。外資系や大手企業にはテレワーク（在宅勤務）の導入も広がり、毎日同じ時間に電車に乗る習慣を持たない人が増えてきた。

出社の必然性が減れば、必ずしも会社のそばに住まなくてもよくなる。今でも栃木や茨城に家を建てて、東京のオフィスには新幹線で出社するという話を耳にするが、本格的なテレワークに移行すれば、関東圏にいる必要さえない。北海道でも沖縄でも好きな場所に住み、普段は自宅で仕事をして、必要なときだけ新幹線や飛行機で会社に行けばいい。移動手段と移動網の多様化、そして情報通信技術の発展は人々の移動に対する概念を変え始めている。

こうした変化は勤務日数や就労時間などの制度も変えていくだろう。現在でもフレックスや時短勤務の制度はあるが、万全ではない。「出産後、時短勤務で復帰したが、子供が熱を出すたびに遅刻早退で心苦しい」と周囲に気兼ねしながら働く人もいれば、「子育て中で毎日会社に行くのは難しいが、自宅で数時間でもよければ働きたい」という具合に働く意欲がありながら、制度の問題で働けない人もいる。究極的な理想は産休育休が不要になることだ。実現するには適正な評価制度と公正な給与体系もセットで考えなければならないが、人口が減っていく日本にとって意義深いテーマだと言える。

このように技術の進展によって物理的・空間的・時間的な隔たりは埋まり、働き方は多様化する。「多様な選択肢」が提示された結果、地方都市を選ぶ人が増えるかもしれない。子育て世帯であれば、十分にグラウンドも持てない都会の学校に通わせるより、自然に囲まれて全力で走り回れる学校の方が子供にとっては幸せだと考えるかもしれない。大人たちも通勤電車で疲弊することなく、子供と一緒に余暇を楽しみながら、自分らしい豊かな時間を持つことを選ぶかもしれない。そうなれば東京一極集中が解消されるだろう。

もちろん、やはり都会に住みたいという人もいる。どのようなライフスタイルを好み、いかなるワークスタイルが最適なのか、多様な選択肢のなかから自分で選べることに意味があるのだ。

広がるマルチハビテーション

20世紀までに人類が求めてきたものを、我々は粗方手に入れた。先進国では衣食住に困ることはなく、寿命は格段に延びて死の恐怖を遠ざけることにも成功した。移動手段と情報通信技術の進展によって、物理的・空間的な距離はどんどん狭まり、現代人はこの自由な世界をどう生きるかが問われている。

それに対する答えの一つは複数の生活拠点を使い分けるマルチハビテーションだろう。移動の自由度が増したいま、平日は都会のマンションから会社に通い、週末は地方都市の戸建てで過ごすような暮らし方は十分に可能である。さらにその先、完全自動運転車が実用化されれば、箱根や富士山麓のあたりから東京まで通う人も出てくるかもしれない。運転から解放されれば、移動に1時間2時間かかろうと、車内で仕事をしながら通勤できる。

仕事をする場と、生活する場を、いかにデザインすべきか。

宮崎県に本社をおくアラタナ代表の山本稔氏の選択は興味深い。アラタナはECサイト構築とEC特化型マーケティングサービスを展開するITベンチャーである。EC関連という事業特性もあって、宮崎であることがビジネス上の障壁になることはない。取引先の9割は東京だ。山本氏は三重県の出身だが、大好きなサーフィンにいそしむために宮崎への移住を決めた。彼曰く「オフィスに一歩入れば東京と同じビジネス環境。一歩出れば宮崎の恵まれた住環境」。休日には大好きなサーフィンをたっぷりと楽しんでいるという。

かつての働き方の選択肢は、経済成長期の集団就職に象徴されるように、太平洋側の工業地帯にいくか、地元に残って地場産業に携わるか、どちらかしかなかった。前者を選べば、自然から離れた生活になり、後者を選べば、従事できる職業に限界があった。しかし、いまは趣味のために地方都市で暮らしながら、東京に住んでいるのと変わりなく仕事ができるという、良いトコどりが可能になった。

アラタナは経営理念に「宮崎に1000人の雇用をつくる」を掲げ、移住支援金を用意するなど東京からのIターン・Uターンを積極的に推進している。

東京の働き方と少子化対策

アラタナのようなベンチャーだけでなく、大手企業にも地方都市を選択する動きが出始めている。非鉄金属メーカー大手のYKKは2016年3月までに富山県黒部市に本社機能の一部を移転した。黒部市にはグループ会社のYKK APの研究開発拠点があり、風や太陽光、地下水などを最大限に利用することで、電力消費を抑える住宅街「パッシブタウン黒部モデル」の開発を推進している。黒部ダムで知られるように、この地は水資源に恵まれ、自然も豊かで非常に住みよい環境だ。北陸新幹線の開通で、東京へのアクセスも格段に良くなった。地域密着で開発を推進し、今後の製品作りに生かしたい考えだ。

本社ないし本社機能を地方都市に移すと、社員の住環境も大きく変わる。家賃が安い、通勤時間が短くなって余暇が増える、環境が良いので健康増進が期待できるといったことが一般には言われている。

建設機械で世界トップクラスのシェアを誇るコマツは東京と地方都市で、社員のライフスタイルに有意な差があることを証明した。

コマツの本社は東京だが、２００１年に本社機能移転の方針を打ち出し、現在はその一部を発祥の地である石川県小松市に戻している。国内拠点を大まかに分けると、本社のある東京、生産拠点が点在する大阪／北関東、発祥地の石川という3つのグループになり、それぞれに属する既婚女性社員の子供の数の平均を調査したところ、東京0・9人、大阪／北関東1・3〜1・5人、石川1・9人であった。大阪／北関東は日本の平均とほぼ同じだが、東京と石川では明白に違う。また、30歳以上の女性社員の既婚率でも、東京50％、大阪／北関東70％、石川80％と、開きがあった。社内制度が同じでも、東京は既婚率が低く、子供も少ない。石川は反対に、既婚率が高くて子だくさん。一般に「女性管理職は子供が作りにくい」と言うが、それは東京の論理だったようだ。

２０１５年の我が国の合計特殊出生率は1・46であった。わずかに上昇してはいるが、人口減少に歯止めをかけるような規模ではない。政府は少子化対策を講じているものの、出生率1・8という目標にはほど遠い。コマツの事例に課題解決のヒントがあるのではないか。

6章◆6　プラチナ社会に生まれる新たな産業

大都会で地域課題を考える丸の内プラチナ大学

産業が変わり、働き方が変われば、個人に要求される知識や能力も変わる。プラチナ社会が志向する成熟した豊かさとは誰かに与えられるものではなく、自らがつかみ取る、あるいは見出すものだ。多様な選択肢から自分の意志で選ぶからこそ、ＱＯＬが高まるのである。これから必要なのはプラチナ社会へ向かうための能力を磨く学びの場だ。

２０１６年７月、東京のオフィス街に丸の内プラチナ大学を開講した。より多くの人に新たな学びと挑戦の場を提供するキャリア講座という位置づけである。対象は、丸の内、大手町、有楽町に勤務する40～50代のビジネスパーソンを想定したが、ふたを開けてみると20代の若手もいれば、定年を過ぎたシニア世代もいて多様性あふれるクラスになった。

開学と同時に始まったのは「ヨソモノ街おこしコース」である。大都会のオフィスワーカーが、さまざまな課題を抱える地域の活性化を考えるというもので、約４カ月間にわたって３つの事例に学び、それぞれのビジネスプランを策定する。

　事例の一つは鹿児島県南西諸島にある徳之島の伊仙町。人口7000人あまりのこの町を全国的に有名にしたのは長寿と特殊出生率だ。長寿ギネス記録を持つ日本人の3人に2人が徳之島の出身。百寿者は常に20人以上を数え、平均余寿命は80歳を超えている。しかも、合計特殊出生率は全国平均の2倍相当の2・81。2期連続の日本一に輝いた。

　ゲスト講師として登壇した大久保明町長は高い出生率の理由を「地域の力が残っており、地域で子供を育てることができるから」だと述べている。また、徳之島名物である闘牛は今なお盛んで「老若男女を熱狂させるエネルギーが長寿と高い出生率を支えているのかもしれない」とも語った。

　そんな伊仙町でも人口減少は進み、将来に向けて町内の活性化や雇用の確保は大きな課題になっている。丸の内プラチナ大学ではこうした課題を共有し、課題解決のためのアイデアを、ヨソモノである都会のビジネスパーソンが考える。受講生には宿題も出されるが、自主的に学びに来ている面々だけに、誰もが真剣に取り組んでいる。

　丸の内プラチナ大学の副学長を務める松田智生氏は「普段は会社の上下関係のなかで会議をしているが、プラチナ大学では仕事も年齢も異なる受講生がフラットに議論をするので、思わぬ化学反応が起こる。金融パーソンが『社会性が重要だ』と訴えたり、NPO法人のメンバー

写真6-5　徳之島伊仙町の大久保明町長（提供：丸の内プラチナ大学）

が『事業性がないと持続しない』と語ったり。自らも驚くような意外性を発見できるのがプラチナ大学の魅力だ」と語る。

このコースでは伊仙町のほか神奈川県三浦市と岩手県八幡平も事例として取り上げる。三浦市は三崎マグロで知られる中堅都市で「健康半島構想」をテーマに据える。八幡平は温泉やスキーで有名な高原リゾートだが、地域活性化のためのビジネスプランを必要としている。受講生は離島モデルの伊仙町、近郊モデルの三浦市、高原リゾートモデルの八幡平という、3つの事例を通して街づくりを学ぶ。座学だけでなく、希望者はフィールドワークにも出向く。修了生にはここで学んだ知識や経験を生かして、ぜひ地域活性化の担い手として活躍してもらいたい。

プラチナ社会を実現する人財の育成

プラチナ構想ネットワークでは設立当初から地域発展の原動力を有する人財を育成すべく、「プラチナ構想スクール」を開校している。対象は地域課題を解決するうえで欠かせない自治体の職員。しかも、自治体の事情や仕組みをある程度理解し、かつ未来を担う世代に育ってほしいとの思いから、若手でもシニアでもなく、中堅に集まってもらっている。

このスクールで、受講生は解決すべき課題に対する認識力、解決力やリーダーシップやマネジメント力といった実践知識を習得するとともに、自治体を超えた新たなネットワークを形成する。１カ月のうち2日間は東京に出て来なければならないが、似た境遇にある仲間と学びの場を共有し、真剣に意見を交わすからこそ得られるものがある。ここで10年後も15年後も何かあれば電話一本で相談できる関係性を築いていってほしい。

さて、受講生は約6カ月間のプログラムの集大成として、自分が所属する自治体で実現可能な実施計画書「わがまちのプラチナ構想」を策定する。既存の事業計画をブラッシュアップするのではなく、地域の課題等を踏まえて、それに対するソリューションとして新たに何をすべきかを提案するのである。すぐさま実行できなくても、ここで苦労しながら構想を考え抜いた経験は地域の活動に必ず生かせるはずだ。

プラチナ構想スクールは現在9期目を迎える。修了生からは「プラチナ構想スクールを自分たちの地域でも深く浸透させたい」という声が多数上がっており、2014年から「プラチナ構想スクール＠【自治体】」をスタートした。

こちらも基本的な考え方はプラチナ構想スクールと同じだが、具体的なカリキュラムは地域に合わせてカスタマイズする。たとえば、ある自治体では自治体職員を次世代のリーダーに育てたいというニーズがあったので、彼らを対象にした地域の課題分析や政策立案のコンクールを行った。また、市民にも門戸を開くべく、市民参加形式のスクールを実施したり、震災復興をテーマにしたり、地域に合わせて多様なプログラムを展開している。これまでの2年間で愛知県豊田市や宮城県東松島市、茨城県取手市、埼玉県など、約10の自治体で開催した。引き合いも多いことから、さらに実施は増えていくだろう。

プラチナ構想ネットワークの人財育成は、さまざまな年代に広がっている。

中学生を対象とした「プラチナ未来人財育成塾」は、夏休み期間中に最長1週間の合宿形式で行う。多様な考え方を持つ同世代と寝食を共にしながら学んだ経験も、元国際連合事務次長の明石康氏や元陸上選手の為末大氏など世界をリードする一流の講師陣との触れ合いも、感性豊かな彼らの未来に少なからぬ影響を及ぼすはずだ。この試みは福島県会津若松市から始まり、千葉県柏市や熊本県菊池市でも開催。大学生のチューターやアクティブシニアも参加し、

写真6-6　プラチナ未来人財育成塾@会津（提供：プラチナ構想ネットワーク）

多世代で作り上げる塾に進化している。

分野特化型のスクールも充実してきた。中学生や高校生が省エネ・創エネを考えるための「プラチナエネルギースクール」は青森県野辺地町と埼玉県で開講。地域医療の中心となる保健師が集う「プラチナ保健師スクール」は我が国最大の疫学研究拠点である福岡県久山町から始まった。東京では行政との融合という効果も見られている。

人財育成プログラムは質も量も充実してきたが、そもそもはプラチナ構想スクールという1粒のプラチナの種からスタートしている。その種は分野や世代、地域を越えてあちらこちらに広がり、芽吹き、根付き、育ち始めている。地域にはまだまだプラチナの種が眠っている。それをプラチナ構想ネットワークの人財育成の修了生たちが見つけて、芽吹かせることが理想だと言える。

ＩＣＴで変わる教育

プラチナ社会では教育が新しい産業になる。いままでにない教育も生まれてくるだろう。国際化・情報化の波を受けて教育の在り方そのものが劇的に変化する可能性がある。これまでの学校は、より多くの知識を得る場として存在した。しかし、大量の情報が国境を越えて行き交う社会では、たとえ多くの知識を得たとしても、太刀打ちできない。

これからの時代を生きる子供たちには、異なる文化や価値観から構成される世界規模の共同体の中で、新しい価値を創造する力が必要だ。工業社会から情報社会への移行に伴い、21世紀型能力を育てる教育モデルが世界的に求められている。

ここに教育の情報化が欠かせない。電子黒板、タブレット端末など新たな情報機器やデジタル教材が多数登場している。映像や音声を使った分かりやすい教材の開発、コンピュータを使った反復型学習など、教育分野におけるＩＣＴ利活用の重要度が高まっている。インターネットで教員や生徒が互いにつながり、教え合い、学び合うようになれば、技術的にはどこに住んでいても世界の最新の教育環境に身を置くことができる。また、教室を外部に開放し、保護者や地域住民と対話しながら授業を進めることも可能だ。

情報化・デジタル化の重要性は既に語りつくされている感があるが、実は、教育分野は例外的に前向きな議論が進んでいなかった。特に日本においては教育の情報化のデメリットがとかく指摘され、この分野で日本は後進国といっていい。総務省の資料によると日本は学校内・学校外でＩＣＴ活用に取り組む生徒の割合が諸外国に比べて突出して低く、完全に後れをとっている状況だ。ＩＣＴの環境整備状況をみても、文部科学省の調べでは教育用コンピューターの普及は６・２人に１台にとどまる。

こうした状況を打開しようと、２０１０年７月に誕生したのが「デジタル教科書教材協議会」（Ｄ·ｉＴＴ）である。活動の目的はすべての小中学生がデジタル環境で勉強できるようにすること。具体的には、①１０００万台の情報端末の整備、②全教科のデジタル教科書・教材の開発、③教室内無線ＬＡＮ整備率１００％の３点を、政府目標を前倒しして、早期に達成することを目指す。そのためには学校現場や生徒、保護者などの「利用者」、政府・自治体などの「官」、そしてＤ·ｉＴＴなど「民」の三位一体で進めなければならない。

状況はようやく変わりつつある。文部科学省と総務省が連携し、全国の学校で実証研究を行ってきた。「デジタル教科書」を制度化する議論も本格化している。情報端末やネット環境の整備にも力を入れている。さらに文部科学省は、第４次産業革命を見据え、小学校段階からプログラミング教育を導入する方針を示している。

地方自治体では、大阪市、東京都荒川区、佐賀県武雄市、岡山県備前市などが、域内の小中学生に情報端末を配布している。現在は158の自治体でデジタル教科書導入の動きが進んでいる。意欲ある首長が取り組めば実行可能だということが明らかになってきた。

民間企業も本腰を入れている。これまでもマイクロソフト、インテル、NTTグループらが先行して学校現場と手を組み、教育情報化の事例を積み上げてきたが、参入企業が増加し、提供するサービスや領域も多様化している。通信教育のために専用タブレットを導入する企業も続々と増えている。

義務教育での必修科目化が進むプログラミング教育に関しても、民間の動きは活発だ。NPO法人CANVASは2002年より《プログラミング「を」学ぶのではなく、プログラミング「で」学ぶ》をスローガンに、全国の自治体、教育委員会、学校等と連携しながら、カリキュラム開発、指導者育成、支援体制整備等に尽力してきた。ここ数年は、プログラミングを学べる塾も急増している。今後は民間の知見を生かしながら、学校に導入されることが期待されている。

情報化で変わるのは初等中等教育だけではない。「日本オープンオンライン教育推進協議会」(JMOOC)は、東京大学、京都大学、慶應義塾大学などの教授による講義をオンライン講

写真6-7　NPO法人CANVASが実施するプログラミングワークショップ

座として無料公開している。もともと、ＭＯＯＣはスタンフォード大学、サチューセッツ工科大学（ＭＩＴ）、ハーバード大学、カリフォルニア大学バークレイ校が始めたもので、インターネット環境さえあれば無料で世界最高峰の教育を受けることができる。受講生にとっては選択肢の拡大だが、大学側から見れば、世界の大学と比較されるということ。ＭＯＯＣが大学のビジネスモデルを根本から崩す可能性もあると指摘されている。

　このように情報化・デジタル化は少しずつ前進しているが、やはり課題は山積している。最大の課題はコストである。日本は公教育にお金をかけていない。日本の公教育コストのＧＤＰ比はＯＥＣＤの最下位だ。国として教育情報化にもっと投資すべきである。

　また、「デジタル教科書」が教科書として認められていないことも課題だ。教科書は法律上「図書」と定義されており、紙でないと認められない。ようやく文部科学省も制度改正に向けて動き始めたところだが、筆者らによる提言から既に4年を浪費している。

教育情報化は国・自治体だけでなく、教育現場や保護者を含む国民全体の課題である。自治体、政府、国会、民間企業がそれぞれの役割を果たし、ハード・ソフトの整備、教員のサポート、法制度の整備などを進めていくことが大切だ。

社会人教育を新しい産業に

2013年にオックスフォード大学のオズボーン准教授らが発表した、人工知能（AI）の進展によって10年後には多数の仕事がコンピュータに置き換わる、という論文は、日本でもセンセーショナルに報じられた。レジ係やデータ入力者といったアルバイトスタッフも多い仕事から、経理担当者やローン審査員のような知識と経験を要求される仕事まで、さまざまな仕事が機械に奪われるというのだ。

そのすべてが正しいとは言えないが、多くの仕事がなくなることは間違いない。すでにIT化で多くの仕事が消えている。象徴的なのは大量生産品の工場だ。あらゆるプロセスが自動化され、産業用機械が正確無比に仕上げていく。そこに人間の入る隙はない。

しかし、IT化によって、今までになかった仕事が生まれることも事実である。

建築はＩＴ化が遅れていた領域だが、国土交通省は建設生産システム全体の生産性向上と、魅力ある建設現場作りを目指して「i-Construction」という取り組みを開始した。これにより、今まで手作業で行っていた仕事の多くはＩＴ化でコンピュータに置き換わる。しかし、すべてが置き換わるのではない。メンテナンスのように、人間にしかできない仕事は確実に存在する。

日本の社会インフラは老朽化が進んでいるが、幾度も改修を重ねてきた設備のメンテナンスほど厄介なものはない。高度な技術が要求される上に、資材や作業の共通化ができず、個別対応するため極めて高コストなのだ。だから、ほとんどのインフラは老朽化したまま放置され、トンネル崩落などの事故が起きている。

いま検討されているのはトンネルや橋などにセンサを仕込んで監視するシステムの導入だ。センシングやモニタリングはコンピュータが得意とする領域だが、実際のメンテナンスはできない。この任務に最適なのは、これまで建設現場で職人として働いてきた人々ではないだろうか。彼らを教育し、メンテナンスのできるＩＴ技術者として育成できれば、社会インフラの保守管理と雇用問題を同時に解決することができる。

ＩＴ化によって、その産業の従事者が減ることは事実である。しかし、１００年以上前にＴ型フォードを量産したフォードは生産性を10倍に引き上げ、自動車マーケットを１００倍に拡大し、儲けを10倍にした。そこまでのバブルは期待できなくとも、ＩＴ化で建設現場の生産効率が10倍になれば、既存市場が拡大し、メンテナンスを含めた新市場が興って、雇用も増えていく。

「手に職」という言い方があるが、手にすべき職の在り様は時代とともに変化する。しかも、その変化のスピードは加速度的に増しており、これからの時代を生きる人々は常に新しいことを学び続けることになるだろう。社会としては、そのための教育機関や教育制度を整備しなければならない。

このような教育機関あるいは資格制度といったものが新しいビジネスになる可能性は十分にある。プラチナ社会にふさわしい新しい産業教育が必要であり、そのための教育と資格制度そのものも新しい産業になり得るのである。

新しい時代を切り拓くリーダー育成

東京大学では2008年に「東京大学エグゼクティブ・マネジメント・プログラム」(東大EMP)をスタートした。これはいわゆるリーダー層のための教育プログラムで、新しい時代を創っていく総合能力の高い人材を育成することを目的とする。主な受講対象者は、将来の組織の幹部候補である40代。真のリーダーはいかなる場面においても確かな知識と多面的な思考に基づいて行動しなければならないことから、プログラムは納得性の高い議論を通じて課題を形成し、具体的な課題解決を構築、推進できるように設計されている。

開講時期は年2回（秋期、春期）。各期とも約25名を募集する。講義は金曜日と土曜日の週2日間。全20週で構成される。プログラムは「教養・知慧」「マネジメント」「コミュニケーション」の3分野からなり、全講義180コマのうちの65％を教養・知慧が占める。

講義の大半は約100人の東大教授が受け持つ。東京大学が有する幅広い分野の知識と共に、先端知を開拓するための思考方法を伝えて、議論を交わす。すでにでき上がった知識を学ぶのではなく、知識が生まれた背景や由来、研究者の考え方などを理解するとともに、より高度な洞察力を獲得することを目指している。また、文化を越えて世界的に普遍性のある論理を組み立てる能力の育成を強化している。

一連の講義を通して、知識の構造化・統合化が進むはずだ。たとえば、医学の講義でがんや認知症などの治癒の可能性を学び、受講生は共通の知識基盤を築く。そして、将来の社会に及ぼす影響を想像し、宗教・哲学・思想・経済などと結びつけて考え、それぞれの思考を深める。そのうえで議論を交わせば、より深い理解と新たな気づきを得られるだろう。東大ＥＭＰは教員から受講生への一方通行の教育ではなく、活発な議論を通して教員と受講生あるいは教員同士、受講生同士が刺激し合い、互いに学び合うことで、新しい視点や知見が生まれる創発の場なのである。

また、宇宙・素粒子分野の講義では理論的仮説の重要性と、新たな観測装置や機器開発の必要性を学ぶ。今日のように理論研究や開発技術が進化しても、シミュレーションできないことは多いのだが、このことはあまり知られていない。リーダーは専門いかんにかかわらず、外から見えない実態や課題の存在を知る必要がある。受講生はこの講義を通して、今後も多くの分野で命がけの試行錯誤が必要であることを再認識するのである。

全プログラムが終了したときには、参加者は幅広い分野の知識、多面的な考え方を身につけている。また、プログラム終了後も同窓生や東大教授陣等との会合、研究会、見学会などを持つ。一人ひとりが自己研鑽に励み、活動を進めているからこそ、交流の時間は楽しくも充実したものになる。修了生はすでに320人を超えた。今後も毎年50人程度を輩出する予定だ。社会のあらゆる分野でEMP修了生が活躍してくれることだろう。

改めて問われる教育の重要性

産業革命以来、世界の経済活動は年成長率が3％程度で拡大してきた。今後も開発途上国の成長により、これまでの傾向が長期間続くだろう。そして、2080年には世界の1人当たり

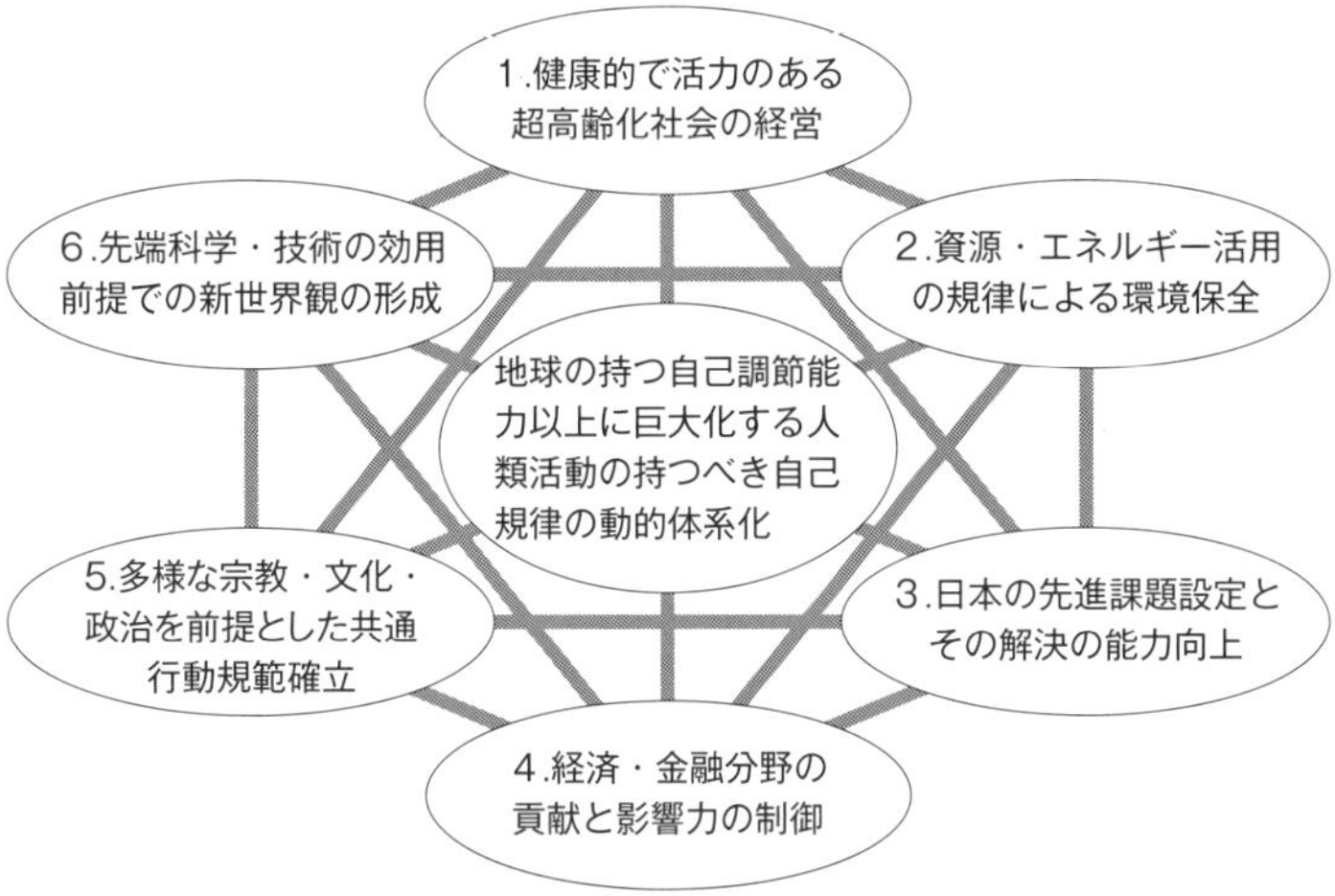
1.健康的で活力のある
超高齢化社会の経営
2.資源・エネルギー活用
の規律による環境保全
3.日本の先進課題設定と
その解決の能力向上
4.経済・金融分野の
貢献と影響力の制御
5.多様な宗教・文化・
政治を前提とした共通
行動規範確立
6.先端科学・技術の効用
前提での新世界観の形成
地球の持つ自己調節能
力以上に巨大化する人
類活動の持つべき自己
規律の動的体系化

講義の内容は世界の宗教・哲学・思想、経済学、法学・政治学、国際社会と日本、農学、医療・健康科学、創薬、生命科学、脳科学、情報科学、メディア論、システム工学、物質科学、物質・エネルギー循環と環境、宇宙・素粒子、建築、バリアフリー、ジェロントロジー、数学、科学史、認知科学、社会心理学、ロボット工学、放射線、日本社会のイノベーションなどと多岐にわたっている。

図6-6　東大EMP「教養・知慧」プログラムの構成

の平均所得は現在の先進国並みになる。

しかし、現在の問題である国家間や個人間の経済格差が適正な方向に収束し、世界各地での地域紛争などが解決される保証はない。また、現在のような化石燃料に依存したライフスタイルが続けば、温暖化による影響が国家間の格差を更に促進する問題もある。

社会は常に変化し、加速するグローバル化が社会の変化に拍車をかけている。グローバル化はもはや経済分野だけにとどまらない。政治や科学・技術、文化など、あらゆる分野で相互連鎖的に進展している。新しい技術を開発すること自体は否定しないが、これまで以上の速さで多くの技術が社会実装されていくために、社会変化が加速し、複雑化していく。それゆえに、多くの人はリーダーシップを発揮する難しさを実感しているのである。

しかしながら、世界第3位の経済大国である日本がこれからも発展していくためには、特にリーダー層が各分野の最先端知識やその変化状況を理解することが重要だ。そのうえで、将来を見通す力と発信力を強化して、他国への影響を強める必要がある。

また、学びが必要なのはリーダー層だけではない。ＡＩ、コンピュータ、センサ、ロボット、３Ｄプリンタなどが発達することで、現在、人間が行っている仕事の一部はそれらに代替されていくだろう。だからといって、即座に人間の仕事がなくなるわけではなく、新しい職種や新しい仕事も同時に生まれると考えられる。そのとき、旧来の知識や技能だけでは対応できない。新しい業務に取り組むには、新しい知識や技能が必要なのだ。これまでは学校を終えて社会に出たら、仕事を通して経験を積むことが勉強だった。しかし、これからは社会の変化に対応できるように、知識や技術をアップデートし続ける必要があり、人々の学びを支える多種多様な教育システムが求められる。

将来は新システムなどの適用により労働生産性が高まるので、人々は社会に出た後も教育を受ける時間、機会を十分持つことができるようになる。多くの人々が新しい時代にふさわしい教育を受けて、先進的あるいは高度化した業務に従事することにより、社会が発展していくことになるだろう。

6章◆7　見えてきたプラチナ社会

プラチナ社会推進の方法

課題先進国である日本のなかでも、離島地域は特に問題が顕在化している「課題先進地域」である。

鹿児島県にある種子島は人口約3万3000人、面積約445平方キロメートル、南北に細長い島であり、西之表市、中種子町、南種子町の一市二町がある。架橋等で日本四島と結ばれていない島の中では5番目に大きい。人口減少や高齢化率が日本平均を上回る、まさに課題先進地域だ。

ここに、東京大学総括プロジェクト機構は2012年から「プラチナ社会」総括寄付講座を設置した。この講座が中心となって産学公の連携による取り組みを推進し、全9大学（20

16年8月段階）が種子島で活動するまで広がりをみせている。大学研究者にとっては、自ら開発してきた技術を実証し、さらに地域社会を豊かにする技術としてブラッシュアップする機会となっている。

種子島には、サトウキビ、安納芋をはじめとする青果用さつまいも、焼酎やでんぷんといったものに加工される青果用以外のさつまいも、水稲栽培、和牛の肥育など、様々な農畜産業が存在している。中でもサトウキビは島の文化の一部として根付いており、島内のサトウキビから原料糖を製造する製糖業を含めたサトウキビ産業は、基幹産業の一つである。

サトウキビは成分のショ糖を圧搾により取り出し、清澄化や濃縮、結晶化といった工程を経て原料糖に変換される。この過程で発生するサトウキビの搾りかすはバガスと呼ばれ、古くから燃料として製糖工場内で利用されてきた。製糖用に必要な電力や熱はこのバガスから全て得ることができるのだが、一般的な製糖工場においてはバガス由来エネルギーを使いきれていないことが研究で明らかとなった。

一方、島の重要な産業であるでんぷん工場やマンゴー農家では、水の蒸発や温室の温度維持のために化石資源を燃やし続けている。これは家庭でも用いられるような汎用システムではあるが、工学的に見れば、150度以下の低い温度を得るために化石資源を燃やすのはもったいない。製糖工場で発生している余剰熱が利用できれば、十分にこれらの需要を満たすことができきる。

　このように異業種間で資源やエネルギーを共有する仕組みは産業共生と呼ばれる。理想的な仕組みではあるが、これを地域に実装することは、口で言うほどたやすいものではない。熱輸送技術に加え、関連法案との関係整理や自治体との協力体制の構築、さらにはその土地の人々にとって魅力的なものになっているかどうかを明らかにしていくことが必要となる。このような役割を企業や事業主だけで担っていくことは難しい。それに対して大学は地域社会の中では中立的な立場だ。大学が主体となって学術的な意義を多角的に説明し、産学公が方法を模索していくことは有効な手段だと言える。

　種子島ではこのようなプロジェクトが多数立ち上げられている。サトウキビに関しては、２０１３年に地球環境大賞を受賞した原料糖とエタノールの逆転生産プロセスの、世界初の実証プラントが存在しており、ここでも大学による環境負荷や技術導入シナリオなど、システマティックな解析が加えられている。また、東北大学が持つ、イオン交換樹脂法によるバイオディーゼルの新規製造法は、従来の方法では利用できない低品質の廃食油からも、樹脂充填塔を通過させるだけの簡便な操作で高品質燃料を連続製造できる。この技術の導入スケールでの実証設備も、種子島に世界に先駆けて設置されており、コモンレールエンジンでの走行試験も実施されている。

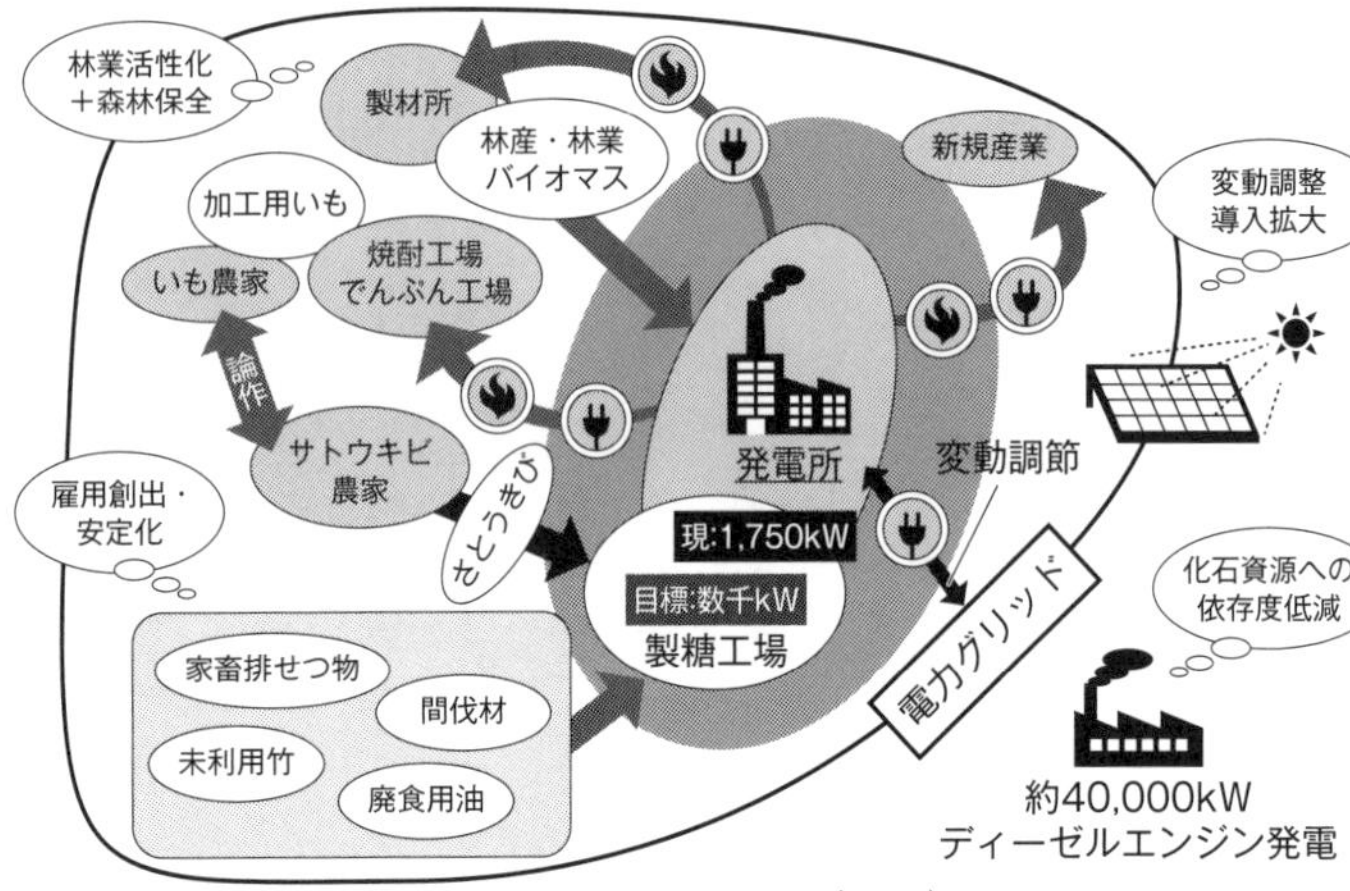

Kikuchi Y. et al. *J Ind Ecol*, DOI: 10.1111/jiec.12347（2016）

図6-7 種子島で展開している農林工連携システム概念図

他にも、京都大学、奈良先端科学技術大学院大学、熊本大学の研究者らが、心拍変動をウェアラブルセンサーで計測することにより、熱中症など自律神経機能に影響する状態を事前に認識し、アラームを発する機構の開発など、世界でも稀な健康管理に関わるデータの収集などが行われている。こうした取り組みは、地域の教育にも生かされつつある。

県立種子島高校においては、東京大学、東北大学、神戸大学の教員が種子島における取り組みを紹介するとともに、高校生が地元の課題をRESAS（地域経済分析システム）などを用いて定量的に特定しながら、その解決方法を考案する取組を行った。その成果は地元の首長や業界団体、住民が集まったシンポジウムで提言として発信し、公共団体のシニアと意見交換をするなど、新たな知の伝承と融合が起きはじめている。

「プラチナ社会」に向けて動き始めた地域が持つ魅力は、大学の研究者や事業展開を目指す企業以外にも波及する。東京大学が学部学生向けに実施している、「体験活動」プログラムにおいて、種子島における農林水産業や地域活性化などの取り組みに関するプログラムが2016年度に提案された。プログラム開始5年度目に初めて提案されたにもかかわらず、全443件のプログラム中、国内プログラムの中では第1位、海外プログラムを含めても上位の希望者が集まり、首都圏の大学生に対しても変革する地域における体験が魅力的であることが分かった。このように、新たな知の交流が次々に連鎖して生まれるようになっている。

プラチナ構想ネットワークとプラチナ大賞

プラチナ社会は成熟社会における成長の一つのモデルである。成熟した質的な豊かさ、QOLを目指すというビジョンは国や地域を問わないし、都市にも郊外にも離島にも通用する。ただし、具体的な手法や取り組み内容は地域ごとに異なる。日本全国に目を向ければ、さまざまな知恵と工夫に満ちた事例が点在している。似たような課題を持つ地域ならば、参考になる事例もあるだろうし、他の事例が励みになることもあるだろう。お互いの知恵やアイデアを交換

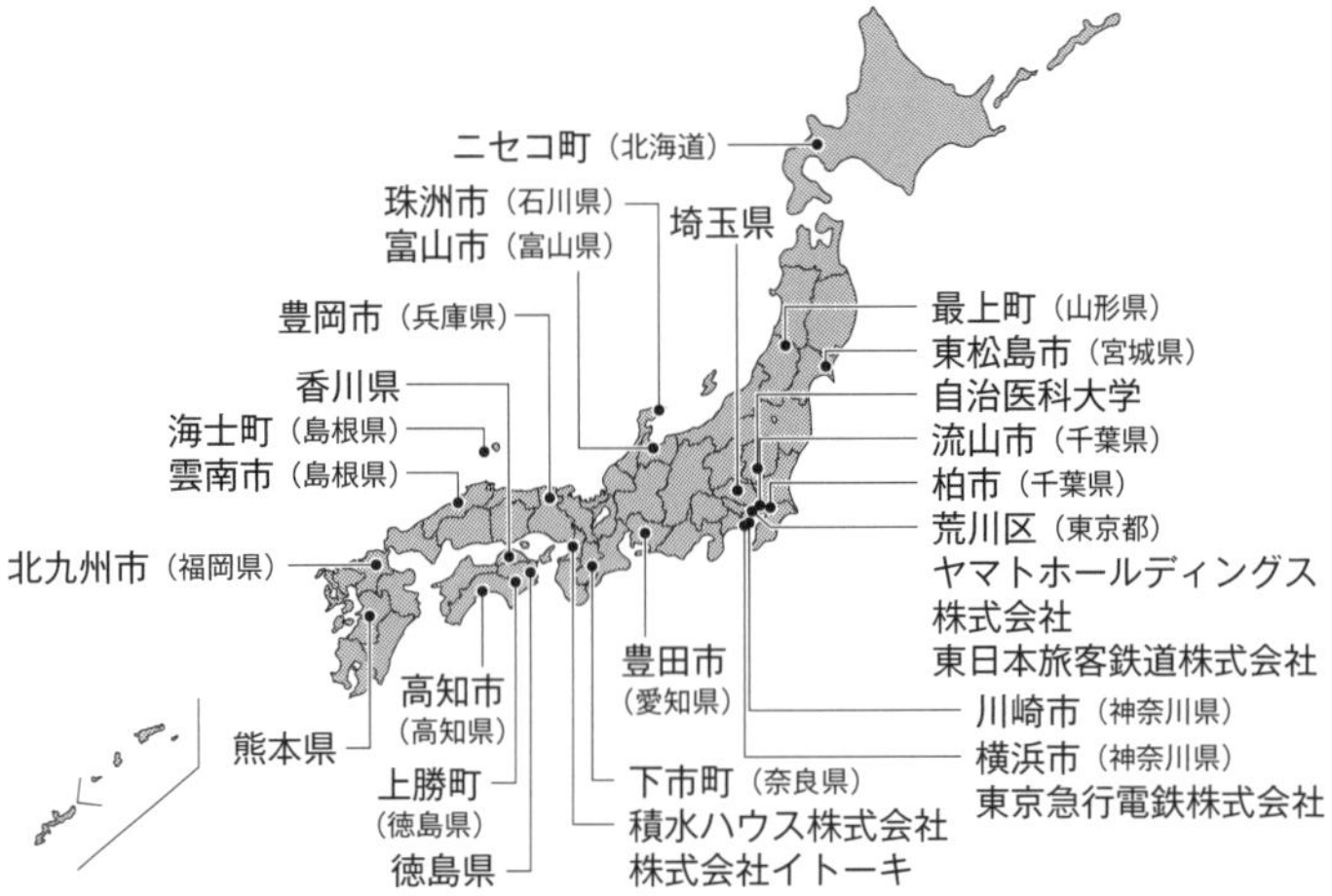

図6-8　歴代のプラチナ大賞受賞団体

することで、より良い知恵が生まれる可能性もある。手と手を取り合うことで大きなムーヴメントとなり、法規制や社会制度の改革を訴える力をも持つことができる。

このような考えから、２０１０年８月、46名の発起人とともに「プラチナ構想ネットワーク」を立ち上げた。社会変革が必要だと分かっていても、社会全体が一度に動くことはありえない。まずはフロントランナーが前面に出て仲間を増やし、臨界点に達すると全員が動き出す。ここに参集したメンバーは真っ先に動くフロントランナーたちだ。

発足から6年が過ぎた。プラチナ構想ネットワークは２０１６年９月現在で法人会員84名、自治体会員１５４名、特別会員56名、海外会員6名、合計３００名を擁する大きな組織に成長した。これまでに述べてきたように、プラチナ構想ネットワークではさまざまな人財教育プログラムを展開しているほか、先進的事例を広く共有するためのプラチナ構想ハンドブックの発行、シンポジウムの開催、健康経営など個別ワーキンググループの設置と議論の深耕など、さまざまな活動を行っている。

なかでも、２０１３年にスタートした「プラチナ大賞」は例年、多くのメディアに取り上げていただき、プラチナ社会の理念の周知に貢献してくれている。ここで表彰されるのは、イノベーションによる新産業の創出や、アイデア溢れる方策によって地域課題の解決を目指す自治体や企業、団体である。彼らは自らの取り組みをもって、プラチナ社会の目指す社会の姿を体現している。

プラチナ構想ハンドブックの作成

こうした先進事例を横展開するための手法がプラチナ構想ハンドブックの作成だ。昭和30年代から40年代における高度成長経済社会を支えてきたものは、工業化社会における工場の地方展開であった。この時代は工場の地方展開、横展開のための方法論が研究され、教科書やハンドブック、便覧という形でまとめられ、工業化時代を支えた。プラチナ社会の形成のためにも、かつての工業化時代を支えたような横展開の方法を創造していかねばならない。図6―9はプラチナ構想ハンドブックとして取りまとめている事例の構造分析の全体像を示したものである。

プラチナ構想ハンドブックは下記の内容を記述、取りまとめている。

①（地域）課題抽出と目標設定
②実施した事業（具体的内容、スケジュール、費用、体制など）と成功要因
③活用した地域資源
④仕組み・制度
⑤成果と今後の展開

課題抽出と目標設定は具体的な事業（プロジェクト）を構想・実施するうえで、より単純化・明確化することが事業の成功につながる。実施した事業はできるだけ具体的な内容、スケジュール（事業のプロセス）、費用、リーダー専門家の取り込みなど推進体制及び事業の成功要因（阻害要因）を記述している。③、④は事業を実施するうえでの前提となるものであり、③は地域の特色ある資源の見直し・再発見等を含み、④は規制や利用可能な補助金などを記している。今日では特区制度を活用、規制緩和を図る例が多くなっているが、これによる成果を受け、規制緩和や新たな支援制度などが生まれている。

他地域への展開のためにも、事業が地域社会に及ぼした影響も含め、成果についてもできるだけ数値化、正確・詳細に把握することとしている。また、事業は発展的に継続していくことでより大きなインパクトを地域社会にもたらすことが可能となることから、更なる展開も記している。

なお、ハンドブック全体を貫く考えは『〝因果関係〟をできるだけ明白にするために、ＩｎｐｕｔーＯｕｔｐｕｔの関係をできるだけ明確に構造化する』というものであり、これはＩＤＥＦという分析手法をベースにイメージして取りまとめている。

ハンドブックでは事例より成功要因や事例の発展プロセスを取り上げている。

例えば海士町では廃校の危機にあった高校を、島留学を実現・学級増をもたらすまでに押し上げたが、これは『高校存続は島存続に直結する』との危機感を町長や島民が共有し、町を挙げて取り組むとともに、外部より専門人材をリクルート、連携・役割分担の下に取り組んだことが成功要因として挙げられる。その中から町民を講師とした社会教育の実践や公営塾の開所など島独特のユニークな取り組みが生まれ、実践されてきた。

また豊岡市では、〝コウノトリ〟を徹底的に活用、ブランド化を進めている。すなわち、〝コウノトリ〟の人工ふ化の成功からコウノトリの野生復帰ーこのための無農薬、減農薬耕地の開発・拡大の基盤整備、これによる無農薬米である『コウノトリ育むお米』の生産・ブランド化

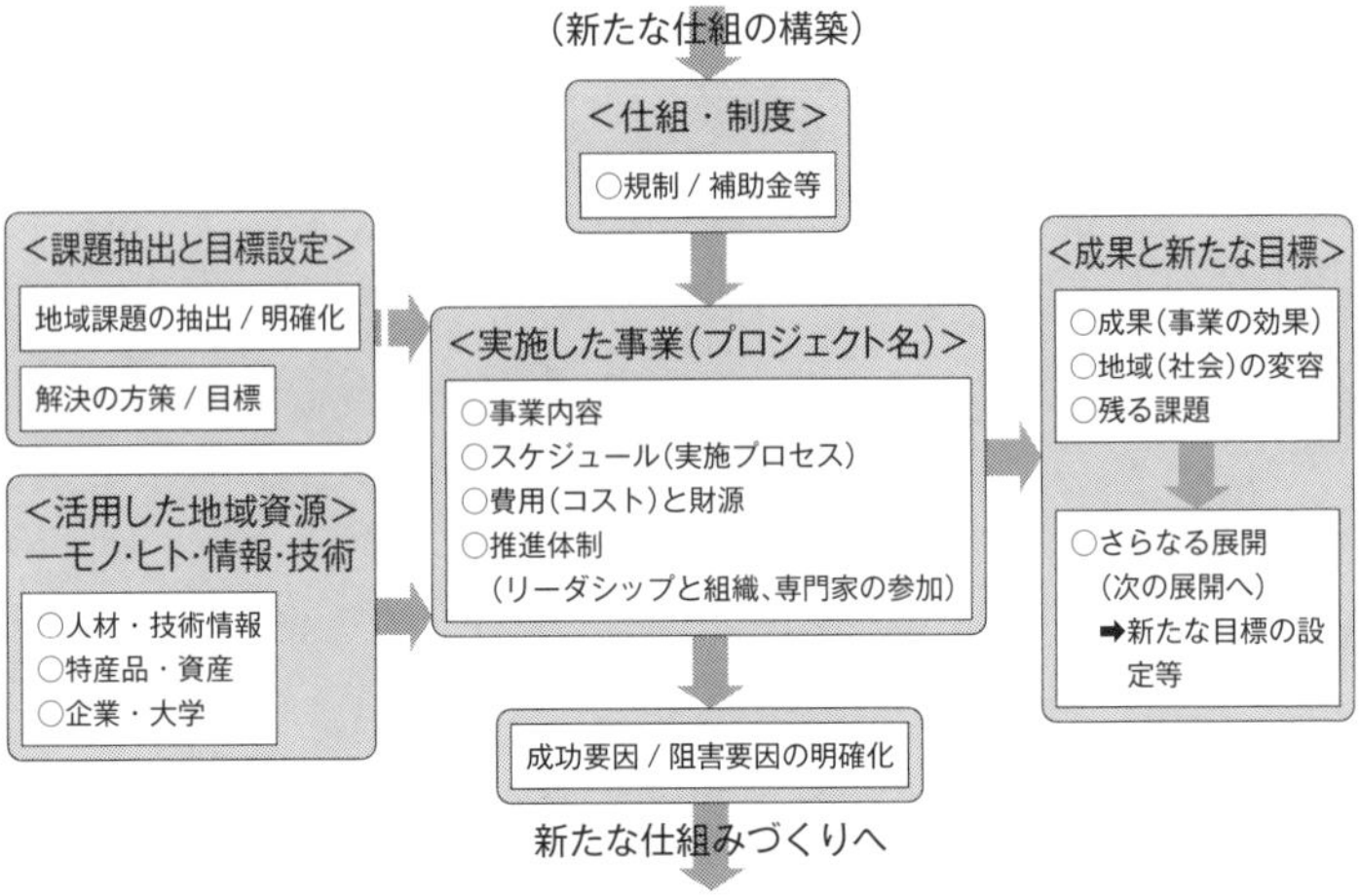

図6-9　プラチナ社会形成のための手法―プラチナ構想ハンドブックの構造

を実現、そして今、環境経済をさらに進めるための企業誘致を進め、環境経済都市を標榜する取り組みへと発展させてきている。

プラチナ構想ハンドブックで取り上げた事例は30を超えてきている。今後も事例が収集・分析されていき、多岐にわたる分野での事例が参考に供され、各地の取組みの実践につながることが期待される。

私は以前からあらゆる組織は自律分散協調系を理想と考えている。たとえば、人間の身体は心臓や肝臓といった臓器がそれぞれ自律的に機能しながら、全体としては一つの生命としてのシステムを作っている。組織運営においても、個々の要素は自由に活動しているが、必要に応じて全体のバランスが取れていることが望ましい。プラチナ構想ネットワークもこの発想に立脚している。

島前高校魅力化プロジェクトの海士町、ごみゼロに挑戦した上勝町、奇跡を起こした集落やねだん、二子玉川を中心とするプラチナトライアングルの取り組みなど、それぞれの地域が目指す姿は実に多様である。これら多様なコミュニティは独立して存在するものだが、情報や移動の自由を背景に、有機的につながっている。そんな自律分散協調系が日本のプラチナ社会の姿だろう。そして、それをさらに地球規模に拡大したものが21世紀に目指す世界の姿であろう。

6章◆8　プラチナ社会とビジョン2050

20世紀末に掲げた「ビジョン2050」は物質とエネルギーの視点から地球持続を考えるマクロなビジョンであった。このときはライフスタイルや社会制度を盛り込みきれなかったことから、2000年代に、課題先進国の日本は課題解決先進国を目指すべきとのビジョンを示した。そして、さらなる具体像として描いたのが「プラチナ社会」である。

ここまで述べてきたように、プラチナ社会の萌芽は既に日本各地に表れており、机上の空論ではない実践的なビジョンとして広く浸透し始めている。いうまでもなく、プラチナ社会は地

図6-10　プラチナ社会（提供：プラチナ構想ネットワーク）

球の持続なくして成立しないし、地球持続のための施策にはプラチナ的な視点が欠かせない。つまり、ビジョン２０５０から始まる一連のビジョンは相互に連関し、一体化して捉えることでより大きな世界観を描くことができるのである。

本書の主題である「新ビジョン２０５０」はこのような発想から生まれた。一人ひとりがクオリティ・オブ・ライフを追求し、地域がそれぞれの魅力をもって輝き、経済発展も低炭素化も諦めることなく持続する社会。新ビジョン２０５０はそれが実現可能であることを論理的に示している。

道のりは平たんではない。乗り越えなければならない壁も、折り合いをつけなければならない課題もある。軌道修正が必要な事態も起こり得るだろう。それでもなお、この道を進むべきだ。なぜなら、新ビジョン２０５０の先に開ける世界は必ず明るい未来なのだから。

対談 1

「トヨタ環境チャレンジ2050」

今までの延長線上にはない挑戦

トヨタ自動車は2015年10月に「トヨタ環境チャレンジ2050」を公表した。「新車CO_2ゼロ」や「工場CO_2ゼロ」など高い目標を掲げた狙いはどこにあるのか。

トヨタ自動車会長
内山田竹志氏

小宮山　「トヨタ環境チャレンジ2050」に対する内外の反応はいかがですか。

内山田　かなり思い切った目標になっていますし、数値目標を公表することは相当決断がいりました。社内はもちろんのこと、お取引いただいている部品メーカーさんもやはり驚かれています。「トヨタはなぜこういうことを言っているのか」と。一方でトヨタが向かう方向に合ったご提案を早くもいただくようになっています。さらに言えば、トヨタグループのほとんどの会社が、その後同じように目標を発表しているんです。

小宮山　そうですか。

内山田　1997年にプリウスを発売した時も

そうだったんですが、燃費の良い車を出してCO_2排出量を下げるといっても、プリウスだけでは大きな成果は得られません。CO_2削減が自動車社会の抱える課題のひとつだとお客さまが認めてくれたことで、その後は環境性能が商品力を左右するようになり、各社が競っています。ハイブリッドはもちろんですが、普通のガソリン車やディーゼル車の燃費も良くなり、CO_2の排出量は相当減っています。それとよく似ていて、トヨタ１社が言うだけではなく、仲間をたくさんつくって、みんなが目標に向かっていくことが重要だと思いますね。

内山田 竹志氏

トヨタ自動車代表取締役会長。1969年名古屋大学工学部卒業、トヨタ自動車工業（現トヨタ自動車）入社。常務、専務、副社長、副会長を経て2013年6月から現職。総務省情報通信審議会会長、内閣府総合科学技術・イノベーション会議非常勤議員などを務める

気候変動のインパクト

小宮山　環境チャレンジ２０５０で掲げている３つの「CO_2ゼロチャレンジ」と３つの「プラスへのチャレンジ」について説明していただけますか。

内山田　ゼロへのチャレンジは、まず新車のCO_2排出をゼロにする。正確に言うと、２０１０年に対して２０５０年にCO_2排出を90％減らそうということです。それから、生産から廃車まで含めてライフサイクルでCO_2をゼロにする。３つ目のチャレンジは、我々にとってはけっこう大きなインパクトなんですが、クルマ

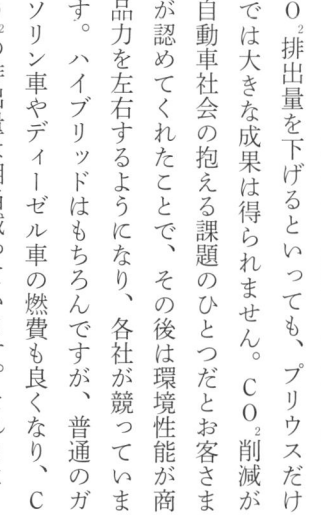

の生産をCO_2ゼロでやろうと。ゼロで生産し、走る時もゼロに近くしようということです。

プラスにするというのは、ゼロの世界を目指すだけでなく、今でもマイナス要因ではないけれども、もっと良い社会をつくろうというチャレンジです。ひとつは水ですね。工場での使用量を最小化して、排水を徹底的にきれいにします。それから、廃車となったクルマからクルマの材料を回収するリサイクルをやっていこうというのがあります。最後は、植林や生物多様性といったものを含めた環境を守る活動の輪をもっと広げていこうという取り組みです。

これらの取り組みをひとつのパッケージにして、２０５０年というタイミングに向けて進めていきます。特にゼロへのチャレンジでは、CO_2ゼロでクルマをつくるというのは、ブレークスルーがないと達成できない目標です。挑戦的な目標をつくることによって、今までの延長線上ではできないことをまず自分たちが認識する。そこにいろいろなアイデアが出てくるのではないかと思っています。

小宮山　私も環境チャレンジ２０５０はうれしいんです。トヨタさんが宣言したことが。総合性がすばらしい。偶然ですが、私が１９９９年に出した『地球持続の技術』という書籍で掲げた「ビジョン２０５０」とゼロチャレンジの考え方は非常に似ています。今、取り組んでいるプラチナ社会も、３つのプラスに通じています。どのようにまとめたのですか。

内山田　先生のプラチナ社会もそうだと思うんですが、あるべき姿を考えたら同じところにたどり着いたのでしょう。

小宮山　社内で議論されたんですか。

内山田　環境部が中心になって議論しました。我々のビジョンの中心は、世の中に良い商品、もっと良いクルマを出してお客さまに笑顔になってもらい、そのことによって我々の経営基盤を強くし、また新しい商品をつくることです。古い言葉ですが、「豊田綱領」の中のひとつが「産業報国」です。自動車産業を通じて世の中の役に立つということです。これは、社員に大変浸透しています。我々は利益のためにクルマをつくっているのではなくて、クルマをつくることによって世の中の役に立ちたいと考えています。我々が会社に入った頃は、信頼性やコストパフォーマンスの高いクルマを開発・供給してみんながクルマに乗れるようにし、それで利便性を高めることが重要でした。それから、プリウスをつくったり、燃料電池自動車をつくったりして、環境性能の高いクルマを通じて世の中に役立つために取り組んできました。

それで次のテーマは何だろうかと考えた時に、やはり我々がひしひしと感じているのは気候変動のインパクトです。ＩＰＣＣ（国連気候変動に関する政府間パネル）は、今世紀末に温室効果ガスの排出をゼロまたはマイナスにする必要があると報告しています、しかし、我々はすぐに対処できるわけではありません。ですから、今世紀末の50年前に当たる２０５０年を目標年に定めたわけです。

小宮山　社内には無理だという意見もあったんではないですか。

「やらなきゃならないことをやろう」

内山田　議論があったのは、「新車CO_2排出量90％削減」と「工場CO_2ゼロ」という２つの数値目標を入れるかどうかでした。

小宮山　内山田会長が「やれることをやるんじゃなくて、やらなきゃならないことをやろう」と後押しされたそうですね。

内山田　それは日ごろから言っていることですが、今回ぼくは非常にわくわくするなと思うんです。CO_2をまったく出さずにクルマをつくるなんてことが本当にできたら、すごいことではないかと。

ハイブリッド車や燃料電池自動車を開発した時も、スタートのところではとてもできないという話でしたが、期限を決めて一丸となって取り組んだら実現したという事実もあります。今すぐにはもちろんできないですが、目標を決めてやっていけばできるのではないかと考えています。そんなに社内の反応はネガティブではないです。

小宮山　バックキャスティングという言い方を

しますよね。将来こうなっていたいんだという目標があって、どのような技術に取り組むかを決める。

内山田　そうですね。

小宮山　技術屋にとっては大きなインセンティブになるのではないですか。

内山田　そうですね。ただ、目標を定めたのはいいんですが、みんな道のりは相当険しいという認識を持っています。例えばプリウスでも、すぐに普及したわけではありませんし、それよりも何よりも出した当時は赤字で、そのまま普及させれば赤字がどんどん膨らんで、大げさに言えば会社はプリウスのために潰れてしまうということになりかねなかったんです。普及させるためには、ハイブリッドで利益が出るようなコストにしなくてはならない。それも、量産するだけではコストは十分に下がらないので、プリウスはモデルチェンジのたびにハイブリッドのシステムを全部つくり直したんです。初代に対して2代目はこのシステムのコストを2分の1、3代目は3分の1程度にしています。

小宮山　量産効果ではないんですか。

内山田　量産よりも設計を変えたことの方が大きいですね。

小宮山　それは意外ですね。

部品メーカーの存在大きい

内山田　環境チャレンジ２０５０も同じです。原資がどこかからくるわけではないので、自分たちで稼ぎながら、その一方で目標を目指します。

それとぼくが思うのは、部品メーカーが研究開発の競争に加わってくるかどうかがものすごく大きいのです。初代プリウスは、主要コンポーネントをすべてトヨタで開発・製造していたんですが、そこに新しいビジネスチャンスだと思って部品メーカーが入ってくると、トータルのエンジニアの数は格段に増えるわけです。その人たちがみんなで競争してくれるようになります。そういう意味で我々はステークホルダーの重要性を十分に認識しています。

環境チャレンジ２０５０もトヨタが勝手に目標をつくって、自分たちでがんばればできるのではなくて、設備メーカーや部品メーカー、物流会社などの協力が欠かせません。さらに、これからはエネルギー会社ですね。新車のCO_2をゼロにするために、我々は燃料電池自動車とか水素社会を当然にらんでいます。国として水素を基幹インフラにするのか、エネルギー業界がそこに加わるのかはとても重要です。「トヨタが燃料電池自動車をつくったから水素スタン

ドをつくってください」では、誰もつくらないです。水素が重要なインフラになるとみんなが思っているから、それだったら我々は水素を使う自動車を出しましょうということで今やっているわけです。

小宮山 工場のゼロも厳しい数値目標です。

内山田 CO_2ゼロでクルマをつくろうとすると最大の問題は炉ですね。塗装の乾燥炉とか。

小宮山 そんなに炉が多いんですか。

内山田 他に鍛造工程があります。材料を温めてプレスするところで炉を使います。バッテリー工場でも乾燥炉が必要です。

小宮山 何度ぐらいで乾燥するんですか。

内山田 鍛造だったら1000度近いですよ。塗装の乾燥炉の温度はそんなに高くないですが。いずれにせよ省エネのために炉の全長をどうやって短くするかをみんなで考えるんです。最近は軸状の部品の鍛造は炉を通さずに高周波加熱を行っています。電気で加熱する。エネルギー消費量は大きく減ります。

小宮山 だんだん電気になっていけば再生可能エネルギーが使いやすくなりますね。

内山田 だから、ぼくは技術の進歩に対しては悲観的ではないんです。

規制を乗り越えるための中長期目標

小宮山 環境チャレンジ2050を昨年10月に発表したのは、昨年末の気候変動枠組条約第21回締約国会議（COP21）を意識したのですか。

内山田 そういう年ではありましたね。

小宮山 合意は得られると思っていらっしゃっ

たでしょう。

内山田　もう後がないので、どのレベルかは別にして、何らかの合意はされると思っていました。政府だけではなく、いろいろな団体がプレッシャーをかけていましたから。

小宮山　私は絶対合意すると言っていました。というのは、世界の二大排出国であるアメリカと中国のCO_2排出が減り始めていますよね。この2カ国がポジティブでした。

内山田　日本のCO_2排出量は世界の4％ぐらいなんで、日本がゼロにしたとしても世界はそんなに良くならないんですね。先生がおっしゃるように中国やアメリカなどの排出の多い国が世界の枠組みに参加し、排出削減に向けて動くことが大事です。その中で環境技術先進国の日本がどうやって貢献していくかだと思うんですね。

小宮山　そこに取り組まないと、環境で逆転されてしまいますよね。私は、1995年ぐらいのデータで自動車のカタログを全部調べて分析したことがあるんですよ。そうしたら同じ重さの自動車で日本車の平均値は、欧米メーカーの平均値と比べて燃費は15％ぐらい良かったんです。ところが2015年のデータでやってみると、普通のガソリン車、ディーゼル車に関してはほとんど差が分からないくらいになってきています。

内山田　先ほどもお話ししましたが、ハイブリッドというひとつの大きな動きが世界中のメーカーを燃費競争に巻き込み、それによって政府もまだ規制ができるんだと判断して、規制は厳しくなってきています。我々もつらいんですが、規制は全てのメーカーに適用されるので、その中で勝てるようにがんばるしかありません。

小宮山　そうでしょう。本当にみんなが参加すれば、特に中国とアメリカが参加するんなら、規制は厳しくすればするほど日本には得です。

内山田　確かに厳しければ厳しい方がよいという言い方もありますが、そのことによってユーザーの負担が非常に増えてしまいます。コストを上げないためには時間が必要です。燃費を大きく改善するために新しいエンジンやプラットフォームなどを開発して導入するにはモデルチェンジのタイミングがベストです。したがって、いきなり来年から20％改善しろと言われてもできません。ＣＯＰ21で話し合われた「パリ協定」のような中長期の目標が大事なんです。

小宮山　２０５０年に向けていろいろな動きが始まっているんですか。

内山田　もう始まっています。具体的にはまだ言えないですが、例えば炉の話でも、今は天然ガスを燃料にしていますが、燃える時にCO_2を出さない水素を使ったらどうかとか。これまでのトヨタだったら誰も考えなかったことです。そういう新しい発想です。この3年間工場を造らなかったのですが、これからは次の発展のために建設を始めます。可能性がある技術を試していかなければなりませんから、そういうところに今からアイデアを入れられないか、いろいろ検討しています。２０５０年にCO_2ゼロでクルマを作るというのは、１カ所ではなく世界中の工場なので、ハードルがとても高いんですよ。

小宮山　効果が大きいということですからぜひがんばってほしいですね。

内山田　それでも、１社がやれることは世界の問題から比べれば小さいです。先ほどお話ししたように、みんながんばってくれれば、気候変動問題への大きな力になります。

対談 2

地方創生と新しい働き方

地域活性化が競争力につながる

発祥の地、石川県小松市に本社機能を一部移転し、地域の活性化に取り組む。「地域」を鍵に競争力を高めるコマツの経営を聞く。

コマツ相談役
坂根正弘氏

小宮山　今日は、東京からの本社機能の一部移転、コマツ社内での多様な働き方をどう実現しようと考えているのか、そして日本全体が今後、地方再生を実現するためにはどのような対策が必要なのか。この3つを坂根さんからうかがいたいと思っています。

坂根　では私からいくつかお話しします。安倍政権がスタートする前、自民党が野党の時に「日本経済再生本部をスタートするから話をしてほしい」と言われ、自民党本部に行ったんです。第1回の会合だったと思います。そこで私がお話ししたのは、この国の大きな課題はデフレ脱却と地方創生だと。デフレと地方の衰退を考えるに当たって、コマツという会社は日本の縮図のようなものですと言ったんですよ。

まずデフレですが、どういう意味で縮図かと言うと、小宮山先生もよくご存知ですがコマツが進めているIoTを使った建設現場向けソリューション「スマートコンストラクション」がありますよね。それをどんな動機で始めたのかと言うと、建設機械の販売は世界の中で日本が一番儲からないことに関係があります。日本は国土が狭い割には建設機械が結構たくさん売れるんです。なぜかと言うと、建設業は、大手ごとに四次下請け、五次下請けという縦割りの下請け構造をもっていて、業者がたくさんいるからです。みんな機械を借りたり買うんだけど、稼働率が極めて低い。だから、建設機械は安くないとペイしないので世界一安い。中国に比べても為替にもよるが3割安い。

小宮山　そうですか。

坂根　多くのお客さまがいるから、日本ではたくさん売れるんだけど、儲からない。極端なことを言えば、機械を売ってサービスするだけでは、我々は日本ではやっていけない。一方、コマツはチリやオーストラリアの大規模鉱山で無人ダンプトラックの運行システムを実現しており、お客さまの鉱山運営の改善にも深く関わっています。安全面や生産性で大きな付加価値をお客さまに与えられるので、我々への見返りも大きい。このようなお客さまの現場の改善、ソ

坂根 正弘氏

コマツ相談役。1963年小松製作所入社。取締役、小松ドレッサーカンパニー（現コマツアメリカ）社長、コマツ代表取締役社長、代表取締役会長を経て2013年から現職。国家戦略特別区域諮問会議議員、総合資源エネルギー調査会会長などを務める

リューションを鉱山だけではなく、一般の土木現場でも提供できないかと始めたのが2015年から日本で展開しているスマートコンストラクションです。まず、土木現場というのはみんな2次元図面で管理しているから地形が正確に分からない。ではコマツで3次元測量をしようということで、ドローンを飛ばしたりして測る。そして3次元の寸法を入れて、半自動で動くコマツのICT建機を使いその通りに工事する。それだけで現場の施工はものすごく速くなりました。だけど今度は、土砂を運び出すダンプトラックがちょうどよいタイミングで来ないという問題などが起きるので、コマツの生産管理のノウハウを活かして工事の施工計画もお手伝いする。スマートコンストラクションは既に国内の1000を超える現場で導入されました。これを続けていけば将来、この国の機械や人の総数は恐らく、今ほどたくさんはいらないんですよ。しかし国全体の生産性は高まります。

小宮山　どれぐらいになりますか。

坂根　例えば、ドローンによる3次元測量は圧倒的に効率が良いので、まず従来2次元測量にかけていた人員や工数は不要になります。それから建設業特有の下請け構造の意味が無くなるわけです。建設現場をIoTで見える化して改善が進むと、請け負う人と施工する人が同じ方が効率的になりますから。建設業の産業構造が変わるんですね。だから、IoTの活用は、プレーヤーがたくさんいて消耗戦をしているという、この国のどの業界も抱える問題にメスを入れることになります。私からすれば、こんな小さな島国で1億2000万人もいて、労働力不足というのはおかしいんです。本来は1つの事

業から退出した人たちが違う事業に行くべきなのですが、こういった改革が起こらないから労働力不足と言っている。

コマツの場合は1回大きな構造改革をして、人を減らし、グローバルで1、2位を目指せない事業は撤退して、今はIoTを積極的に活用して新しい事業の進め方をしている。デフレ脱却というのは、こういうことなんです。政府日銀がいくら金融緩和しても民間が当事者意識を持ってこういう動きをしない限り、絶対に脱却できない。

小宮山　AI（人工知能）やITの進化によって雇用が奪われるという言い方がされますが、どのようにお考えですか。

坂根　それについてもスマートコンストラクションは一番代表的な例だと思います。先ほど申し上げたように、確かに測量士の数は従来に比べ必要なくなります。ところが、撮った3次元の画像を見る時に測量士の経験がある人は、はるかに良くデータを読み解けるのです。だから、仕事を取られて全く雇用がなくなるということにはならないと思いますね。おそらく、新たな付加価値を生む仕事に変わっていくんですよ。

小宮山　それは一番いい形ですよね。本当にそうなるのかな。

坂根　私はなると思いますよ。日本は、企業がムダな雇用を抱えているという問題はありますが、労働人口はタイトではないですか。ですから、変わらざるを得ないのではないですか。

日本の工場に競争力はある

小宮山　地方創生ではどのような話をされたんですか。

坂根　うちの社名は石川県小松市が由来です。社名が出身地を表している数少ない企業です。

小宮山　そういえばそうですね。

坂根　コマツが縮図と言った意味は、戦後間もない頃は石川県に本社があって、ほとんどの工場もありました。その後、本社を東京に移し、そして石川に工場があると輸出や経済活動が活発な太平洋側との取引に不便だというんで、大阪と関東に工場を造ったんです。そのうち円高が始まると今度は海外生産に乗り出す。だから石川から太平洋岸に出て、さらに海外に出ていったわけですよ。

小宮山　なるほど。

坂根　ところが、私が2001年に社長になって、日本の競争力はそんなに低くなったのか見直してみました。すると、いろいろな事業や商品に手を出したり、本社部門やITなどの間接業務でムダを抱えているだけで、純粋なモノ作りで負けているわけではない。事実、変動費だけを見ると、当時はアメリカと日本が同じになる為替が1ドル72～73円でした。変動費だけなら負けていないんだから、日本の生産投資戦略を見直すことにしたのです。

小宮山　72～73円というのはコマツさんだけの話ですか。

坂根　うちの話ですが、他社でも本当に変動費だけを比較したら、当時の為替1ドル110～120円レベルにおいて国際競争力はあったはずですよ。だけど、日本の企業は変動費という出し方をしないんです。というのは、現場の雇用は手を付けられない固定費で、変動費ではないと経営者が思い込んでいるからです。世界ではそうではなくて変動費です。変動費としてとらえてみると、コマツの場合、今の日本はタイや中国には少し負けていますが、アメリカやヨーロッパには絶対負けないです。日本のモノ作りには競争力があるんだから、もう1回日本に回帰しようというので、ここ5年ぐらいは新工場を日本にしか造っていないんです。

小宮山　どこですか。

坂根　石川県の金沢や茨城県のひたちなかなど

港の近くですよ。直接、輸出しますから。金沢からは韓国の釜山港にいったん持っていき、そこから世界に輸出することも一般的です。

小宮山　釜山港はハブになっていますからね。

坂根　いま売上高2兆円のうち国内販売は2割だけですが、生産は5割やっているんです。

小宮山　そうですか。

坂根　ですから、自信を失って日本から出たところまでではなく、日本の強さに自信を取り戻して、国内に投資をするところまで含めて、コマツが地方創生の縮図ではないですか、と言ったわけです。ただ、そうは言っても、このままデフレが続くと日本の比率は2割が1割になってしまうかもしれない。さすがに我々も日本で生産規模を維持できないので、とにかくデフレを脱却しなければいけませんという話をしました。

本社機能の一部移転、子供の数は3・2倍

小宮山　2002年に本社機能の一部を小松市に移していますよね。

坂根　当時、本社にだいたい1200人ぐらいいたんですが、ここにいるよりも現場に近いところにいた方がいい部門があるのではないかと考えて洗い出しました。まず購買本部は工場にいた方がいいということで移しました。それから2011年には全国に分散していた教育グループを移し、グローバル研修センターを設置しました。石川県には小松空港があり成田はもちろん韓国の仁川空港にもつながっているので、全世界から研修に来るのにまったく困りません。

小宮山　なるほど。

坂根　研修センターには年間のべ３万人が研修で来ます。その人たちの宿泊や食事は、ケータリングや地元の宿泊施設の空き状況を全部聞いてそこに割り当てています。その結果、その３万人が年間７億円を地元におとしています。

小宮山　そうですか。

坂根　それから東日本大震災の後、国内工場に設備投資するなら思い切った省エネをやってみようと取り組んでいます。コマツの国内工場も高度成長期に建てた建屋が多く、築後40年以上を経過したものが約半分を占めています。２０１４年に建て直した粟津工場の新組立工場は、購入電力を生産量当たり９割減らしました。

小宮山　どうやって９割も減らしたんですか。

坂根　画期的だったのは、地下水の利用ですね。使用電力を削減するアイデアを出し合っていたら、ある社員が「なんで太陽光、バイオマス、風力ばかり言うんですか。ものすごく豊富な地下水が石川県にはあります」と。地下水の水温は17度です。

小宮山　なるほど。冷房なんかいらない。

坂根　逆に暖房に使うエネルギーが足らないので、バイオマスに目を付けました。地元で余っていた間伐材を持ってきて発電し、熱を利用して暖房します。工場の生産設備の全ての省エネに加え、面積当たりの生産性も2倍に向上させ、太陽光や地下水、バイオマスなどの再エネを活用した結果、購入電力9割減ができました。国内の他の工場の建屋も順次建て直していきます。

小宮山　本社機能を一部移転を決意した理由の1つとして、女性社員の出生率のデータを出されていますよね。

坂根　最近のデータで言うと、30歳以上の既婚女性の子供の数が、東京が0・9人で、石川地区が1・9人です。石川は管理職だけなら2・6人です。さらに、既婚率も東京は50％、石川は80％です。ですから合わせると3・2倍違うわけです。

小宮山　本当にすばらしい。

坂根　私は管理職の女性たちと面談したことがあります。「たくさん子供をつくって管理職としてよく働き続けているな」と聞いてみると、半分ジョークだと思いますが、「3世代同居をしているんです。お義父さんから『孫の面倒を見ているから働いてこい』と言われるので喜んで働いているんです」と言うんです。

小宮山　逆が東京で、専業主婦になってしまうと家にずっと子供と2人で居るわけです。虐待の衝動にかられたことがあるかと聞くと、専業主婦の方がそういう人が多いんです。働きながら子供を育てられる環境が重要ですよね。

坂根　子供をつくりたくないという人もいれば、つくりたくてもできないという人もいるので一般論では言えませんが、私の場合は孫が3人います。今75歳ですが、この年齢になって孫がいなかったらさびしかっただろうなというのはあります。だから、三世代同居というのは高齢者にとっては人生の楽しみでもあるはずなんです。小松市の場合は、同居ではなくても市内に三世代が住んでいる人が2割を超えます。日本の良き地方というのはそういう社会なんではないですか。

小宮山　本社機能を一部移転させることに社内で反対意見はなかったのですか。

坂根　ありましたね。まずうちの妻ですね。「コマツが本社をまるごと移転する」と書いた地元の新聞があり、それを見た妻が「お父さん、これなに？　私は行かないからお父さん単身で行って！」と。だから購買本部を移した時にも、30人ぐらいの社員に「とにかく3年間行ってくれないかな。そのうち現地の人に代わってもらうから、帰りたかったら東京に戻ってくれ」という条件を出しました。そうしたら、家を買って家族まるごと小松市に住むと言ってくれた人もいるし、東京に戻ってきた人は意外に少ないんです。

ＯＢ、ＯＧが小学生に理科教育

坂根　石川の拠点を将来とも維持、拡大するとしたら、若い人を継続的に雇えないとダメですよね。調べると、石川地区の社員の10人に１人は兼業農家なんです。それで農業を手伝ってやらなければならないというんで、２０１３年から農業や林業への技術支援を始めました。農業では、結果的にスマートコンストラクションのＩＣＴのブルドーザーが生きています。うちの社員が農家の人に「コメの品質がどうしてこんなにばらつくのですか」と聞いたら、「水田が真っ平ならコメは同じものがとれる」と言うので、ＩＣＴブルドーザーで水田を平らにしました。すると「こんなに平らなら稲を植える必要ない。種を直播きすればいい」と言うんで、やってみました。去年、本当においしいコメがとれました。それで他の地域にも直播きを広げています。

小宮山　生産性は下がらないんですか。

坂根　2割アップします。水田ではないので経験のない若い人もできるじゃないですか。これは日本全国に生きてきますよね。

私が何を言いたいかというと、地元の輪が少しずつ広がっているということです。競争力に自信を取り戻し、逃げ出した石川にもう1度回帰したことを出発点に、工場の省エネやバイオマスの導入が始まり、地元の農業や林業の支援も始める。そこまでやると、JAはもちろん、県も、地元の銀行も「俺たちもちょっと農業にお金を出して生産性向上を支援しよう」と言い始める。

研修センターも、うちの人間だけで使うのはもったいない。小学生の理科教室のようなものをやろうじゃないかというんで、それならうちの世界一大きいダンプトラック、タイヤの直径が4mあって1台約5億円するのですが、それをチリから持って帰ってきて研修センターに置いているんです。今そこに年間5万人の子供連れが来ます。理科教室やモノ作り教室を開いて、例えば電気はどうやって起こすのか、重たいものを運ぶのはどういう理屈でできるのかといったことを教えます。そのネタを誰が考えているのかというと、うちのOB、OGです。

小宮山　それは面白い。

坂根　年間約300人が、入れ代わり立ち代わり子供たちを教えています。

小宮山　その人たちには給料を支払っているんですか。

坂根　少しばかりの日当を出している程度です。そうしたら、その人たちが「最近病院に行かなくなった」と言うんです。

小宮山　すばらしい話ですね。小中学校と連携するとさらにいいですね。

坂根　小松市内の小学校とは提携していて、5年生になると社会科見学の一環でコマツの研修センターを訪れます。

小宮山　いま日本で問題になっているのが、理科教育と英語教育、そしていじめの問題です。小学校の先生たちは優秀なんだけれど社会経験が乏しいわけです。企業のOB、OGたちは海外駐在やいろいろな経験を持っているんだから、こういう人たちが学校を助太刀すると、学校教育がずいぶん変わるんじゃないかと思っているんです。

坂根　なるほど。地方には企業の工場のOB、OGたちがたくさんおられます。教育や行政をはじめ地方活性化はそういう人たちの助けがなかったらできないですね。

小宮山　高齢社会といって介護の話ばかりしていても仕方がない。シニアがいかに活躍するかが重要です。前川製作所という会社はニッチトップの新しい製品をいろいろ開発していますが、ほとんどがOBと現役のコラボだそうです。いまの現役は忙しすぎるので、知恵があって時間があるOB、OGの力を引き出すことが成長の鍵だと思いますね。

対談 3

社会課題の解決を考える

社会制度のイノベーションの余地大きい

「安心、安全、公平」が保証できるプラチナ社会の構築には「経済成長」とイノベーションが不可欠。イノベーションは技術だけではない。「国家と市場」「社会の在り方と通念」の転換に余地は大きい。

立正大学経済学部教授
吉川 洋氏
×
立命館アジア太平洋大学
大学院客員教授
小西 龍治氏

小西　この書籍は科学技術の観点から、プラチナ社会をいかに実現するかを書いています。人類の社会は進歩したけれども、地球温暖化などいろいろな問題が新たに出てきました。しかし、それは科学技術で解決できる。科学技術が進歩し、それをどう用いるかという社会のマインドセットを変えられれば、自ずと豊かな循環型社会が数十年のうちにできるのだというのが、論理の基本構成です。

ただし、その中で十分に触れられていないのは、社会構造や社会制度です。要するに、科学技術が直接影響を及ぼさないものをどう捉えていったら、プラチナ社会を担保できるのかというところがやはり必要です。日本が課題解決先進国なら、高齢化で顕在化してきた社会保障や医療の問題を解決する方向性を示さなければならないだろうと考え、吉川先生に対談をお願いしました。税と社会保障のあり方、それから市場と国家といった枠組みをどう考えていけばよいのかについて、今日はお話をお願いしたいと考えています。

吉川洋《よしかわひろし》氏

立正大学経済学部教授。1974年３月東京大学経済学部経済学科卒業、78年12月米エール大学大学院博士課程修了（Ph.D.）。大阪大学社会経済研究所助教授、東京大学経済学部助教授、東京大学経済学部教授、東京大学大学院経済学研究科教授を経て現職。近書に『人口と日本経済』（中公新書）

人口減少だから経済もダメというのは違う

吉川　私はつい最近、『人口と日本経済』という本を書きました。ここで言っているのはどういうことかというと、日本で人口が減っていくのはもちろんよく知られています。国立社会保障・人口問題研究所の予測では、約１００年後には出生率中位推計で４０００万ぐらいになるのでしょうか。１億２０００万の人口が3分の１になるという予測ですよね。私もこれほどの急速な人口減というのは問題だと思います。ただ、経済の問題はちょっと違う。今日本では、人口が減っていくから右肩下がりだとか、日本のマーケットはもう終わっているとか、日本経済はダメだという悲観論が非常に強いのですが、それは違うというのが私の基本的な考えです。その際のキーになるのはイノベーション。この点で小宮山先生が言われているプラチナ社会とまったく同じ考えです。

余談ですが、2年ぐらい前にベルリンで開かれた日独の経済会議に参加しました。その時のことが印象に残っています。ご承知の通りドイツも大変な人口減少大国で、それを問題とは認識しています。彼らのソリューションは移民で、それが人口減に対する答えなのですが、それはそれとした上で、ドイツ経済がダメで今後右肩下がりだという悲観論は全くなかったですね。ドイツ経済は今後も強いというのが、基本的な雰囲気でした。

小西《こにし》 龍治《りゅうじ》氏

1967年東京大学法学部卒業、89年ハーバード・ビジネススクールAMP修了。日本長期信用銀行（当時）取締役、常務取締役、グラクソ・スミスクライン経営企画本部長などを経て、2008年から立命館アジア太平洋大学大学院経営管理研究科客員教授

ひとつ数字をご紹介すると、時代はさかのぼりますが高度成長期、概ね1955年から70年代の頭ですが、日本経済が実質ベースで10％ぐらいの成長をしていたことはよく知られています。ただ、ほとんどの人が知らないのは、労働力人口の増加率です。答えは1％、正確に言えば1・2％ぐらいかもしれませんが。経済の成長は10％で働き手の増加は1％。この差の9％が1人当たりの所得の上昇です。なぜ上昇したのかというと、要するにイノベーションと資本ストックの投入です。たとえて言えば、シャベルとつるはしでやっていた建設現場にブルドーザーやクレーンが入っていく。そのためには、

技術がなければならないのと同時に、ブルドーザーやクレーンが実際に建設現場に投入されなくてはいけない。こういう話です。

現場で使われてこそのイノベーション

吉川　ソーシャルエンジニアリングというんでしょうか。日本の場合、サイエンスやテクノロジーのレベルであるものができても、それが実際に社会に投入されるかどうかには別の問題があります。社会的な問題が非常に大きい。この点で日本はまだ改善の余地が大いにあると私は思っています。国の役割、政府の役割というのも大きいと思います。例えば私が成功例として歴史の中で思うのは、やや唐突なようですが、同潤会アパートです。1923年の関東大震災後の復興で、内務省が同潤会アパートを東京や横浜に20棟近く建てました。それまで集合住宅というのは木造のせいぜい2階建てだったのに、コンクリートで例えば3～4階、場合によっては6～7階建ての集合住宅を建設しました。戦後の団地のモデルになり、現在のマンションの原型になったことは明らかです。内務省が主導して、そういう実験をやったわけです。

百聞は一見にしかずで、目に見える形でモデルが提示されるというのは非常に重要なことです。今こそもっともっとモデルを作り出す必要があると思っています。とりわけ医療・介護はそうです。分かりやすく言えば、介護ロボットが開発されても現場に入らないんですね。診療報酬の体系に入っていないからです。経営者が物好きで、自腹を切って試すというケースを別にすれば、介護の現場には入りようがない。それはやはり国が主導して、介護ロボットを普及

させていかなくてはいけない。もう10年ぐらい言っていますが、いまだにダメですね。

　小宮山先生が関心を持たれているエネルギーの分野でも、再生可能エネルギーを普及するためにある種のスキームを作ったわけですよね。同じように医療・介護の分野というのは、やはりパブリックがイニシアティブを取らないと普及しないです。ソーシャルなイノベーションというんでしょうか。その余地は大いにあると思います。

　唐突ですが、経済学的に結構面白い例なので関心を持っているのが、大人用の紙おむつです。少子化で国内のマーケットでは赤ちゃんの方は頭打ちですが、高齢者の方がどんどん伸びて業界を引っ張っています。赤ちゃん用の紙おむつと高齢者用の紙おむつは面積が違うというだけで、恐らく技術的なイノベーションはない。イノベーションがハードなエンジニアリングだけではないという分かりやすい例だと思います。そして、そういうイノベーションが必要だということですね。

小宮山　さまざまな分野のさまざまなレベルのイノベーションを組み合わせていくことが重要です。

ジリ貧の中で格差が広がる

吉川　小西先生から提起していただいた税と社会の話に触れたいと思います。この問題、もともとは何かというと、格差問題なんですね。つまりどれだけのものを作り、そしてどうやって分けるかという問題ですね。これは、経済の言葉では分配と言います。所得で言えば所得分配。つまり、なるべく能率良く作るところまでは答えがひとつですが、それを分ける時の公平性にはひとつの答えがあるわけではないんです。いろいろな価値判断がありますから。

ご存じの通り、数年前にフランスの経済学者、トマ・ピケティの『21世紀の資本』が、世界的な大ベストセラーになりました。ピケティが最初ではないのですが、この書籍が明らかにしたひとつの事実としては、先進国に話を限ると第二次世界大戦前は大変な不平等社会だったのが、大戦を境に大金持ちが消え、一言で言うと平等になった。それが１９８０年代ぐらいからものすごく変わってきたということです。金持ちがますます大金持ちになるというように進んだ国がアメリカです。上場している大企業のトップの年収が、同じ企業の従業員の平均年収の何倍かというと、30年ぐらい前までは大体40倍って言われていたんですよね。それがこの30年で４００倍になった。

日本ではトップがどんどん大金持ちになるっていうことはないですが、格差は広がった。日本の問題は、全体に下にガクッと落ちてしまったことです。要するに勝ち組と負け組が生まれたというのではなく、やや乱暴に言えば日本は全員負け組になったということですね。平均ないし中間値が大きく下がったのではないでしょうか。要するに所得レベルの下側、特に中間層が落ちたんです。

小宮山　それに加えて上側も上がっていないということですか。

吉川　誇張して言えば、そうですね。そういう中で所得の低い層にしわ寄せがいくのは常に起こることです。象徴的に言われるのは、ご存じの正規・非正規の問題です。非正規が30年前だと働く人のだいたい16％ぐらいだったと言われているのですが、今は40％ぐらいに来ているのではないでしょうか。

小宮山　報道では40を超えたとか。

吉川　加えて日本の場合には、よく知られていることですが、格差で非常に大きな問題が高齢化なんです。つまり20代の人を１００万人集めると、所得や資産、健康度などは、でこぼこはあるけれどばらつきは小さい。でも70代を１００万人集めると、これは大変なばらつきがあります。高齢化は、社会全体で高齢者のシェアが高まることですから、当然社会、経済全体でもばらつきが大きくなるということです。

社会保障費の拡大、まかなうのは消費税

吉川　社会全体でこの格差の問題をある程度緩和する制度が社会保障制度です。年金や医療、介護など、放っておいたら不平等が大きくなりすぎる問題に対し、しかるべく国が関与して不平等を縮めましょうという考えです。

ところで、ではそれをどうやってファイナンスするかという話があります。今、社会保障給付がだいたい１１０兆円ぐらいです。６割が保険料でまかなわれています。社会保障給付を丸

めて100とすれば、ご存じの通り労使折半の現役の保険料で6割をカバーしています。したがって残りの4割は穴が開いている。その4割のうち3割を国、1割を地方でカバーします。国の分のおおむね30兆円を一般会計予算で手当てします。

公共事業、文教・科学技術、ODA（政府開発援助）、防衛などの政策経費は基本的に全部ゼロ成長です。その中で放っておくと伸びていくのが社会保障です。自然体で毎年だいたい6000億円から7000億円増えていく。ですから、国の財政赤字が拡大する要因とは社会保障なんです。これは日本だけでなく、ヨーロッパもアメリカもそうです。日本の場合は一番極端ですが。

ではどうするのか。一言で言えば、日本人はもうちょっと税金を払わなければいけないということです。税の話は長くなるので短くして言えば、消費税には所得税のような累進構造はないけれど、比例税ではあるので、悪くはないんです。所得の低い人に対する逆進性に関しては何らかの手当てをする必要はあるでしょうが、結論は消費税です。

ヨーロッパの場合は、欧州連合（EU）ではミニマム税率を決めていて、最低の消費税率が15%です。しかも、ミニマムの15%の国はほとんどなく、イギリス、フランス、ドイツが約20

%、スウェーデン、ノルウェーが25%です。その中でね、ちょっと前の日本のように5%などと言っているのはあり得ないんです。そこを何とかしようというので、10%にするはずだったのですが、8%に上げたままで、先延ばししましょうになっているんです。

小宮山　間接税で社会保障をファイナンスしなくてはならないというのは非常によく分かるお話です。一方で経済が伸びないのは、イノベーションが起こっていないからですよね。我々の考えているようなプラチナ社会の実現によってクオリティ・オブ・ライフ（Quality Of Life, QOL）を上げていくところにビジネスチャンスがたくさんあるのではないでしょうか。

吉川　私に言わせれば、やはり高齢化や環境の問題を解決するのはイノベーションです。今あるものを何個売るかの話ではなくて、新しいものを作り出すわけですからね。日本のマーケットのサイズは、いろいろな実験をする上で、格好の環境なんです。小宮山先生の言葉を借りれば、課題先進国にはその分ビジネスチャンスがあるというのは、その通りだと思いますね。

小宮山　それを阻害している要素というのは、日本の制度やメンタリティにあります。例えばライドシェアのウーバーのような新しいビジネスがなかなか普及しない。

吉川　言い古された言葉ですが、進取の気性に欠けているというのはあるのではないですか。先ほどの紙おむつの話で、たまたま開発した人の話を聞いたのですが、3度目に提案してやっと社内で稟議が通ったそうです。それから掃除ロボットも、なぜ日本で開発されなかったのかというと、開発はしていたらしいです。しかし、仏壇にぶつかってろうそくが倒れて火事になったらどうするんだといったネガティブな意見によって発売できなかったと聞きます。

国にはコーディネーターの役割がある

小西　先ほど国の関わり方のことをお話しになりましたが、高度成長期は通産省（当時）が積極的に関わり、ターゲットを決めて産業を育成しました。しかし、国がどう関与するのかの範囲もよく分からなくなってきています。非正規雇用の問題も国としては無策です。国と市場の関係を今後どうしたらいいのでしょうか。

吉川　そこのところは、私は一般論として語るべきではないと思うんです。ただ、特に医療介護の分野でマーケットメイキングをするプレイヤーは国以外にないんです。具体的には介護ロボットはいろいろなところでエンジニアの人たちが作っているのでしょう。しかし、実際に介護の現場で試し、介護保険の体系の中に組み入れて普及させていくことは民間の主体にはできないわけです。

小宮山　おっしゃる通りです。例えば、増加している耕作放棄地を活用して伊藤園はお茶畑をやっていますが、これは企業が農業に参入できるようになったからです。そういう制度を作るのはやはり国です。しかし、林業の場合は面積当たりの生産性が高くないので一民間企業ではなかなか難しいです。国がどこまで関与し、どこから民間に任せるべきかという仕切りについて整理する必要があるかもしれないですね。

吉川　分野によってケースバイケースですが、やらなくてはいけないことは、大いにやってもらいたいです。

小宮山　再生可能エネルギーなんかは固定価格

買い取り制度を国が作ったから伸びました。

吉川　バブルが起きたと言う人もいるけど、大きく見れば紆余曲折のひとつつだろうと思います。国、行政の役割というのは大いにあると思います。

小宮山　僕もそう思います。

吉川　国のコーディネーターとしての役割が必要になっていると思うんです。つまり、環境やエネルギー、高齢への対応は、21世紀の人類にとって本当に必要なものであることに間違いはないと思います。これを、一つの産業で解決するというよりは、例えば高齢化社会に対応するには全部取り替えになるんではないかというのが私の考えです。建物でも交通でも流通でも、ありとあらゆるものが全部変わるだろうと。

小西　産業構造のプラチナ社会化ですね。

吉川　それぞれの専門分野で開発されたテクノロジーを束ねて、横串を通して最終的に必要なものを作り出さなくてはいけないんですよね。

小宮山　多分それができる時代に入りつつあるんではないでしょうか。今ある技術、今ある知識を適切に組み合わせればできる。だから横軸が重要になる。

吉川　例えば救急医療の分野では救急車はスマートカーになるでしょうが、その際に受け皿になる救急病棟も新しいテクノロジーを取り入れて変わっていかなくてはならない。そこに、横串を入れるコーディネーターが必要です。

小宮山　救急システムをドローンやGPS、スマートカーなどの新しい技術で構成するといったことをやろうとすると、行政の縦割りとぶつかることになります。これは政府が解決すべき問題だと考えます。

謝辞

これまで本当に多くの方々と議論を交わし、それが本書の内容を作り上げる源泉となっています。この場を借りて、それらすべての方々に心より御礼申し上げます。

また今回の執筆に当たっては、特に、プラチナ構想ネットワーク法人会員・自治体会員・特別会員、東京大学「プラチナ社会」総括寄付講座関係者、国立研究開発科学技術振興機構（ＪＳＴ）低炭素社会戦略センター（ＬＳＣ）関係者、ＴＭ研究会会員、三菱総研プラチナ社会研究会関係者、東京大学エグゼクティブ・マネジメント・プログラム（東大ＥＭＰ）関係者、ＤｉＴＴデジタル教科書教材協議会関係者に多大なご協力をいただいたことを感謝申し上げます。

ここでは、インタビュー、原稿案、データ、写真、資料の提供など、本書執筆にあたって直接ご協力いただいた方々のみ御名前を記して感謝の意を表したいと思います。

（順不同）内山田竹志氏、坂根正弘氏、吉川洋氏、小西隆治氏、石村和彦氏、武内和彦氏、本庄八郎氏、笹谷秀光氏、永野広作氏、西村元彦氏、藤野純一氏、伊香賀俊治氏、大岡龍三氏、フランク・ピーター・ポポフ氏、黒田武志氏、林光明氏、野田優氏、大沢利男氏、大上二三雄氏、小池聡氏、大久保達也氏、菊池康紀氏、石戸奈々子氏、神蔵孝之氏、笹岡繁博氏、李展飛氏、杉浦正吾氏、千野俊猛氏、保木純氏、山部裕子氏、犬山絵美氏、笠島勝治氏、木村寛氏、青田知朗氏、矢島希巳江氏、駒崎大樹氏、甲斐茂夫氏、井上智弘氏、磐田朋子氏、田中加奈子氏、板谷利香氏、松田智生氏、檜垣亨氏、橋徹氏、西村邦幸氏、梅田美穂氏

最後に本書の刊行にあたってご協力いただいたフリージャーナリストの林愛子氏、日経ＢＰ社の田中太郎氏に心から感謝の意を表します。

小宮山 宏（こみやま・ひろし）

1972年東京大学大学院工学系研究科博士課程修了後、東京大学工学部長等を経て、2005年４月に第28代東京大学総長に就任。2009年３月に総長退任後、同年４月に三菱総合研究所理事長に就任。2010年８月には、サステナブルで希望ある未来社会を築くため、生活や社会の質を求める「プラチナ社会」の実現に向けたイノベーション促進に取組む「プラチナ構想ネットワーク」を設立し、会長に就任。

山田 興一（やまだ・こういち）

1962年横浜国立大学工学部電気化学科卒業。住友化学工業勤務後、東京大学大学院工学系研究科教授、信州大学繊維学部教授、地球環境産業技術研究機構理事、東京大学理事などを歴任。2007年よりEdith Cowan University（オーストラリア）客員教授、2009年より東京大学総長室顧問および国立研究開発法人科学技術振興機構 低炭素社会戦略センター副センター長に就任、現在に至る。専門は電気化学、地球環境工学。工学博士（東京大学）

新ビジョン2050

地球温暖化、少子高齢化は克服できる

2016年10月24日　第１版第１刷発行

著　者	小宮山 宏、山田 興一
発行者	萩原和久
デザイン・制作	明昌堂
カバーデザイン	明昌堂
発　行	日経BP社
発　売	日経BPマーケティング 〒108-8646　東京都港区白金１-17-３
印　刷	中央精版印刷株式会社

ISBN 978-4-8222-3657-1
Printed in Japan